新潮文庫

ハンニバル

上巻

トマス・ハリス
高見 浩訳

新潮社版

6451

目次

ハンニバル 上巻

主要登場人物

クラリス・スターリング…ＦＢＩ特別捜査官
ヌーナン………………………　〃　副長官
クリント・ピアソール……　〃　ワシントン支局長
ジャック・クロフォード…　〃　行動科学課長
アーディリア・マップ……クラリスの同僚
ポール・クレンドラー……司法省監察次官補
リナルド・パッツィ………フィレンツェ警察主任捜査官
バーニー………………………病院用務員
メイスン・ヴァージャー…食肉加工会社経営者
マーゴ…………………………メイスンの妹
オレステ・ピーニ…………映画監督
カルロ・デオグラシアス…誘拐屋
マッテーオ……………………　〃　　カルロの弟
ピエロ・ファルチョーネ…　〃
トンマーソ……………………　〃　　ピエロの弟
ロミュラ・クジェスク……ジプシーの女囚
ハンニバル・レクター……医学博士。連続殺人犯

＊訳者と編集部の判断で『羊たちの沈黙』から一部の表記を変更した。

第一部　ワシントンＤＣ

1

こういう日は震えながら
幕をあけるものだ……

クラリス・スターリングのマスタングは、轟音《ごうおん》と共にマサチューセッツ・アヴェニューに面したＡＴＦ（アルコール・タバコ・火器取締局）本部への進入路を駆けあがった。そこは経費節減のために、文鮮明師から賃借りしている建物だった。
急襲班はすでに三台の車に分乗して待機していた。先頭は、隠密《おんみつ》捜査用のくたびれたヴァン。その背後に、ＳＷＡＴチームの黒塗りのヴァンが二台。いずれも隊員が乗り込みずみで、エンジンをかけたまま洞穴のような駐車場に止まっている。

装備袋を抱えあげてマスタングから降ろすと同時に、クラリスは先頭車両の薄汚れた白いヴァンに駆け寄った。〝マーセル蟹《かに》料理ハウス〟の広告プレートが、そのヴァンのボディ両側面にはとりつけてある。

ひらいた後部ドアの隙間《すきま》から四人の男が、近づいてくるクラリスを見守っていた。緊急作戦用の出動服姿でも、彼女はほっそりしていて、装備袋の重量に負けずに足早に歩いてくる。駐車場の陰気な蛍光灯の光の下で、髪がつやつやと輝いていた。

「これだからな、女ってやつは。きまって遅刻するんだよ」ワシントン市警の警官が言った。

この急襲の指揮をとっているのは、ATFの特別捜査官、ジョン・ブリガムだった。

「いや、遅刻したわけじゃない——おれが彼女に連絡したのは、タレコミが入ったあとだったんだから」ブリガムは言った。「彼女、わざわざクワンティコから駆けつけてくれたんだろう——やあ、スターリング、その袋、受けとろう」

クラリスは彼と掌《てのひら》を打ち合わせて挨拶《あいさつ》した。「しばらくね、ジョン」

運転役のむさくるしい捜査官に、ブリガムが合図する。ヴァンは後部ドアが閉まらないうちにスタートして、爽《さわ》やかな秋の午後の中にすべりでた。

クラリスは、この種の監視用のヴァンには乗り慣れている。監視用ペリスコープの下をくぐって、後部シートの、百五十ポンド分のドライ・アイスの塊になるべく近いところに腰を降ろした。そのドライ・アイスは、エンジンを切って監視活動を行なう際、暑い車内のエアコン代わりに使われるのだ。

オンボロのヴァンには、決して払い落とせない、恐怖と汗が渾然《こんぜん》となったサルの檻《おり》のような臭《にお》いがこびりついている。隠密捜査に使用されはじめてから、ボディ側面にとりつけられた広告プレートは数知れない。今回の、色褪《いろあ》せた汚いプレートは、つい三十分前にとりつけられたものだ。充塡剤《じゅうてんざい》で埋められた弾痕《だんこん》はもっと古い。

黒い窓はマジック・ミラーになっていて、ほどよく汚れている。背後に従うSWATチームの黒い大型ヴァンが、クラリスの目によく見えた。あの連中、突入準備を終えるのに何時間もかからなければいいが、と思う。

クラリスが窓のほうを向くたびに、男性捜査官たちの視線が彼女に注がれる。FBI特別捜査官、クラリス・スターリング。三十二歳。彼女はいつも実際の歳《とし》に見えたし、出動服を着ていても、その歳を魅力的に見せていた。

ブリガムが前方の助手席からクリップボードをとりあげた。

「きみはどうして、こんなやくざな任務にばかり駆りだされるんだ、スターリング?」

微笑《わら》いながら、彼は言った。

「あなたが、わたしのことばかり指名するからだわ」

「いや、今回の任務にはどうしてもきみが必要なんだよ。でも、きみはしょっちゅう、悪漢どもを奇襲して逮捕状を執行するような、がさつな任務に使われてるじゃないか。おれが毎度毎度きみを指名しているわけじゃない。たぶん、司法省にきみを毛嫌いしてるお偉方がいるんだろう。いっそ、おれたちの組織に移ってきたらどうだい。それはそうと、きょうのメンバーを紹介しておこう。おれの部下のマーケス・バーク捜査官に、ジョン・ヘア捜査官。それと彼は、ワシントン市警のボウルトンだ」

ATF、DEA（麻薬取締局）のSWATチーム、それにFBIから成る混成急襲チームは、FBIアカデミーすら資金不足で閉鎖される時代を象徴するような、予算抑制を至上課題とする方針の産物だった。

バークとヘアはいかにも捜査官らしい顔をしている。ワシントン市警のボウルトンは、法廷の廷吏を連想させた。年の頃は四十五、ぶくぶくと太った男だ。

自ら麻薬使用容疑で断罪されたことのあるワシントン市長は、麻薬取締まりに熱心なところを見せたくて、ワシントン市内で大規模な手入れが行なわれる際はワシントン市警にも功名のお裾《すそ》分《わ》けを、と日頃から主張している。それでボウルトンが一枚加わっているわけである。

「ドラムゴの一党が、きょう、ヤクを加熱処理するらしいのさ」ブリガムが言った。

「イヴェルダ・ドラムゴね。やると思ってたわ」表情も変えずにクラリスは応じた。

ブリガムはうなずいた。「あの女、ポトマック川沿いのフェリシアナ・フィッシュ・

マーケットの近くに、アイスの精製所を設けたんだ。タレコミ屋の話だと、彼女はきょう、かなりの結晶を処理するらしい。しかも彼女、今夜のグランド・ケイマン島行きの飛行機をすでに予約している。ぐずぐずしてはいられんのさ」

メタンフェタミンの結晶、通称〝アイス〟は、短時間ながら強力な陶酔感をもたらす、殺人的に中毒性の高い麻薬なのである。

「麻薬というとＤＥＡの管轄《かんかつ》なんだが、われわれは第三分類に属する武器の不法州間輸送の廉《かど》でも、イヴェルダを逮捕したいんだ。令状にはその武器が特定してある――数挺《ちょう》のベレッタ・サブマシンガンとマック10《テン》だ。あの女はもっと大量の武器の隠匿《いんとく》場所を知ってるに相違ないしな。きみはもっぱらイヴェルダの拘束に全力をあげてくれ、スターリング。彼女のことは前にも扱ってるわけだし。この連中がきみをバックアップするから」

「こいつは簡単にすみそうだね」ワシントン市警のボウルトンが安心したように言う。

するとブリガムが、

「この連中にイヴェルダのことを話してやってくれよ、スターリング」

ヴァンが鉄道の踏切の上をガタゴトと通過し終るのを待って、クラリスは口をひらいた。「イヴェルダは頑強に抵抗すると思って。外見はまったくそんなタイプじゃないけど――以前はモデルをしてたことがあるし――でも、とことん抵抗するわ。死んだ夫がディジョン・ドラムゴなの。わたしは組織犯罪取締法違反容疑で、彼女を二度逮捕したことがある。最初のときはディジョンと一緒にね。

そのときイヴェルダは九ミリの拳銃《けんじゅう》を携帯していて、ハンドバッグには三個の弾倉とメース（催涙ガス用神経麻酔剤液）のスプレーを忍ばせていたわ。ブラジャーの中にはフィリピン製のバタフライ・ナイフを隠していたし。いまはどんなものを携帯しているかしら。

二度目に逮捕したときには、観念するように諄々《じゅんじゅん》と訴えたの。そうしたら素直に逮捕されたんだけど、こんどはワシントンの拘置所内で、マーシャ・ヴァレンタインという囚人を殺してみせたわ。スプーンの柄でね。だから、本当に何をしでかすかわからない女……その表情も読みとりづらいし。拘置所内の殺人については、大陪審が正当防衛の判断を下したんだけど。

組織犯罪取締法違反容疑に関して言えば、彼女、最初のときは裁判で勝ち、二度目のときは司法取引で罪を軽くしてもらったの。武器の不法輸送に関する容疑が取り下げられたのは、彼女が乳児を抱えていたのと、夫のディジョンがプレザント・アヴェニューで殺されたばかりだったため。ディジョンは走ってきた車から銃撃されて死んだんだけど、やったのはストリート・ギャングの〝スプリッフ団〟という説がもっぱらね。

きょうもわたしは、抵抗しないように彼女を説得するつもり。素直に降伏してくれればいいんだけど——そのためにも、こちらが圧倒的に優位に立っていることを見せつけないと。でも——よく聞いて——あのイヴェルダ・ドラムゴを取り押えるには、なまなかなバックアップじゃだめよ。わたしの背後を見張ったりしなくていいから、彼女に十分なプレッシャーをかけてほしいの。これからわたしとイヴェルダの泥んこレスリングを観戦するんだなんて、そんなお気楽なことは考えないでね、みんな」

以前のクラリスだったら、この連中にも一定の敬意を払っただろう。この連中は、彼女の説明に鼻白んでいる。が、いまのクラリスは、もうそんなことを気にするほどヤワではなかった。

「イヴェルダ・ドラムゴは、ディジョンを通じて〝トレイ・エイト・クリップ団〟とつながっている」ブリガムが口をはさんだ。「タレコミ屋の証言だと、彼女は〝クリップ団〟に護衛してもらっているようだ。〝クリップ団〟はその見返りに、西海岸で売り捌《さば》くヤクを得ているんだろう。連中が警戒している相手は、主としてライヴァルの〝スプリップ団〟だと思うがね。〝クリップ〟のやつらがわれわれを見てどういう反応を示すか、予想はつかない。ま、よっぽどのことじゃないかぎり、やつらは官憲には盾つかないようだが」

「これはぜひ知っておいてほしいんだけど——イヴェルダはエイズにかかっているの」クラリスは言った。「夫のディジョンからヤクを打たれたとき、注射針から感染したのね。彼女は拘置所でそれに気づいて、キレてしまったらしいわ。その日にマーシャ・ヴァレンタインを殺し、看守たちと争ったんだから。丸腰なのにイヴェルダが抵抗したら、彼女がまき散らす体液に注意すること。彼女は唾《つば》を吐いたり、嚙《か》みついたりするでしょうから。無理やり押えつけようとすれば、こちらに触れるように、わざと放尿したり脱《だっ》糞《ぷん》したりするかもしれない。だから、手袋とマスクの着用は必《ひっ》須《す》だと思って。彼女をパトカーに乗せようとして頭を押えつけたりするときは、髪の中に針が隠されてないか注意しないと。それと、彼女の両足を縛りあげること」

バークとヘアの顔が深刻な表情を帯びはじめた。ワシントン市警のボウルトンは浮かない顔をしている。彼はクラリスの拳銃のほうに、そのだぶついた顎《あご》をしゃくった。彼女が帯びているのはよく使い込まれたコルト45ガヴァメント・モデルで、銃把にはスケートボード・テープを巻きつけてあり、いまは右のヒップに装着したヤキ・スライド・タイプのホルスターに差し込んである。

「あんたはいつも、そいつの撃鉄を起こしたまま歩きまわってるのかい？」ボウルトンは訊《き》いた。

「ええ、起こした撃鉄にセーフティ・ロックをかけてね。勤務中は常時そうしてるのよ」

「危なくないかね、それじゃ」

「射撃練習場にきてくれれば、納得のいくように説明してさしあげるけど」

ブリガムが割って入った。「このスターリングが三年つづけてFBI部内のピストル実技コンテストのチャンピオンになったとき、コーチをしたのはこのおれなんだよ、ボウルトン。だから、心配要《い》らん。なあ、スターリング、〝人質救出チーム〟の連中、あの〝ヴェルクロ・カウボーイズ〟がきみに敗れたとき、連中はきみのことを何て呼んだっけ？　あの射撃の名手、〝アニー・オークリー〟か？」

「〝ポイズン（毒入り）・オークリー〟よ」クラリスは言って、窓の外に視線を転じた。

男たちのひしめく、この不快な臭いのする監視用ヴァンに乗っていると、身を刺されるような孤独感に包まれる。鼻をつくのは安物のアフターシェイヴの匂《にお》い――〝チャップス〟、〝ブルート〟、〝オールド・スパイス〟。それに、汗と革の匂いだ。ふっと不安が忍び寄ってきて、それは舌の下に含んだ一セント銅貨の味がした。

（脳裡《のうり》に、あるイメージが割り込んでくる。タバコと洗浄力の強い石鹸《せっけん》の香りをいつも発散していた父。キッチンに立って、先端が四角く割れたポケットナイフでオレンジの皮をむき、それを自分に分けてくれた父。彼が夜間パトロールに出かけたとき、しだいに遠ざかっていったピックアップ・トラックのテイルライト。そのパトロールで、父は落命したのだ。クローゼットに残っていた父の衣服。スクエア・ダンス用にとっておいたらしいシャツ。自分のクローゼットにもいま、なかなか着る機会のない素敵なドレスがいくつかある。屋根裏の玩具《おもちゃ》のように、ハンガーに吊《つる》されたままの、わびしいパーティ用ドレス)。

「あと約十分」ドライヴァーが後ろに向かって叫ぶ。

ブリガムがフロント・ウィンドウの前方を見やってから、腕時計をチェックした。

「よし、これが見取り図だ」彼はマジック・ペンで急いで描いた簡単な図と、市の建物課からファックスで送られてきた、ぼやけた間取り図を手にしていた。「このフィッシュ・マーケット・ビルは、川岸に並ぶ店舗や倉庫の延長線上にある。パーセル・ストリートは、このフィッシュ・マーケットの前の小さな広場に突き当って、リヴァーサイド・アヴェニューにつづいてるんだ。

これでわかるように、フィッシュ・マーケット・ビルは川を背中にしている。その川沿いのこの部分、ちょうどビルの背後に、船着き場がある。イヴェルダの精製所は、このビルの一階の隣りだ。入口はビルの正面、フィッシュ・マーケットのひさしのすぐ隣り。おそらくイヴェルダは、ヤクを精製しているあいだ、すくなくとも周囲三ブロックにわたって見張りを展開させているだろう。これまでも、そいつらが目ざとく知らせたため、手入れ直前に、イヴェルダがまんまとヤクを処分してしまったことがある。で——三台目のヴァンに乗り組んでいるＤＥＡの正規の急襲チームは、十五時きっかりに、船着き場のフィッシング・ボートから突入することになっている。このヴァンのわれわれは、その数分前に、道路側の戸口にだれよりも接近できるはずだ。もしイヴェルダが表に出てきたら、そこで拘束する。出てこなければ、ＤＥＡの連中が裏口から突入した直後に、われわれもこの表口から突入する。二台目のヴァンは、われわれの後方掩護《えんご》だ。あれには七人乗り組んでるが、こちらの指示がないかぎり、連中も十五時に突入する」

「正面入口の扉は、どうやって押し破るの？」クラリスが訊いた。

するとバークが口をひらいた。「もし中で何も物音がしなけりゃ、ハンマーを使う。閃光弾《せんこうだん》の音や銃声が聞こえたら、〝エイヴォン・コーリング〟の出番だな」彼は自分のショットガンを撫《な》でさすった。

それが使用される場面は、クラリスも見たことがある。〝エイヴォン・コーリング〟とは火薬入りの微細な鉛の玉がつまった三インチのマグナム・ショットガンの薬包のことで、それを使うと内部の人間を損傷させずにドアのロックを破壊できるのだ。

「イヴェルダの子供たちは？　あの子たちはどこにいるの？」スターリングは訊いた。

「われわれの内通者は、彼女が託児所に子供たちを預けたところを見ている」ブリガムが答えた。「そいつは彼女の家庭事情にもえらく精通していてね。コンドームみたいにぴったりと、あの一家に密着しているのさ」

ブリガムの無線のイアフォンが、ブーッと鳴った。後部ウィンドウから覗《のぞ》けるかぎりの空を、彼は見まわした。「ヘリがいるとしたら、たぶん、交通状況をレポートしてるんだろう」喉《のど》のマイクに言ってから、ドライヴァーに声をかけた。「いまのは二号車からだが、一分前に報道関係のヘリを見たと言ってる。そっちは何か見たか？」

「いえ、何も」

「交通状況のレポートだといいんだがな。よし、装備を身につけて、支度しよう」

　こういう暑い日には、たとえヴァンの後部に百五十ポンド分のドライ・アイスの塊があろうと、五人の人間に涼味を味わわせることはできない。彼らが防弾チョッキを装着しはじめるときは、なおさらだ。ボウルトンが両腕をあげたときには、いくら〝カヌー〟を脇《わき》の下にふりかけても、シャワーと同じ効果は期待できないことが如実《にょじつ》に示された。

　クラリス・スターリングは、防弾仕様のはずのケヴラー・ヴェストの重みに耐えられるよう、出動服のシャツの内側にショルダー・パッドを縫いつけてある。このヴェストは正面のみならず背中にもセラミック板が入っていて、それだけ重量がかさむのだ。背中にもセラミック板を入れる効用は、過去の悲劇的な経験が教えてくれている。日頃馴染《なじ》みのない、訓練レヴェルもまちまちの連中とチームを組んで強行突入を敢行するのは、すくなからず危険なことなのである。まだ新米の、気もそぞろな隊員の先に立って突入した場合、背後からの味方の弾丸によって脊髄《せきずい》を損傷したりすることがままあるのだから。

ポトマック川の手前二マイルの地点で、三台目のヴァンがＤＥＡの急襲チームをフィッシング・ボートとのランデヴー・ポイントに運ぶべく離脱し、二台目の後方掩護のヴァンが白い先頭のヴァンの背後に適当な距離を置いて追随した。

周囲の光景が殺伐としてきた。目に入る建物の三分の一は窓に板張りがしてあり、縁石のかたわらには焼け焦《こ》げた車がオンボロの車の上に積み重なっている。酒場や小さなマーケットの前の角には若者たちがブラついていた。歩道で燃えているマットレスの周囲で、子供たちが遊んでいる。

イヴェルダの護衛たちがすでに散開しているとすると、歩道を行き来している人間たちのあいだに巧妙にまぎれこんでいるだろう。酒店の周辺や食料品店の駐車場では、止めた車の中で男たちがダベッている。

四人の黒人の若者が乗った、車高を落してあるインパラのコンヴァーティブルが、さほど多くない車の流れに乗り入れてきて、先頭のヴァンの背後についた。そのうち若い女性たちの横に並ぶと、彼女たちを喜ばせようとして車首をひょいと跳ねあげてみせる。彼らのステレオの重低音がヴァンの内部の壁を震わせた。

マジック・ミラーの後部ウィンドウから見ていて、あの若者たちは敵側ではない、とクラリスは判断した――〝クリップ団〟の武装車は必ずと言っていいくらいパワーのあるフルサイズのセダンかステーションワゴンで、周囲の街区に自然に溶け込める程度に古びている。しかも、後部ウィンドウが完全に下までひらくようになっているのが特徴だ。乗っている人数はたいていい三人、場合によっては四人。だいたい、こちらが冷静さを失っているときは、バスケットボールの選手たちの乗り込んだビュイックでも、物騒な車に見えるものである。

赤信号で停車しているあいだに、ブリガムがペリスコープの接眼部のカヴァーをはずして、ボウルトンの膝《ひざ》を叩《たた》いた。

「ちょっと見まわして、この辺で知られたワルが歩道にいるかどうか、確認してくれ」

このペリスコープの対物レンズはルーフの換気装置の中に隠されていて、両側面しかとらえられない。

ボウルトンはぐるっとペリスコープをまわして、目をこすった。「エンジンがまわってると、やけに視野が揺れるな」

ブリガムは無線でフィッシング・ボートのチームと連絡をとった。「現在下流四百メートルで、なおも接近中」ヴァンのクルーたちに、彼は相手の報告を復唱した。

目標の一ブロック手前のパーセル・ストリートで信号が赤に変わった。ヴァンはマーケットのほうを向いて停止した。信号が変わるまで、ずいぶん長く感じられた。右のミラーを覗き込むふりをしてドライヴァーが顔を横に向け、口の端からブリガムに言う。

「魚を買いにきてる客はあまりいませんね。やりましょう」

信号が青に変わり、ゼロ・アワーのきっかり三分前、午後二時五十七分、オンボロの隠密《おんみつ》捜査用ヴァンはフェリシアナ・フィッシュ・マーケットの前、縁石際《ぎわ》の見通しのいい地点に停止した。

後部の隊員たちの耳に、ドライヴァーがギリギリッとハンドブレーキを引く音が聞こえた。

ブリガムがペリスコープをクラリスに譲った。「周囲をチェックしてくれ」

クラリスはペリスコープをまわして、ビルの前面を舐《な》めるように見ていった。歩道にせりだしたキャンヴァス地のひさしの下で、大小の台やカウンターに並んだ魚が氷の上で光っている。キャロライナ堆《たい》でとれたフエダイが、かき氷の上に何匹かずつ整然と並べられているかと思えば、木箱の中で蟹《かに》が足を動かしており、水槽の中では何匹ものロブスターが互いにからみ合っている。大ぶりの魚の目には濡《ぬ》れた布がかけられていた。おそらく、鮮度にうるさいカリブ海生れの主婦たちの押し寄せる夕方まで魚の目が死なないように、抜け目のない店主がかぶせたのだろう。

店の外の洗い台から噴きあがる水に陽光がさして、小さな虹《にじ》を生んでいる。そこでは逞《たく》しい腕のヒスパニック系の男が、反り返った包丁さばきも優雅にアオリメをおろし、強力なハンド・スプレーの水をかけて洗っている。血とまざった水が側溝に注いでいて、ヴァンの下にまで流れてくる音がクラリスの耳に聞こえた。

外に降りたドライヴァーが魚屋に話しかけて、何かたずねている。魚屋は腕時計をのぞいて肩をすくめ、食堂のほうを指さした。ドライヴァーはしばらく売り物の魚を見てまわってからタバコに火をつけて、ぶらぶらと食堂のほうに歩いていった。

マーケットの中のラジオから〝ラ・マカレナ〟が流れている。ヴァンの中のクラリスにもはっきり聞こえるほどの大音量だった。彼女は二度とこの先、この曲を心安らかには聞けないだろう。

問題の扉は右手にある。金属の枠の、両開きの金属の扉。その前のコンクリートの階段は一段。

ペリスコープから顔を離そうとしたとき、ビルの扉がひらいた。アロハ・シャツとサンダル靴姿の、大柄な白人の男性が姿を現わした。片手で小型のバッグを胸に抱え、もう一方の手をバッグの後ろに隠している。もう一人、引き締まった細身の黒人が、レインコートを手にその背後から現われた。

「出てきたわ」クラリスは言った。

二人の男の後ろから、古代エジプトの王妃ネフェルティティに似た長い首と美貌《びぼう》を覗かせて、イヴェルダ・ドラムゴが現われた。

「イヴェルダが、二人の男の背後から。男は二人とも武器を持っている模様」

ペリスコープから離れようとしたとき、一瞬早くブリガムが向きを変えて、互いにぶつかった。クラリスはしっかりとヘルメットを頭に押しつけた。

ブリガムが無線で呼びかけている。「全チーム、行動用意。正面対決。正面対決。女はこっちの側から出てきた。われわれも外に出る。なるべく静かにやつらを地面に這《は》いつくばらせろ」自分の拳銃《けんじゅう》のスライドを引きながら、「ボートは三十秒後に到着する。よし、出るぞ」

最初に地面に降り立ったのはクラリスだった。イヴェルダが、編んだ髪をひるがえして、さっとこっちを向く。彼女の横の男たちが銃をかまえたのを意識しつつ、クラリスは叫んだ。「地面に伏せて、地面に伏せなさい！」

イヴェルダが、二人の男のあいだから前に踏みだしてきた。

首にさげたキャリアに、赤子がいる。

「待って、待って。早まらないで」イヴェルダが、かたわらの男たちに言った。「だめよ、撃っちゃ」キャリアのひもの許すかぎり赤子を高くかかげ、昂然《こうぜん》と頭をそらせて進んでくる。キャリアからは毛布が垂れていた。

（追いつめないほうがいいわ）。手さぐりで拳銃をホルスターにおさめると、クラリスは両の掌《てのひら》を上向けて前にのばした。「イヴェルダ！　もう逃げられないわよ。こっちにいらっしゃい」背後で大排気量のV8エンジンの咆哮《ほうこう》と、タイアのきしる音。が、いまは振り返れない。（後方掩護のヴァンでありますように）。

そのとき、イヴェルダがこちらを無視して、ブリガムのほうにつかつかと歩み寄った。赤子の毛布がはたはたと揺れた。と見えた瞬間、その背後のマック10が火を噴いた。ブリガムが、ヘルメットの内部を朱に染めて転倒した。

大柄な白人が小型バッグを地面に捨てた。その手にマシーン・ピストルが握られているのを見てバークがショットガンのエイヴォン弾を放ち、無害な鉛の玉が飛び散った。彼は間髪を入れずスライドを引いた。が、間に合わなかった。大柄な男が一連射した。弾丸は、防弾チョッキに覆《おお》われていないバークの下腹部に吸い込まれた。男はすかさずクラリスのほうを向いて撃とうとした。その寸前、拳銃を抜きとっていたクラリスは、そいつのアロハ・シャツの真ん中に二発、つづけて撃ち込んだ。

背後で銃声が響いた。細身の黒人が、武器を隠していたレインコートを捨てて、背後のビルの入口に飛び込んだ。そのとき、固い拳《こぶし》で強打されたような衝撃を背中に受けて、うっと息をつまらせながらクラリスは前方に倒れ込んだ。すぐに振り返ると、〝クリップ団〟の武装車が道路の向い側でこちらに横腹を向けている。キャディラックのセダンだった。窓がぜんぶひらいていて、反対側の窓枠に尻《しり》をのせてこちらを向いた二人の男が、車のルーフ越しに発砲している。三人目の男は後部シートから撃っていた。三挺《ちょう》の銃口から火花と硝煙があがり、クラリスの周囲の宙を弾丸が裂いた。

クラリスは夢中で駐車中の二台の車のあいだに飛び込んだ。路上で身悶《みもだ》えしているバークの姿が見える。ブリガムはピクリとも動かず、そのヘルメットの下に血だまりが広がっていた。ヘアとボウルトンは近くの車のあいだから応戦している。そこにキャディラックからの自動火器の弾丸が集中して、二人とも身動きがとれずにいる。彼らが盾代わりにしている車の窓ガラスが割れて路上に飛び散り、タイアが炸裂《さくれつ》した。クラリスは片足を側溝について半身をのばし、敵のほうをうかがった。

反対側の窓枠にすわった二人の男はなおも車のルーフ越しに撃ちつづけており、運転席のドライヴァーも自由なほうの手で拳銃を乱射している。後部シートの四人目の男はドアをあけて、赤子ごとイヴェルダを中に引っ張り込もうとしていた。イヴェルダは小型バッグを抱えていた。彼らは道路のこちら側のヘアとボウルトンに弾丸を集中させている。と、キャディラックの後輪が白煙を発し、武装車は急発進した。クラリスは立ちあがりざま両手に握った拳銃をそっちに振り、ドライヴァーの側頭部を狙《ねら》い撃った。さらにつづけて二発、反対側のフロント・ウィンドウの窓枠に腰かけていた男に撃ち込んだ。そいつはのけぞって視野から消えた。コルト45の弾倉を捨て、それが地面に落下するより早く新しい弾倉をぶちこむ。その間、一瞬たりとも車から目を離さなかった。

キャディラックは道路の端に停車中の車の列に側面から激突し、何台かの車とボディをこすり合わせて走ってから、側面の車と重なるようにして止まった。

クラリスはそっちに向かって歩きだした。反対側の後部の窓枠にすわっていた男は、側面の車とのあいだに体を挟まれて、目をギラつかせながら必死にキャディラックのルーフを押している。そいつの持っていた銃は、ルーフをすべって地面に落下していた。こちら側のリア・ウィンドウから、二本の素手が現われた。青いバンダナを巻いた男が外に降り、両手をあげて逃げだした。クラリスはそいつには目もくれなかった。

右手で銃声があがって、逃げだした男が前のめりに倒れた。顔を路面でこすって前方にすべってから、そいつは近くの車の下に四つん這いで逃げ込んだ。クラリスの頭上でパタパタという音がした。ヘリコプターのローターの回転音だった。

だれかがフィッシュ・マーケットの中で叫んでいる。「伏せろ、伏せるんだ。動くんじゃない」

人々がカウンターの下にうずくまり、無人の洗い台から水が宙に噴きあがっている。クラリスはキャディラックに近寄っていった。後部シートで動くものがある。キャディラックの中で何かが動いている。車のボディがわずかに揺れた。泣き声が聞こえた。キャディラックの中で、赤子が泣き叫んでいた。銃声があがり、リア・ウィンドウが砕けて、破片が内側に落下した。

クラリスは片手をあげて、背後を振り返らずに叫んだ。「止めて。射撃中止。戸口を見張ってちょうだい。わたしの後ろよ。ビルの戸口を見張っていて」

それから、キャディラックに向かって呼びかけた。「イヴェルダ」後部シートで何かが動いた。火がついたように赤子が泣き叫んでいる。「イヴェルダ、両手を窓から出しなさい」

イヴェルダ・ドラムゴが、車から降りてきた。赤子が泣きわめいている。フィッシュ・マーケットの中のスピーカーから、〝ラ・マカレナ〟が大音量で流れている。イヴェルダがこちらに歩み寄ってきた。両手で赤子を抱きしめ、整った顔立ちをうつむき加減にしてクラリスのほうに歩いてくる。

二人のあいだの路上で、バークの体が痙攣《けいれん》していた。血がほとんど流れだしてしまったので、動きも小さくなっていた。〝ラ・マカレナ〟のリズムが、バークと共に震えた。だれかが腰をかがめて彼のもとに走り寄り、そのかたわらに腹這いになって傷口に包帯を押し当てた。

クラリスは拳銃をイヴェルダの前の地面に向けた。

「両手を出して、イヴェルダ。さあ、おねがい、両手を見せて」

毛布に何かがくるまれている。髪をうしろに編み、エジプト人を思わせる黒い目をしたイヴェルダは、顔をあげてクラリスを真っ向から見た。

「あんただったんだね、スターリング」

「おねがい、馬鹿《ばか》なことをしないで、イヴェルダ。赤ちゃんのことを考えて」

「ふん、あたしの体液をくらえ、このクソアマ！」毛布が揺れ、空気が震えた。その刹《せつ》那《な》、クラリスはイヴェルダ・ドラムゴの上唇を撃ち抜いた。イヴェルダの後頭部が吹っ飛んだ。

頭の側面がヒリヒリと疼《うず》き、息が止まりそうになりながら、クラリスは路上に尻《しり》を落した。イヴェルダも尻餅《もち》をついていた。そして路面に両足を伸ばし、その上にがっくりと突っ伏している。口から血が流れて、抱いた赤子の上に滴《したた》っていた。赤子は母親の上体にのしかかられて、泣き声もくぐもっている。クラリスはそこに這い寄っていった。ベビー・ハーネスの、血でぬらついたバックルをはずし、イヴェルダのブラジャーの中からバタフライ・ナイフをとりだす。それをまともに見もせずにひらいて、ハーネスを赤子から切り離した。赤子は全身、赤く染まっていた。血でぬるぬるしていて、うまく抱きかかえられない。

それでもなんとか抱えあげると、クラリスは打ちひしがれた顔で目をあげた。フィッシュ・マーケットで、水が空中高く噴きあげている。血まみれの赤子を抱いて、彼女はそこに駆け寄った。魚を切り分ける台から包丁や臓物を払い落として赤子を横たえ、強力なハンド・スプレーの水を浴びせかける。包丁や魚の臓物や鮫《さめ》の頭にまじって白い台に横たえられた、褐色の赤子。その体から、いま、ＨＩＶ陽性の血が洗い流されている。クラリス自身の血も赤子の上に滴り落ちた。それはイヴェルダの血と混ざり合い、海と同じ塩気を孕《はら》んだ一つの流れとなって洗い落されてゆく。

水は勢いよく宙に飛び、人知をあざ笑う〈神の約束〉の虹《にじ》がしぶきを染める。それは〈神〉の盲目のハンマーの仕業の上にかかる、輝かしい旗だ。クラリスの見るかぎり、その〝人間の子〟の体には傷一つない。スピーカーからは〝ラ・マカレナ〟がガンガン響きわたり、フラッシュが何度も何度もたかれたあげく、ジョン・ヘアがようやくカメラマンを現場から引きずっていった。

2

ヴァージニア州アーリントン。労働者階級の住宅地の、とある袋小路《ふくろこうじ》。時刻は午前零時をわずかにまわっている。ひと雨きたあとの、生暖かい秋の夜だ。寒冷前線に先だって、大気は不安定に動いていた。濡れた土と木の葉の匂《にお》いに包まれて、コオロギが一匹鳴いている。そのうち地面が大きく振動すると共に、彼は沈黙した。鋼鉄製の排気マニホルド・カヴァーを備えた排気量五リッターのマスタングが、下腹に響くようなエンジン音を轟《とどろ》かせて、その袋小路に入ってきた。すぐ背後に、連邦執行官の車が一台つづいている。二台の車は小綺麗《こぎれい》なタウンハウス型アパートメントの私道に入って、停止した。エンジンがアイドリングしているあいだ、マスタングのボディはわずかに振動する。エンジンが完全に停止すると、コオロギは一瞬待ってから、また演奏を再開した。それは霜が降りはじめる前の最後の調べ、彼の奏《かな》で得る最後の調べだった。

制服姿の連邦執行官がマスタングの運転席から降り立ち、車の前をまわって助手席のドアをあける。クラリス・スターリングがそこから降り立った。耳を覆った包帯の上に、白いヘッドバンドを巻いていた。首筋には、赤味を帯びたオレンジ色のベタジン液がついていた。上半身にはシャツではなく、まだ緑色の手術衣をまとったままだった。

手にしたビニールのジップ・ロック・バッグには、彼女の雑多な私物が入っていた——ミントに鍵類《かぎ》。FBI特別捜査官の身分証明書。瞬時に弾丸を拳銃に装填《そうてん》するための、五発入りスピード・ローダー。そしてメースの小さな缶。そのバッグと一緒に、ベルトと空のホルスターもクラリスは手にさげていた。

執行官は彼女に車のキーを渡した。

「ありがとう、ボビー」

「しばらくファロンと一緒にいてあげましょうか？　それとも、サンドラを連れてきたほうがいいかな？　彼女、ぼくを待ってるんですよ。だれか話し相手がいたほうがいいようだったら、サンドラを呼んで、しばらくここにいさせてもいいんですが……」

「ううん、一人で大丈夫。すこししたらアーディリアも帰ってくるでしょうし。いろいろとありがとう、ボビー」

執行官は相棒が待っている車に乗り込んだ。クラリスが無事に家の中に消えたのを見届けると、彼らは走りだした。

クラリスの家の洗濯室は暖かくて、柔軟剤の匂いがする。洗濯機と乾燥機のホースは、ところどころプラスティックの留め具で固定されていた。クラリスは洗濯機の上に私物を放りだした。車のキーが金属の蓋《ふた》に当たって、ガシャンと大きな音をたてる。洗濯機の中から洗濯物をとりだして、乾燥機の中に押し込んだ。いま身につけているものを、早く洗ってしまいたい。出動服のズボンを脱いで、洗濯機に入れた。緑色の手術衣と血に染まったブラジャーも突っ込んで、洗濯機のスイッチを入れる。まだ身につけているのはソックスとショーツ、それにくるぶしのホルスターに差し込んである、撃鉄の内蔵された三十八口径スペシャルだけだ。背中と胸には青黒い打撲傷があり、片方の肘《ひじ》には擦り傷がある。右目と頰は腫《は》れあがっていた。

洗濯機が暖まって、中の水が回転しはじめた。大きなビーチ・タオルで体をくるむと、クラリスはリビングに入っていった。ジャック・ダニエルズが二インチほど入ったタンブラーを手に出てきて、洗濯機の前のゴム・マットに腰を降ろす。暗闇《くらやみ》の中で、低く鳴動しながら水を攪拌《かくはん》している洗濯機にもたれかかった。そのまま宙を見つめて、何度か、涙を流さずに、しゃくりあげた。そのうち、涙が溢《あふ》れてきた。熱い涙が溢れて、頰を伝い落ちた。

午前零時四十五分頃、ケープ・メイからの長いドライヴを楽しんで、アーディリア・マップが帰ってきた。家まで送ってくれたデートの相手に、おやすみなさい、と言ってから浴室に入ると、水の流れる音が聞こえた。洗濯機が動いているらしく、水道管が低く鳴動している。

　家の奥に入って、クラリスと共同で使っているキッチンの明りをつけた。洗濯室の奥が見えた。頭に包帯を巻いたクラリスが床にへたりこんでいる。

「クラリス！　まあ、どうしたの、可《か》哀想《わいそう》に」急いで隣りにひざまずいた。「ねえ、どうしたの、いったい？」

「わたし、耳を撃ち抜かれたの、アーディリア。ウォルター・リード病院で手当てをしてもらったんだけど。おねがい、明りをつけないで」

「うん、わかった。何かつくってあげようか。あたし、何も聞いてなくて――車の中ではミュージック・テープをかけていたから――ねえ、話してよ、何があったのか」

「ジョンが死んだわ、アーディリア」

「まさか、ジョニー・ブリガムが！」ブリガムがＦＢＩアカデミーの射撃教官を務めていた頃、彼女たちは二人とも、ブリガムに熱をあげたことがあった。彼のシャツの袖《そで》の下に隠されている刺青《いれずみ》を、なんとか読みとろうとしたこともあったくらいだ。

　クラリスはうなずいて、子供のように手の甲で涙を拭《ぬぐ》った。「イヴェルダ・ドラムゴと〝クリップ団〟のやつら。ジョンはイヴェルダに撃たれたの。バークも。ＡＴＦのマークス・バーク。わたしたち、混成チームで出かけたの。でも、イヴェルダは事前に情報をつかんでいたみたい。テレビ局の報道班も、わたしたちとほぼ同時刻に現場にやってきたし。わたしはイヴェルダを拘束することになってたんだけど、彼女が抵抗したのよ、アーディリア。赤ん坊を抱いていたのに、抵抗したの。わたしと彼女、ほとんど同時に撃ち合って、イヴェルダが死んだわ」

アーディリアにとって、クラリスが泣いているところを見るのは初めてだった。

「きょうだけでわたし、五人も殺したのよ、アーディリア」

アーディリアはクラリスの隣りにすわって、彼女の肩に手をまわした。二人は並んで、ガタガタと動いている洗濯機にもたれかかった。「で、イヴェルダの赤ん坊はどうなったの？」

「体にかかった血を洗い落としてやったんだけど、見たところ、無傷だったわね。肉体的には問題ない、って病院側も言ってたし。数日後にはあの子、イヴェルダの母親に引きとられるみたい。ねえ、最後の瞬間、イヴェルダがなんて言ったと思う、アーディリア？〝あたしの体液をくらえ、このクソアマ〟って言ったのよ」

「ねえ、何かつくってあげるから」

「何を？」クラリスは言った。

3

灰色の夜明けと共に、新聞と早朝のテレビ・ニュースも目覚めた。

クラリスが起きあがった気配に、アーディリアがマフィンを運んできた。二人は並んでテレビの画面に見入った。

ＣＮＮをはじめとするテレビ局は、どれもＷＦＵＬテレビがヘリコプターから撮影した映像を買っていた。それは真上から写した珍しいシーンだった。

クラリスはその映像を一度だけ見た。最初に発砲したのがイヴェルダであることだけは、確認せずにいられなかったのだ。アーディリアのほうを見ると、彼女の褐色の顔には怒りが浮かんでいた。

クラリスは洗面室に駆け込んで、吐いた。

「まともには見ていられないわ」ふらつく足でもどってくると、血の気のない顔で彼女は言った。

例によって、アーディリア・マップはすぐに問題の核心に切り込んでくる。「あなたが知りたいのは、赤ん坊を抱いたあの黒人の女性をあなたが殺したことを、あたしがどう思うか、ってことでしょう。じゃあ、答えるね。最初にあなたを狙《ねら》って撃ったのは、あの女なのよ。あたしは、あなたが生きていてくれて嬉《うれ》しいわ。でもね、クラリス、こんどのようなメチャクチャな捜査方針を打ちだしているのはだれか、という点についても、ちゃんと考えておかないと。あんなひどい場所であなたとイヴェルダを対決させれば、あなたがガンマンたちを片づけて麻薬問題を一気に解決できるだろうなんて考えるのは、阿呆《あほ》らしいもいいとこじゃない？　ふざけてるわよね？　これからもああいう連中の道具でいていいのかどうか、その点をよくよく考えたほうがいいよ」お茶をついで一息入れてから、「きょうは、ずっと一緒にいてあげようか？　休みをとってもいいんだから」

「ありがとう。でも、そこまでしてくれなくてもいいわ。その代わり、電話をちょうだい」

一九九〇年代のタブロイド紙ブームで最大の恩恵を蒙《こうむ》った『ナショナル・タトラー』紙は、同紙自体の基準に照らしても異様としか思えないような号外を発行した。午前十時頃になって、だれかがそれを投げ入れていった。不審な物音の原因を確かめにクラリスが出ていくと、それが目に入ったのである。彼女は最悪の紙面を覚悟していたが、その予想は的中していた。

〝死の天使。ＦＢＩの殺人機械、クラリス・スターリング〟――そう、『ナショナル・タトラー』紙は七十二ポイントのゴチック体の活字で叫んでいた。一面には三つの写真が掲げられていた。まず、射撃競技会で四十五口径の拳銃《けんじゅう》を発射している。出動服姿のクラリス・スターリング。それから、惨劇の現場で、チマブーエの描く聖母マリアのごとく頭をかしげて赤子の上に折り重なっている、脳味噌《のうみそ》を吹っ飛ばされたイヴェルダ・ドラムゴ。そしてもう一枚が、包丁や魚の臓物や鮫《さめ》の頭の散らばる白いまな板に、クラリスが褐色の赤子を横たえているところ。

キャプションはこうだった――〝連続殺人犯ジェイム・ガムを殺したＦＢＩのクラリス・スターリング特別捜査官は、すくなくとも五人を新たな射殺記録簿に加えた。が、麻薬の手入れは失敗。あとに残された死者の中には、赤子を抱えた母親と二人の警官も含まれている〟。

本体の記事では、ドラムゴ夫妻による麻薬密売の経歴と、ストリート・ギャング同士の抗争で荒廃したワシントンに〝クリップ団〟が進出してきた経緯が記されていた。殉職したジョン・ブリガムの軍歴も簡単に紹介されていて、彼の受けた勲章についても言及されている。

補足記事のすべてはクラリスにあてられていた。そこには、襟ぐりのまるい、スクープネックのドレス姿のクラリスが、レストランで楽しげに寛《くつ》ろいでいる様を撮ったスナップ写真も添えられていた。

FBIのクラリス・スターリング特別捜査官は、七年前、〝バッファロウ・ビル〟こと連続殺人犯ジェイム・ガムをその自宅地下室で射殺し、短期間ながら華やかな脚光を浴びた。その彼女も、昨木曜日、乳児を抱えた女性がワシントンDCで死亡した事件で、部内の査問を受ける可能性が出てきたほか、損害賠償訴訟を起こされる窮地にも直面している。（死亡した女性の、違法なアンフェタミン密造容疑に関しては、一面記事参照）。

〝今回の事件で彼女のキャリアには終止符が打たれるかもしれない〟と、FBIの姉妹機関、〝アルコール・タバコ・火器取締局〟の消息筋は言う。匿《とく》名《めい》希望のこの消息筋は、さらにつづけてこう述べている――〝ジョン・ブリガムが殉職するに至った詳細はまだ不明だが、彼が死ななければならない理由はなかった。FBIとしても、あのルビー・リッジ事件以後、いちばん起こしてほしくなかった事件だろう〟。

クラリス・スターリングの華やかなキャリアは、FBIアカデミーに訓練生として入学した直後からはじまった。ヴァージニア大学で心理学と犯罪学を専攻し、優等生として卒業した彼女は、当紙が〝人食いハンニバル〟と名づけた恐るべき狂人ハンニバル・レクター博士と面談する任務を課された。その結果得られた情報によってジェイム・ガムの居所が判明し、彼にとらわれていた、当時のテネシー州選出上院議員の娘、キャサリン・マーティンが救出されたのである。

スターリング捜査官は、ＦＢＩ内部の拳銃実技競技会で三年連続チャンピオンの座を射止めたのち、競技から退いた。皮肉なことに、昨日彼女の横で死亡したブリガム捜査官は、スターリング捜査官がクワンティコで学んだ当時の射撃教官であり、彼女が競技会に出場したときのコーチでもあった。

ＦＢＩのスポークスマンの言明によれば、ＦＢＩの内部調査の結果いかんで、スターリング捜査官が現在の俸給のまま一時的に職を解かれる可能性もあるという。聴聞会《ちようもんかい》は今週末、ＦＢＩの恐るべき内部調査機関である業務査察室の主宰でひらかれる予定。

なおイヴェルダ・ドラムゴの遺族は、アメリカ政府とスターリング捜査官自身に対し、不法死亡訴訟を提起して、損害賠償を求める意向だという。

ドラムゴの生後三か月の息子は、生々しい銃撃戦の写真で、母親に抱かれて写っていたが、負傷は免れている。

これまで数々の刑事裁判でドラムゴ夫妻の弁護にあたってきたテルフォー

ド・ヒギンズ弁護士の主張によれば、スターリング特別捜査官の使用した武器、コルト45セミオートマティックの改造ピストルは、ワシントン市内での警察活動においては使用を禁じられているはずだという。〝あれは法の執行時の使用には不適当な、危険きわまりない武器だ〟と、ヒギンズは言明している。〝あの武器の使用自体が、人間の生命を危険に瀕《ひん》せしめる野蛮な行為にほかならないんだ〟と、高名な弁護士は言い切った。

『タトラー』紙はクラリスが使っているタレコミ屋を買収して彼女の自宅の電話番号を聞きだしたらしく、何度もうるさく電話をかけてきた。とてもじゃないが、あの連中とは付き合っていられない。クラリスは受話器をフックからはずしてしまい、オフィスとの連絡にはFBIの携帯電話を使った。

幸い、包帯をさわりさえしなければ、耳も、顔の腫れも、さほど痛まない。熱く疼《うず》くようなこともなかった。頭痛薬のティレノルを二錠服《の》むと、気分もおさまった。医者に処方してもらった鎮痛剤のパーコセットは、使うまでもなかった。ベッドのヘッドボードにもたれて、クラリスは寝入った。『ワシントン・ポスト』紙が、毛布から床にすべり落ちていた。両手は火薬の残滓《ざんし》で黒く染まり、頰には乾いた涙がへばりついていた。

4

きみがFBIに惚《ほ》れ込んでも
FBIのほうはきみに惚れ込みはしない
――FBIの退職カウンセリングにおける警句

こんな早朝だと、J・エドガー・フーヴァー・ビル内のFBIジムにも、人影はあまりない。いましも屋内のトラックをゆっくりと周回しているのは、二人の中年の男性だった。奥の一隅にあるウェイト・マシーンの金属音と、ラケットボールをしている連中の気合いや打球の音が、大きなジムに谺《こだま》している。

トラックを走っている二人の男の声は、あまり遠くまで伝わらなかった。ジャック・クロフォードがFBIのタンベリー長官と並走しているのは、長官からじかに声をかけられたからだった。二人はすでに二マイルは走っていて、そろそろ息が切れかけていた。

「ATFのベイロックのやつは、ウェイコの事件の責任をとらなきゃならん。いますぐじゃないにしろ、自分の命運が定まったことは、もう彼自身承知しているはずだ」長官は言った。「このぶんじゃ、遠からずあのビルを明け渡すことを文鮮明師に通知しておいたほうがいいかもしれんね」アルコール・タバコ・火器取締局が、ワシントンのオフィスを文鮮明師から賃借りしているという事実を、FBIの連中はかねてからジョークの種子《たね》にしているのである。

「それと、ファリデイがルビー・リッジに転勤することになった」長官はつづけた。

「それは意外ですね」クロフォードは応じた。彼は一九七〇年代、ファリデイと一緒に働いていたことがあるのだ。三番街の六十九丁目にあったFBIニューヨーク支局が、連日デモ隊に包囲されていた頃のことだ。「ファリデイはいいやつです。交戦規則を定めたのは、彼じゃありませんよ」

「彼にはきのうの朝、すでに申し渡してあるんだ」

「素直に従いそうですか、ファリデイは？」

「彼の受けとる経済的な恩典は今後も変わらない、とだけ言っておこう。いまはなにかと剣呑《けんのん》な時代なんだよ、ジャック」

二人は頭を反らすようにして走っていた。ペースがわずかに早まった。長官がそれとなく自分の体調を値踏みしていることを、クロフォードは目の隅でとらえていた。

「きみはいくつになる、ジャック、五十六か？」

「そうです」

「すると、あと一年で定年だな。たいていのやつは、まだ他でも十分つぶしのきく四十八とか五十という年に退職する。きみはそういう意向をぜんぜん見せなかったな。ベラが亡《な》くなってからは、いっそう張り切るようになったし」

それからコースを半周してもクロフォードが沈黙しているのを見て、自分の発言が的はずれだったことに長官は気づいた。

「いや、ベラが亡くなったことを軽く見ているわけじゃないんだがね、ジャック。うちのドリーンのやつも、ついこのあいだ、ベラのことを――」

「クワンティコでは、まだし残していることがあるんですよ。インターネット上のＶＩＣＡＰ（凶悪犯逮捕プログラム）を、どんな警官でも利用できるように、もっと簡素化したいし。そのために計上した予算はごらんになったでしょう？」

「きみは長官になりたいと思ったことはあるか、ジャック？」

「それが自分に相応《ふさわ》しい職だと思ったことは、一度もありません」

「そのとおりだ、ジャック。きみはそもそも政治的な動物ではない。そう望んだとしても、決して長官にはなれなかっただろうよ。きみがアイゼンハワーになるのは無理だ、ジャック。オマー・ブラッドリーになるのもな」このへんで止まろう、と彼はクロフォードに合図した。二人はトラックの横でしばし息を弾ませた。「ただし、パットンにはなれたかもしれんよ、ジャック。部下の先頭に立って難敵を撃破し、しかも部下に愛される。そういう才能はわたしにはない。わたしはもっぱら部下を督励するだけだ」周囲をさっと見まわすと、タンベリーはベンチから自分のタオルをとりあげ、絞首刑《こうしゅけい》を命じる判事の法服のように首からさげた。その目はキラキラと輝いていた。

何かしら胸中に怒りをかきたてないとタフになれない人間もいるんだな、とタンベリーのよく動く口元を見つめながらクロフォードは思った。

「ところで、マック10と麻薬の精製所を持っていたミセス・ドラムゴが、赤子を抱いたまま射殺された件だ。司法省の監査官は、肉の犠牲を求めている。うるさく鳴き騒ぐ、新鮮な肉をな。マスコミもそうだ。DEAは彼らに肉を投げ与えなきゃならん。ATFも彼らに肉を投げ与えなきゃならん。われわれにしても同じこと。しかし、われわれの場合は、動物ではなく、家禽《かきん》を投げ与えてやるだけですむかもしれん。クレンドラーは、われわれがクラリス・スターリングを投げ与えれば、マスコミの攻撃は止《や》むだろう、と見ている。わたしも同感だ。ATFとDEAは、そもそもこんどの手入れを計画した責めを負わなけりゃならん。そして、引き金を引いたのはスターリングなんだ」

「相手は警官を殺した女で、しかも、その女のほうが先にスターリングを撃ったんですよ」

「問題は、テレビに映った映像なんだ、ジャック。そのへんがわかっとらんようだな。いいかね、一般大衆は、イヴェルダ・ドラムゴがジョン・ゾリガムを撃ったところは見ちゃいない。イヴェルダがスターリングを最初に撃ったところも見ちゃいない。そもそも、自分の見るべきものがわかっていなけりゃ、それは目に入らないものさ。ところが、脳髄を吹っ飛ばされて道路にへたりこみ、自分の赤子を庇《かば》おうとするかのように覆《おお》いかぶさっているイヴェルダ・ドラムゴの姿は、二億人の人間が見ているんだ。その十分の一は、有権者なんだがね。いや、待ちたまえ、スターリングは自分が守ってやらなければ、ときみが考えていることは、よくわかっている。しかしだな、どうもスターリングのやつは生意気な口をきく女のようだね、ジャック。スタートしたときから、だれかさんの感情を傷つけたようだし――」

「クレンドラーはろくでもない人間ですよ」

「まあ、待ちたまえ。最後まで黙って聞いてくれ。いずれにせよ、スターリングの前途は暗かったんだ。彼女はいかなる権利も損われることなく、依願退職という形にしてもらえるだろう。書類の上でも、せいぜい超過欠勤程度にしか扱われないはずだ――その後の就職にも何のさしさわりもないさ。ジャック、きみはこのFBIで、行動科学課を軌道に乗せるという、偉大な功績を残してくれた。きみがもっと個人的な利益を追求していたら、課長なんかではとうてい終らなかったはずだ。そう考えている者はすくなくない。わたしなんかはその最たる者でね。きみがいずれ退職するときは、副長官になっていてもおかしくないよ、ジャック。このわたしが、それを保証しよう」

「つまり、わたしがこの問題に立ち入らなければ、という意味ですね？」

「ごく正常に事が運んだ場合だよ、ジャック。王国にあまねく平和がゆきわたれば、という意味さ。わたしの顔をよく見たまえ、ジャック」

「はい、タンベリー長官」

「わたしはきみに懇願しているわけではない。直接命令を下しているんだ。この一件には容喙《ようかい》するな。せっかくのチャンスをふいにするのはやめたまえ、ジャック。ときには人間、顔をそむけていることも必要なのさ。わたし自身、何度もそうしてきた。そりゃあ、苦しいだろう、きみがどう感じているかはようくわかっている」

「わたしがどう感じているか？　そうですね、早くシャワーを浴びたい気分ですな、いまは」クロフォードは言った。

5

家事に関してもクラリスは有能なほうだが、細かい点まで神経を使うタイプではない。タウンハウス型アパートメントの彼女の側の住居は、いつも清潔で、必要なものはなんでも見つけることができる。が、ややもすると、あちこちに雑多なものが積み重なってしまう——洗濯したきり仕分けしてない衣類とか、増えすぎて置きどころがなくなってしまった雑誌とか。もう先に延ばせないというギリギリの瞬間にアイロンをかける特技にかけては、彼女は世界チャンピオン級だろう。といって、いつもめかしこむわけではないから、それで困ることもないのだった。

何か考えをまとめたいときには、共同で使っているキッチンを通って、アーディリア・マップが住んでいる側にゆく。もしアーディリアがそこにいれば、彼女にアドヴァイスしてもらえる。それはときに、こちらが望んでいる以上に痛烈をきわめるのだが、だいたいにおいて有益だった。アーディリアがいないときは、絶対的な秩序の支配する彼女の部屋にすわって、いくらでも考えにふけっていいことになっている。ただ一つの条件は、その部屋に何も置き忘れないこと、だった。きょう、クラリスはまさしくそこにすわっていた。そこは、主《あるじ》がいようといまいと、常にその存在を感じさせる類《たぐい》の住いだった。

クラリスはアーディリアの祖母の生命保険証書を眺めていた。それは、かつてその祖母が働いていた農園の小作人用の家にかかっていたときや、アーディリアが少女時代をすごした団地のアパートメントにかかっていたときと同様、手製の額縁におさめられて、壁にかかっていた。アーディリアの祖母は、庭で栽培した野菜や花を売った金を蓄えて、保険料を支払っていたのだ。そして彼女は、孫のアーディリアが苦学して大学に通っていたとき、支払いを終えた保険を担保にまとまった額の金を借りて、孫娘が最後の難関を乗り越える手助けをしてやったのである。壁には小柄な老婆《ろうば》の写真もかかっていた。糊《のり》のきいた白い襟の服を着た彼女は、にこりともしていない。麦わら帽の下の黒い目には、老人ならではの叡知《えいち》が宿っていた。

アーディリアは自分が育った背景を肌で知っていて、毎日そこからエネルギーを汲《く》みとっている。クラリスもいま、乱れた気持を落ち着けようと、自分の育った背景を探ろうとしていた。自分に食事を与え、衣類を与え、恥ずかしくない行動の規範を植えつけてくれたのは、ボウズマンにあったルーテル派の孤児院だ。とはいえ、いま自分が希求しているものを得るには、自分のなかの血を探ってみなければならない。

南部の貧しい白人階層出身の自分は、いったい何を受け継いでいるのか？　そう、南北戦争後の〝再建時代〟が一九五〇年代に至るまでつづいていたような土地柄の出身である自分は？　なにしろ自分は、大学のキャンパスで〝クラッカー（無学な貧乏白人）〟だの〝レッドネック〟だの、あるいは、あてつけがましく〝ブルー・カラー〟だの〝貧しい白人のアパラチア人〟だのと呼ばれる、そういう階層の出身なのだから。肉体労働を蔑視《べっし》する、南部の怪しげな上流階級の連中からさえ〝ペッカーウッド（貧乏白人）〟と呼ばれる、そういう階層の出身──だとしたら、そこにはいったい、誇るに足るどんな伝統があるというのか？　それはたとえば、南北戦争のあの激戦地ブル・ランで、南軍が最初に北軍を叩《たた》きつぶしたという事実だろうか？　南軍が降伏したヴィックスバーグでもひいお祖父《じい》ちゃんはうまく立ちまわったというような事実、シャイロー一の一隅は永遠にヤズー市の一部というような事実だろうか？

いっそのこと、親から受け継いだ農地をうまく活《い》かし、四十エーカーの土地と泥だけの騾馬《らば》を使って立派な収穫をあげるほうが、ずっと道理にかなっているし、誇りにも思えるだろう。とはいえそれは、そのことの意義を感得している人間でなければ、進み得ない道かもしれない。その道理を教えてくれる人間など誰ひとりいないのだから。

クラリスがＦＢＩの訓練コースで好成績をあげたのは、頼るべき後ろ盾を何も持たなかったからだった。これまで様々な施設に属しながら生き抜くことができたのは、それらの施設に敬意を払い、そのルールにしたがって頑張ったせいだった。彼女は常に前進し、奨学金を獲得し、チームワークを守ってきた。その彼女が、FBIで目覚ましいスタートを切りながら、その後停滞を余儀なくされたのは、初めて味わう苦渋の体験だった。それはさながら壜《びん》に閉じ込められた蜂《はち》のように、ガラスの天井にぶつかっては跳ね返される毎日だったと言えよう。

　自分の目前で射殺されたジョン・ブリガムを、クラリスは四日間にわたって悼《いた》んだ。ずいぶん昔のことだが、彼女はブリガムにある申し入れをされて、断わったことがある。すると彼は、じゃあ、友だち同士になれないだろうか、とたずねた。それは彼の本心だったと思う。クラリスは、いいわ、と答えたのだが、それもまた、彼女の本心だったのである。

　あのフェリシアナ・フィッシュ・マーケットで五人の人間を自分が殺したという事実にも、クラリスは慣れなければならなかった。二台の車に挟まれた〝クリップ団〟の男が、車のルーフをすべってゆく拳銃《けんじゅう》に必死に手をのばす姿は、再三脳裡《のうり》にひらめいた。

　一度、気分転換のつもりで、イヴェルダの赤子の様子を見に病院を訪ねてみた。ちょうどイヴェルダの母親が孫を抱いて、家に連れ帰ろうとしているところだった。彼女は新聞の写真から、こちらがだれか覚《さと》ったらしい。赤子を看護婦に渡すなり、どうするつもりかクラリスが見定めるまもないうちに、彼女の顔を、それも包帯がしてある側を、思い切りひっぱたいてきた。

クラリスは叩き返さなかった。ただ、その老女の手首をねじあげて、産婦人科病棟の窓ガラスに押しつけてやった。汗や唾液《だえき》のこびりついたガラスに顔を押しつけられた老女は、頬を歪《ゆが》ませて、とうとう抵抗を諦《あきら》めた。クラリスの首筋を血が滴《したた》り落ちた。苦痛のあまり、目がまわりそうになった。結局、救急処置室で耳を縫い直してもらったのだが、老女を傷害で訴えることはしなかった。そのとき救急処置室にいた看護婦の一人は、事件を『タトラー』紙に洩《も》らして、三百ドルの礼金をせしめたらしい。

それからさらに二度、クラリスは外出する必要に迫られた――一度はジョン・ブリガムの身辺整理のため、もう一度はアーリントン国立墓地で行なわれた彼の葬儀に出席するために。ブリガムの親類は数少なく、みな遠隔の地に住んでいた。それに、独身のブリガムが残していた遺書には、自分の死後、身辺整理を任せたい人間として、クラリスが指名されていたのである。

ブリガムの顔は相当ひどく損傷していたので、全面を覆う蓋《ふた》を備えた棺《ひつぎ》を必要とした。それでもクラリスは、可能な限り生前の容貌《ようぼう》に近づくように死化粧を施した。それから海兵隊のブルーの礼服を着させて棺に横たえ、青銅の銀星章と綬章《じゆしよう》を胸に飾って、他の勲章に代えたのだった。

葬儀が終ったのち、クラリスはブリガムの上司から一つの箱を手渡された。そこにはブリガムの使っていた拳銃、バッジ類、それに、彼の乱雑なデスクの上にあった私物が入っていた。その私物の中には、コップから水を飲む動作をくり返す、あの間抜けな風見鶏《かざみどり》なども含まれていたのだが。

これから五日後に、クラリスは自分の破滅をもたらす可能性のある聴問会に出席しなければならない。ジャック・クロフォードから一回伝言があったのを除けば、このところ電話はずっと沈黙を守っていた。こういうときこそ話し相手になってくれるブリガムも、もはやこの世にはいない。

一度、FBI捜査官互助会のスタッフに電話してみた。聴問会に出席する際は耳から垂れさがるようなイアリングや爪先《つまさき》の部分のあいたパンプスは避けるように、というのが与えられた助言だった。

テレビや新聞は連日イヴェルダ・ドラムゴの射殺事件をとりあげて、あることないこと報道している。

絶対的な秩序の支配するこのアーディリアの住いで、クラリスはなんとか考えを凝らそうと努めた。

結果的に身の破滅を招くのは、いっそ批判者たちに同調して〝ごめんなさい〟と言ってしまおうか、という誘惑だと思う。

何かの音が割り込んでくる。

あの隠密《おんみつ》捜査用のヴァンの中で自分が口にした言葉を、クラリスは正確に思いだそうとしてみた。あのとき自分は、何か余計なことまで言っただろうか？

何かの音が割り込んでくる。

あのときは、みんなにイヴェルダのことを話してやってくれ、とブリガムに頼まれて話したのだ。自分は何か敵意に満ちたことを言っただろうか？　何か悪態に類したことを——。

何かの音が割り込んでくる。

われに返ったクラリスは、隣の、自分のほうの住居の呼び鈴が鳴っているのに気づいた。きっと、どこかのレポーターだろう。あるいは、召喚状の配達、という線もある。アーディリアの部屋の正面のカーテンをずらして外を覗《のぞ》くと、郵便配達人が車にもどっていくところだった。すぐ玄関の扉をあけて、彼を呼び止めた。道路の向い側からこちらに望遠レンズを向けている新聞社の車に背を向けて、速達便受領のサインをする。封筒は藤色《ふじいろ》で、絹糸の織り込まれた上質なリネン紙製だった。まだぼんやりとしている頭に、何かがひらめいた。陽光を逃れて中にもどり、住所に目を走らせる。細くしなやかな手書きの文字だった。

このところ絶えず恐怖の音色が響いているクラリスの頭に、警報が鳴った。何か冷たいものをこぼしたかのように、みぞおちのあたりの皮膚が震える。

封筒の隅をつまんで、キッチンに持ち込んだ。ハンドバッグをあけて、そこに常時入れてある証拠品取扱い用の白い手袋をとりだす。キッチン・テーブルの固い表面に封筒を押しつけて、全体を隈《くま》なく指でさぐった。かなり厚みがあったが、C‐4火薬点火用の時限電池のふくらみは感じられない。本来なら蛍光透視鏡にかけなければならないのは、わかっている。ここで開封したら、厄介なトラブルに巻き込まれるかもしれない。厄介なトラブル。いまさら、それがなんだ。やってしまえ。

キッチン・ナイフで封をあけて、すべすべした一枚の紙をとりだした。手紙の送り主がだれか、署名に目を走らせるより先に察しがついた。

親愛なるクラリス

きみが名誉を失墜し、公然と辱《はずかし》めを受けた経緯を、熱心に見守ってきた。わたし自身同様の目にあった折りは、幽閉の不便宜を除けば何の痛痒《つうよう》も覚えなかったものだが、きみはいま大所高所からの展望を欠いているかもしれんね。

あの地下牢《ろう》で話し合った際、きみの価値観のなかで、夜警であったきみの父親が大きな地位を占めていることがすぐにわかった。あのジェイム・ガムの仕立屋としてのキャリアにきみが止《とど》めを刺したとき、きみが何より嬉《うれ》しかったのは、それを成しとげたのは父親だという空想にふけることができたからではないのかな。

そしていま、ＦＢＩにおけるきみの声望は地に堕《お》ちている。きみはこれまで、自分より先に父親がＦＢＩで活躍していたという空想をもてあそんでいたのではないか？　父親は課長――いや、ジャック・クロフォードをもしのぐ――副長官になっていて、自分の活躍を誇らしげに見守ってくれているという空想にふけっていたのではないか？　そしていま、その父親はきみの転落ぶりに落胆し、屈辱を覚えていると、きみは空想しているのだろう？　そう、きみの失敗、輝かしかるべきキャリアの、みじめでお粗末な結末に失望していると？　きみは、パパがあの麻薬中毒者たちに撃たれて以降きみの母親が強いられた雑用を、いま自分がしているのだと空想しているのではないか？　どうだね？　果たしてきみの失敗は、両親の不名誉になるのだろうか？　きみの両親はハウストレーラーの駐車場で暮らしていた、竜巻の餌食《えじき》になるような白人の屑《くず》だという間違った見方を、人々は永遠にするものだろうか？　正直に答えたまえ、スターリング特別捜査官。

先に進む前に一息入れよう。

さて、きみのなかにある、きみの支えになってくれるはずの資質を教えようか――いいかね、きみは涙で目が盲《めし》いることはない。それに、自分というものをしっかり持っている。

ひとつ、きみに役立つはずのエクササイズを紹介しよう。わたしと一緒に実行してほしい。

きみは鉄製の黒いフライパンを持っているか？　南部の山国育ちの娘であるきみが、持ってないはずはないな。では、それをキッチン・テーブルに置きたまえ。そして、頭上のライトをつけるんだ。

アーディリア・マップは祖母のフライパンを受け継いでいて、それをちょくちょく使っている。石鹸《せっけん》で洗ったことなど一度もないその表面は、つやつやと黒光りしている。クラリスは、それを自分の目の前のテーブルに置いた。

よろしい、そのフライパンを覗き込んでみたまえ、クラリス。その上にかがみ込んで、見下ろすのだ。もしそれがきみの母親のフライパンなら――おそらく、そうだろうけれども――それを構成する鉄の分子中には、その前で交わされたすべての会話の波動が含まれているはずだ。そう、さまざまなやりとり、他愛《たわい》のない苛立《いらだ》ち、恐るべき告白、淡々と災厄を告げる声、唸《うな》り声、そして愛の詩の波動が。

テーブルの前にすわるのだ、クラリス。そしてフライパンを覗き込みたまえ。よく手入れされているフライパンなら、それは黒い深淵《しんえん》のように見えるはずだ。ちがうかね？　それは井戸を見下ろすのに似ている。きみの顔が細部までくっきりと底に映ってはいなくとも、ぼんやりとした輪郭が浮かんではいないか？　光はきみの背後にあり、きみは黒人のような顔で映っていて、きみの髪が炎上しているような光輪にふちどられている。

われわれは炭素が複雑に進化した存在なのだよ、クラリス。きみも、フライパンも、いまや地中でフライパンのように冷たくなっているきみのパパも。すべては依然としてそこにあるのだ。聞くがいい。本当の二人はどういう声を発して、生きたのか——懸命に闘っていたきみの両親のことだ。きみの心をふくらませているイメージではなく、具体的な記憶に耳を傾けたまえ。

きみの父親が保安官代理ではなく、法廷の傍聴人たちと常に緊張関係にあったのはなぜか？　きみが成長するまで自分の手元に置くことに失敗したのちも、きみの母親がきみを支えようとしてモーテルの掃除婦をしていたのはなぜか？

きみにとって、キッチンに関する最も生々しい記憶は何だ？　病院ではない、キッチンに関してだぞ。

父の帽子にこびりついた血を、洗い落していた母の姿だわ。

キッチンにおける、きみの最上の記憶は何だ？　そのオレンジをわたしにも分けてくれた父かしら。

先端の折れたポケットナイフで皮をむいてから、

きみの父親は夜警だったのだ、クラリス。母親はモーテルのメイドだった。

連邦機関で昇進をとげるのはきみの希望なのか、それともご両親の希望なのか？　きみの父親ならば、腐敗した官僚制の中で生き延びるために、どれくらい膝《ひざ》を屈したと思う？　彼はどれだけの人間におべんちゃらを言ったかな？　きみは父親がゴマをすったり、おべっかを使ったりするところを、目撃したことはあるか？

きみの上司たちは何らかの価値観を示してみせたか、クラリス？　きみのご両親はどうだ、二人は何らかの価値観を示してみせたかね？　もしそうなら、両者の価値観は同じだったか？

正直な鉄を透視して、答えたまえ。きみは亡《な》くなった両親に恥をかかせたと思うか？　二人は、きみが上司たちにおもねるのを望んでいるだろうか？　強靭《きようじん》な精神に関する両親の見解はどうだった？　きみは自分の望みしだいで、いくらでも強い人間になれるのだ。

きみは戦士なのだよ、クラリス。敵は死に、赤子は救われた。きみは戦士だ。最も安定した元素は、周期律の真ん中、ほぼ鉄と銀のあいだに現われるのだ、クラリス。

鉄と銀のあいだ。まさしくきみに相応《ふさわ》しいではないか。

ハンニバル・レクター

追伸　きみはまだわたしに伝えなければならぬことがあるはずだぞ。いまも夜中に目を覚ますと羊たちの悲鳴が聞こえるかどうか、それを教えたまえ。日曜日ならいつでもいい。『タイムズ』の全国版、『インターナショナル・ヘラルド・トリビューン』、『チャイナ・メイル』、各紙の私事広告欄に広告を出してほしい。宛名《あてな》を〝A・A・アーロン〟とすれば、冒頭に掲載されるだろう。きみの名前はハンナにすること。

目を走らせているうちにクラリスの耳には、その文面を読みあげるあの声が聞こえてきた。かつて、あの精神病院の最高度警備棟で、自分を嘲笑《ちょうしょう》し、自分の心を貫き、自分の人生を探り、そして自分に啓示を与えてくれたあの声。クラリスはそのとき、バッフアロウ・ビルに関する決定的な情報と引き替えに、自分の人生の要点をハンニバル・レクターに伝えることを強いられたのだが。めったに発せられることのないあの声の金属的な響きは、いまも夢の中で聞こえることがある。

キッチンの天井の隅に、新しい蜘蛛《くも》の巣がかかっていた。それをじっと見つめながらも、クラリスの思いは乱れていた。嬉しいと思う一方、残念でもある。残念ではあるが、嬉しかった。彼が助けの手を差し伸べてくれたこと、それによって自分の気持を癒《いや》す方途が見つかったのは嬉しい。が、レクター博士の契約しているロスの郵便転送サーヴィスが愚鈍な係員を雇ったらしいのは、嬉しくもあり、残念でもあった――その封筒には、切手の代わりに料金別納証が印刷されていたのだ。その封筒を手にしたら、ジャック・クロフォードはきっと喜ぶだろう。郵便関連の専門家と鑑識課もまた。

6

メイスンの棲《す》む部屋は、森閑としている中に独特の低い鼓動が聞こえる。彼に呼吸させている人工呼吸装置の、フーッと吐息をつくような音だ。仄暗《ほのぐら》い室内で唯一《ゆいいつ》明るく輝いている大型水槽の中では、めったにいない大ウナギが果てしなく8の字を描いて旋回をくり返している。それは、リボンのようになめらかに動く影を部屋に投じていた。

上体部分の起されたベッドに横たわるメイスンの胸は、呼吸装置のカヴァーで覆《おお》われており、きつく編んだ彼の髪がその上でとぐろを巻いている。牧羊神の笛を思わせる、何本かのチューブから成る装置が、彼の前には吊《つ》り下がっていた。

メイスンの歯のあいだから、長い舌がすべりでた。それをチューブの端に巻きつかせると、彼は呼吸装置の次の搏動《はくどう》に合わせてふっと息を吹き込んだ。

とたんに、壁のスピーカーから声が応じる。

「はい、ご用でしょうか」

「『タトラー』を」〝Tattler〟の最初のTは発音されないものの、声自体は深みがあって、ラジオの音声のように明瞭《めいりよう》に響きわたる。

「一面には――」

「読まなくてもいい。スクリーンに投射しろ」メイスンの発する言葉からは、dとmとpの音が失われている。

高い位置に据えられたモニターの大型スクリーンから、チリチリという音が流れた。青みを帯びた緑色の輝きがピンク色に変わったと思うと、『タトラー』紙の赤い大見出しが映しだされた。

〝死の天使。FBIの殺人機械、クラリス・スターリング〟

呼吸装置の与える三回の緩慢な呼吸を通して、メイスンは読んでいく。彼は写真を拡大することもできる。

ベッドのカヴァーの下からは、片方の腕しか出ていない。その腕には、まだ動く力が残っているのだ。さながら青白いクモガニのように、その手は動く。萎えた腕の力で、というより、指に引っ張られてその手は動く。メイスンは頭をほとんど動かせないから、人差し指と中指が触角のように前方を探り、親指と薬指と小指が手を前進させる。写真を拡大したりページをめくったりできるリモコンを、その手は首尾よく見つけた。

メイスンはゆっくりと読んでいく。一つしかない目を覆っているゴーグルが、一分間に二度、シュッと小さな音を立てて水を放ち、目蓋《まぶた》のない眼球にしめりけを与える。その際、ゴーグルのレンズが曇ってしまうことも珍しくない。ほぼ二十分かかって、彼は本文の記事と補足記事を読みあげた。

「よし、レントゲン写真を映せ」

それにはすこし時間がかかった。大判のレントゲン写真をうまくモニターに映すには、下から照明を当てるライト・テーブルを必要とするからだ。スクリーンには、損傷された人間の手が映った。画面が変わると、手を含む腕全体が映った。フィルムに貼《は》りつけられた矢印が、上腕骨の、肘《ひじ》と肩の中間ぐらいの位置にある古い骨折箇所を示している。

メイスンは何度も呼吸を重ねながらそれに目を凝らした。あげくに言った。「手紙を映せ」

細くしなやかな手書きの文字が、スクリーンに現われた。何倍にも拡大されているので、異様に大きく見える。

〝親愛なるクラリス〟と、メイスンは読んでいった。〝きみが名誉を失墜し、公然と辱《はずかし》めを受けた経緯を、熱心に見守ってきた……〟。文字から立ちあがる、書き手の声のリズムそのものが、メイスンのなかに古い記憶を甦らせた。とたんに頭の中が熱く沸騰《ふっとう》し、ベッドが旋回し、部屋が回転した。心中に秘めた夢から瘡《かさぶた》が剝《は》ぎとられ、呼吸よりも早く心臓が鼓動した。その興奮を感知した呼吸装置は、急いで彼の肺に空気を送り込む。

手紙の全文を、メイスンは読み終えた。遅々として進まぬスピードで、さながら馬にまたがって読むように、呼吸装置に規制されながら読み終えた。目を閉じることは不可能ながら、読み終えたときは意識がしばらく目の裏から離れて、考えに沈んだ。呼吸装置のリズムが落ちはじめた。次の瞬間、彼は目の前の管に息を吹き込んだ。

「はい、ご用でしょうか」

「ヴェルモア下院議員に電話しろ。ヘッドフォンを持ってこい。スピーカーフォンのスイッチは切れ」

呼吸装置が与えてくれる次の息と共に、彼は声に出して言ってみた――「クラリス・スターリング」その名前には破裂音は含まれていない。すんなりと言えた。どの音も失われなかった。電話を待ちながら、彼はしばしまどろんだ。大きなウナギの影が、寝具と、彼の顔と、とぐろを巻いている髪の上をゆっくりとよぎった。

7

ＦＢＩの、ワシントンＤＣ支局。通称、〝バザード・ポイント〟。この名は南北戦争当時、敷地内にあった病院によくバザード、つまりハゲタカが集まったことに由来している。

きょうの集まりに顔を連ねているのは、ＤＥＡ（麻薬取締局）、ＡＴＦ（アルコール・タバコ・火器取締局）、及びＦＢＩの中間管理職たちだ。その目的はクラリス・スターリングの運命を詮議《せんぎ》することにあった。

クラリスは上司のオフィスの分厚い絨緞《じゅうたん》の上に、一人で立っていた。頭に巻いた包帯の下で、ズキン、ズキン、という搏動《はくどう》が聞こえる。それを押しのけるように男たちの話し声が聞こえたが、彼らの会話は隣りの会議室のくもりガラスのドアに遮られて、くぐもっていた。

ドアのガラスには、〝信頼、勇気、誠実〟というモットーを組み込んだＦＢＩの紋章が、金箔《きんぱく》で瀟洒《しょうしゃ》に描かれている。

紋章の向こうの話し声は、感情の起伏と共に高まったり低まったりしている。他の言葉は聞きとれなくても、自分の名前ははっきり聞きとれた。

クラリスのいるオフィスの窓からは、ヨット・マリーナ近辺から対岸のフォート・マクネアあたりにかけての見事な眺めが一望できた。フォート・マクネアといえば、かつてリンカーン暗殺の陰謀に連座した連中が絞首《こうしゅ》された場所だ。

クラリスの頭に、いつか見たメアリー・サラットの写真が浮かんだ。自分自身の棺《ひつぎ》のかたわらを通って、フォート・マクネアの絞首台をのぼっていったサラット。台上に立った彼女は頭に頭巾《ずきん》をかぶり、そのスカートの裾《すそ》は、暗黒に向かってガタンと落下する際あられもない格好になるのを防ぐために、足首に縛りつけられていたという――。

隣室の男たちが椅子《いす》を引いて立ちあがった気配が、クラリスの耳に伝わった。彼らは一列になって、こちらのオフィスに入ってきた。何人か、見知った顔もまじっている。驚いたことに、捜査部を統括している副長官のヌーナンの顔まである。

それに、クラリスの天敵、司法省のポール・クレンドラーもいた。首が細長く、丸い耳がハイエナのように頭の高い位置についているクレンドラー。彼は露骨な出世主義者で、いまは監察総監の補佐役として睨《にら》みをきかせている。七年前、あの有名な事件に際し、クラリスは彼を出し抜く形で連続殺人犯バッファロウ・ビルを逮捕した。それからというもの、クレンドラーはあらゆる機会をとらえて彼女の人事ファイルに毒をたらし、人事局に密告をくり返している。

そこに居並ぶ男たちの中に、かつてクラリスと共に捜査の第一線で汗を流した人物はいない。彼女と共に捜索令状を執行したり、敵から撃たれたり、ガラスの破片を髪から払い落としたりした人物は一人もいない。

はじめ彼らはクラリスから目をそらしていた。が、そのうち、何気ないふりを装《よそお》っていたハイエナの群れが、突然、目標の獲物に混じった動きの鈍い獣を見るように、いっせいに彼女のほうを見た。

「すわりたまえ、スターリング捜査官」彼女の直接の上司、クリント・ピアソール特別捜査官は腕時計をはめた部分が痛むかのように、太い手首を撫《な》でていた。

窓のほうを向いた安楽椅子の一つをゼスチャーで示しながらも、彼はクラリスをまともに見ようとはしない。尋問に用いられる椅子は、名誉ある場所ではないのだ。

七人の男たちは明るい窓に黒いシルエットを刻んで、そのまま立ちつづけている。彼らの顔こそ陰になっているものの、ギラつく陽光に照らされていない下半身や足元の靴はよく見えた。靴底の分厚い、タッセルのついたローファーをはいている者が五人。この靴は、ワシントンに出てきたペテン師たちがよくはいている。残りはコルファム・ソールのトム・マッキャン・ウィング・ティップと、フローシャイムのウィング・ティップ。ぬくい足に温められて、靴磨きのクリームの匂《にお》いが宙にたちのぼっていた。

「きみの面識のない人物もいるだろうから、紹介しよう、スターリング捜査官。こちらはヌーナン副長官。もちろん、彼が何者かは知っているね。こちらはDEAのジョン・エルドリッジ、それからATFのボブ・スニード。その隣りのベニー・ホルカムは市長の顧問で、ラーキン・ウェインライトはわれらが業務査察室の調査官だ」ピアソールは言った。「ポール・クレンドラーは――ポールのことは知ってるな――司法省の監察総監室から非公式に参加してくれた。つまりポールは、われわれに対する個人的な好意から、参加してくれているわけだ。ま、なんというか、われわれが厄介な問題を抱えないように手を貸してくれるわけで、ここには出席しているとも、していないとも言えるわけだよ」

部内で流布《るふ》している警句は、クラリスも耳にしていた――〝査察室の調査官とは、戦闘が終ってから戦場を訪れて、負傷者を銃剣で刺し殺す人物のことである〟。

陰になっている何人かの頭が、挨拶《あいさつ》代わりに動いた。彼らは首を伸ばして、この会合の標的である若い女性の顔を見守った。しばらくのあいだ、だれも口をきかなかった。

静寂を破ったのは、ボブ・スニードだった。クラリスの記憶にはこのスニードという男、ウェイコにおけるあのカルト集団〝ブランチ・デーヴィディアン〟制圧事件の不始末を取り繕った、ATFの呪《まじな》い師として刻まれている。彼はクレンドラーの親友で、クレンドラーと同じ出世主義者と見なされていた。

「マスコミの報道ぶりはきみも目にしているな、スターリング捜査官。あのイヴェルダ・ドラムゴを撃ち殺したのはきみだという見方が、完全に広まっているようだ。残念ながら、きみは血も涙もない悪魔だという評がもっぱらのようだが」

クラリスは答えなかった。

「どうだね、スターリング捜査官？」

「マスコミの報道は、わたし、一切関知していませんから、ミスター・スニード」

「あの女は腕に赤子を抱いていたんだろう。それがどういう問題を惹起《じやつき》するか、きみにも察しがつくと思うが」

「腕に抱いていたんじゃありません。胸に吊《つる》したハーネスに寝かせていたんです。しかも彼女は手をその下、毛布の下に隠して、マック10を握っていました」

「解剖の報告書には、もう目を通したかね？」

「いいえ」

「しかし、撃ったのは自分だということを、きみは否定していないようだが」

「弾丸がまだ見つからないからといって、わたしが事実を否定すると思いますか？」上司のほうに向かって、「これは味方同士の集会と解釈してよろしいですね、ミスター・ピアソール？」

「もちろん、そうだとも」

「でしたら、なぜミスター・スニードは盗聴器を装着しているんでしょう？　あの種のタイピン・マイクは、技術課のほうでも数年前から製造を停止しています。しかも、ミスター・スニードは〝Fバード〟を胸ポケットに忍ばせて、ここでの会話の一切を録音しています。いつからわたしたちは、他の部局の会議に出席する際に、盗聴器を装着するようになったんでしょうか？」

ピアソールの顔が紅潮した。もしスニードが本当に盗聴器を装着しているなら、これほど性《たち》の悪い裏切り行為はない。が、そのスイッチを切れとスニードに命じる自分の声が録音されることは、だれも望まなかった。

「そんなふうに開き直ったり、根拠のない弾劾《だんがい》をしたりするのは見苦しいぞ」怒りに顔青ざめて、スニードは言った。「われわれはみんな、きみを助けようとしてるんだから」

「どう助けようというんです？　こんどの手入れの実行にあたって、このオフィスに電話をしてきて、わたしがあなた方を助けるよう要請してきたのは、あなたの組織だったじゃありませんか。わたしはイヴェルダに降伏のチャンスを二度与えました。でも、彼女は赤ちゃんの毛布の下でマック10を握っていたんです。彼女はすでにジョン・ブリガムを撃っていました。彼女が抵抗を諦《あきら》めてくれればいい、とわたしは願っていました。でも、その願いは通じなかった。彼女はわたしを撃った。だから撃ち返したんです。その結果、彼女は命を落とした。それが真相です。ここのところでテープ・カウンターをチエックしておいたほうがいいんじゃないですか、ミスター・スニード」

「イヴェルダ・ドラムゴがあそこにいることを、きみは予知していたのかい?」DEAのエルドリッジが訊《き》いた。

「予知していた?　いいですか、わたしは現場に向かうヴァンの中で、イヴェルダ・ドラムゴがその日、厳重に警備された精製所で麻薬を精製するらしいということを、ブリガム捜査官からはっきり聞かされたんです。で、彼女のことはわたしに任せるから、と言われました」

「いいかね、諸君、ブリガムはもう死んでるんだ」割って入ったのはクレンドラーだった。「バークもしかり。実に優秀な捜査官だったがね、二人とも。彼らはもう、第三者がいかなる証言をしようと、確認することも否定することもできんのだ」

クレンドラーがジョン・ブリガムの名前を口にするのを聞いて、クラリスは虫酸《むしず》が走る思いがした。

「ジョン・ブリガムが亡《な》くなったことを、仮にもわたしが忘れることは、まずないでしょう、ミスター・クレンドラー。彼はたしかに優秀な捜査官でした。わたしの良き友人でもありました。でも、イヴェルダをわたしに任せる、と彼が言ったのは事実です」

「きみとイヴェルダのあいだで以前ゴタゴタがあったのを承知の上で、ブリガムはきみにそういう任務を与えたのか?」

「まあまあ、ポール」クリント・ピアソールが口をはさんだ。

「ゴタゴタとはどういう意味です？」クラリスは訊き返した。「ゴタゴタどころか、穏便な逮捕劇だったんです。イヴェルダは以前、他の捜査官に逮捕されようとして抵抗したことがあります。でも、この前わたしが逮捕したときには、抵抗しなかったんです。わたしとも、ちょっとした世間話を交わしたくらいで――イヴェルダは頭のいい女性でした。わたしたちは互いに、相手を怒らせないように振る舞いました。こんどもそうなればいい、とわたしは願っていたんです」

「〝彼女は自分がなんとかするから〟というようなことを、きみは口に出して言ったかね？」スニードが訊いた。

「わたしは自分に下された指示を承諾しました。それだけです」

市長顧問のホルカムとスニードが、額を寄せて二言三言《ふたことみこと》話し合った。

シャツの袖口《そでぐち》を直して、スニードが言った。「われわれはワシントン市警のボウルトン警官からある情報を得ているんだよ、ミズ・スターリング。なんでもきみは、対決の現場に赴くヴァンの中で、ミズ・ドラムゴに関する刺激的な言辞をいろいろと弄《ろう》した、というんだが。この件については何か言いたいことはあるかね？」

「わたしはブリガム捜査官の指示にしたがって、イヴェルダが過去に犯した暴力行為を他の捜査官たちに説明しただけです。彼女はたいてい武器を携帯していること、それに彼女がＨＩＶ陽性であることも話しました。彼女におとなしく降伏するチャンスを与えよう、とわたしは言いました。彼女を逮捕する際、掩護《えんご》が必要になった場合はたのむ、とも言いました。それに応じてくれた者はあまりいませんでしたけれども」

するとクリント・ピアソールが、部下の掩護に立つ意志を初めて示した。「〝クリップ団〟のガンマンたちの車がクラッシュして、一人が逃げだしたとき、その車が揺れているのがきみには見えた。で、車の中で赤子が泣いているのが聞こえたんだね？」

「火がついたように泣き叫んでいました。わたしは手をあげて、銃撃を止《や》めるようにみんなに指示してから、味方の掩護の及ばない前方に出ていったんです」

「それ自体、逮捕行動規則違反じゃないか」と、エルドリッジ。

それを無視して、クラリスはつづけた。「わたしはいつでも応射できる姿勢で車に近づきました。拳銃《けんじゅう》を前に突きだしながらも、銃口は下に向けて。わたしとイヴェルダの中間の地面にマーケス・バークが倒れて、死にかけていました。だれかが飛びだしてきて、彼の傷口に包帯をあてました。そのとき、イヴェルダが赤子と一緒に降りてきたんです。両手を見せて、とわたしは言いました。それから、馬鹿《ばか》なことをしないで、イヴェルダ、というようなことを言ったと思います」

「ところが彼女は撃ち、きみは撃ち返した。彼女はすぐに倒れたのかい？」

クラリスはうなずいた。「イヴェルダは膝《ひざ》から崩れ落ちて道路に尻餅《しりもち》をつき、赤ちゃんの上に倒れかかったんです。そのときはもう死んでいました」

「きみはすぐに赤子を抱えて、水のあるところに駆け寄った。そこで貴重な生命に対する然《しか》るべき配慮を示したわけだ」ピアソールは言った。

「自分が何を示したのかは、わかりません。とにかく、あの子は全身血まみれだったんです。あの子がＨＩＶ陽性なのかどうかは知りませんでした。イヴェルダが陽性なのはわかっていましたが」

「きみは、自分の撃った弾丸が赤子に命中したと思ったんじゃないのか」クレンドラーが言った。

「いいえ。弾丸がどこに飛んだかはわかっていました。あのゥ、もっと自由に話していいでしょうか、ミスター・ピアソール？」

彼がこちらと目を合わせようとしないのを見て、クラリスはつづけた。

「こんどの手入れはひどい醜態をさらしました。わたしは自分が死ぬか、それとも赤子を連れた女性を撃つか、二つに一つを選ばざるを得ない状況に追いやられました。わたしは一つの選択をしました。そして、それがもたらした結果に、いまだにさいなまれています。わたしは乳児を連れた女性を撃った。もっと下等な動物ですら、そんなことはしないでしょう。またテープ・カウンターをチェックしたらいかが、ミスター・スニード、わたしがいま罪を認めた箇所を。でも、自分がそんな状況に追いやられたことが、わたしは口惜《くや》しくて仕方がありません。いま申しあげたような罪悪感にさいなまれているること自体が、口惜しくて仕方がないんです」路上にうつぶせに倒れていたブリガムの姿が、脳裡《のうり》にひらめいた。クラリスは自分を抑えられなかった。「それなのに、あなた方はこぞって責任逃れをしようとしている。胸がムカつきます」

「スターリング――」苦悩の表情も露《あら》わに、ピアソールは初めてクラリスの顔をまともに見た。

「きみはまだ、出動報告書を書く暇がなかっただろうな」ラーキン・ウェインライトが言った。「いずれ、われわれもそれを読んだら――」

「いいえ、それはもう書きました」クラリスは言った。「そろそろ業務査察室にもコピーが届く頃でしょう。それまで待てないとおっしゃるなら、ここにもコピーを用意してあります。そこには、わたしのとった行動、目撃したことのすべてを書いておきました。だから、ミスター・スニード、こっそり録音する必要なんかなかったのよ」

いまの自分には、すべてが明瞭《めいりよう》に見えすぎている、とクラリスは思った。それは危険な徴候だ。声を意識的に落して、彼女はつづけた。

「こんどの手入れが失敗した理由はいくつかあります。一つは、ATFのタレコミ屋が、赤子はあそこにはいないと嘘《うそ》をついたこと。そのタレコミ屋は、何がなんでも手入れを決行させようと必死だったんです――イリノイでひらかれる彼自身の大陪審の前に。つまり、手入れが成功していれば、それは自分の裁判でのポイントになりますからね。手入れが失敗した理由はもう一つあります。イヴェルダ・ドラムゴが事前に手入れを察知していたこと。彼女は片手に金を詰め込んだバッグを、もう一方の手にメタンフェタミンを持って出てきました。彼女のポケット・ベルのスクリーンには、WFULテレビ局の電話番号がまだ映っていました。たぶん、わたしたちが現場に到着する五分前に、彼女は電話連絡を受けたんです。わたしたちとほぼ同時に、WFULテレビ局のヘリコプターも現場上空に到達していましたから。WFUL局の電話テープを没収すれば、情報をあの局にリークした人間が判明するでしょう。そいつは、地元と密接な利害関係を持っている人物だと思います。もしリークしたのが――ウェイコのときのように――ATFだったら、あるいはDEAだったら、たぶんローカルなテレビ局ではなく、全国的なメディアのほうを選んだでしょう」

ベニー・ホルカムが市を代弁して言った。「市庁、もしくはワシントン市警に属する人物が何かをリークしたという証拠は、一切ないからな」

「関係者を召喚すれば、白黒がはっきりするわ」スターリングは言った。

「で、きみはドラムゴのポケット・ベルを持ってるのかね？」ピアソールが訊いた。

「それは封印されて、クワンティコの証拠保存室に保管されています」

そのとき、ヌーナン副長官自身のポケット・ベルがブーッと鳴った。スクリーンに現われた番号を見て眉《まゆ》をひそめると、彼は、ちょっと失礼する、と言って部屋の外に消えた。ほどなく彼は、ピアソールも外に呼びだした。

ウェインライト、エルドリッジ、ホルカムの三人は、ズボンのポケットに両手を突っ込んで窓際《まどぎわ》に立ち、フォート・マクネアのほうを眺めていた。いずれも、集中治療室で待機している人物のような顔をしている。ポール・クレンドラーがスニードの目をとらえて、スターリングに話しかけるよう促した。

スニードはクラリスの椅子《いす》の背に片手を置いて、彼女を覗《のぞ》き込むように上体を傾けた。

「この聴問会におけるきみの証言がこういうものだったとしよう――つまり、きみがＦＢＩから借りだされた臨時任務についている際に、きみの武器がイヴェルダ・ドラムゴを殺した、と。その場合、ＡＴＦとしては、イヴェルダを穏便に拘束すべく、ブリガムがきみに対し、彼女に、そのゥ――特別な注意を払うよう要請した、という文書に署名する用意がある。とにかく、彼女を殺したのはきみの武器なんだ。その点に関しては、きみの組織が責めを負わなければならん。逮捕活動の原則に関して、各機関が不満をぶつけ合うようなことはなしにしよう。われわれも、ヴァンの中できみがイヴェルダの性格に関して、刺激的、もしくは敵対的な言辞を弄した事実を問題にはしないつもりだ」

一瞬、クラリスの脳裡に、あのビルの出口から出てきたときのイヴェルダの姿が甦った。車から降り立ち、頭を昂然《こうぜん》とあげてこちらを睥睨《へいげい》していたイヴェルダ。彼女の人生がいかに愚かしく、虚《むな》しいものだったにせよ、あのときの彼女がそれから逃げようとはせず、自分の子供と共に、自分を迫害する者に立ち向かおうと決意していたのは明らかだった。

スニードのネクタイのマイクに顔を寄せると、クラリスは一語一語はっきりと言ってやった。「イヴェルダがどういう人物だったか、ここでもう一度証言できるのはとても幸せだわ、ミスター・スニード——彼女はあなたよりも立派な人物でした」

ピアソールがヌーナンを伴わずに部屋にもどってきて、ドアを閉めた。「ヌーナン副長官はオフィスに帰られた。諸君、この会合はここで打ち切りにしよう。いずれ、きみたち一人一人に電話で連絡するから」

クレンドラーが顔をあげた。彼は突然、政治的な配慮の匂《にお》いを嗅《か》ぎつけたらしい。

「しかし、ここで決定しておかなけりゃならんこともあるだろう」スニードが言った。

「いや、その必要はない」

「でも——」

「信じてくれ、ボブ、ここでは何も決定する必要はない。いずれきみにも連絡する。それから、ボブ」

「なんだい？」

ピアソールは物も言わずにスニードのネクタイの裏の細いリード線をつかんで、思い切り引きむしった。スニードのシャツのボタンが弾《はじ》け飛び、彼の胸の皮膚からテープがびしっと剝《は》がれた。「こんどまた盗聴器をつけてわたしのところに現われたら、その尻を蹴《け》りとばしてやるからな」

彼らは一様にクラリスの顔を見るのを避けて、部屋の外に出ていった。が、クレンドラーだけは別だった。

前方を目で確かめる必要のないように、ずり足で戸口に向かいながら、彼はその長い首の関節を最大限に使ってクラリスのほうをかえりみた。そう、まさしくハイエナが獲物の集団の周囲をまわりながら、目をつけた動物をかえりみるように。その顔には、いくつかのいりまじった欲望が浮かんでいた。クラリスの脚を賞《め》でながら、同時に彼女の弱点を探ろうとするのは、クレンドラーならではの振舞いだった。

8

ＦＢＩの行動科学課は、連続殺人を扱うセクションである。地下にあるそのオフィスは、ひんやりとしていて、空気もよどんでいる。近年、なんとかこの地下のスペースの雰囲気を明るくしようとして、インテリア・デザイナーたちがさまざまな補色を駆使してきた。が、その結果はといえば、せいぜい霊安室における死化粧程度の成果しかおさめていない。

課長のオフィスの内装は最初の頃の茶色と黄褐色のままで、高い窓に格子《こうし》柄《がら》の短いカーテンがかかっている。デスクに向かったジャック・クロフォードは、もろもろの恐怖が密封されているファイルに囲まれて書き物をしていた。

ドアにノックの音。顔をあげると、嬉《うれ》しい光景が目に入った──戸口にクラリス・スターリングが立っていたのだ。

クロフォードは微笑を浮かべて、椅子から腰を浮かせた。スターリングとは立ったまま話し合うことが珍しくない。それは長い付き合いの過程で、二人が自分たちの関係に課してきた暗黙の儀礼の一つだった。握手を交わす必要すら二人にはなかった。

「病院にきてくださったそうですね」クラリスは言った。「申しわけありませんでした、お会いできなくて」

「いや、思いのほか早くきみが退院できて、嬉しかったよ。で、耳の具合はどうなんだい、もうなんともないのかい？」

「カリフラワーみたいな形が好みなら、なんともない、と言っていいでしょうね。結局、大部分を失いそうです」彼女の耳は髪で隠されていた。そこを敢《あ》えて見せようとは、クラリスもしなかった。

短い沈黙。

「わたし、あの手入れの失敗の責任を一身に負わされそうになったんです、クロフォード課長。イヴェルダ・ドラムゴの死から何から、すべての責任を。彼らはまるでハイエナでした。ところが突然、査問にストップがかかって、みんなコソコソと立ち去っていきました。何かが彼らを追い払ったんです」

「きっと、きみには天使がついているんだろう、スターリング」

「かもしれません。でも、あなたは結果的に、どんな犠牲を払うことになったんですか、課長？」

クロフォードは首をふった。「まあ、ドアを閉めてくれ、スターリング」

ポケットから丸めたクリネックスをとりだして、クロフォードは眼鏡をふいた。「できれば、わたしが手助けをしたかったと思うよ。だが、わたしには独力で立ち向かう勇気がなかった。もしマーティン上院議員がまだ議席を保っていたら、きっときみを掩護《えんご》してくれただろうがね……こんどの手入れで、彼らはジョン・ブリガムを無駄死にさせた——ポンと放り捨てるようにね。きみもジョンのように無駄死にしていたら、この組織の恥になるところだった。わたしはまるで、自分が戦場にいて、きみとジョンの死体をジープのボンネットに積みあげているみたいな気分だったな」

クロフォードの頬が紅潮した。寒風に吹かれつつジョン・ブリガムの墓の前で頭《こうべ》を垂れていた彼の顔を、クラリスは思いだした。クロフォードから、かつての戦争体験を聞かされたことはまだ一度もなかった。

「でも、あなたは何か手を打ってくださったんです、クロフォード課長」

彼はうなずいた。「ああ、たしかに手は打った。しかし、きみが喜んでくれるかどうかは、わからん。わたしは新しい仕事を提案したんだから」

仕事。二人のひそかな辞書の中で、仕事は好ましい響きを持っている。それは直ちに取り組むべき具体的な任務を意味するのだから。仕事、は息苦しい空気を吹き払ってくれるだろう。連邦捜査局中枢《ちゅうすう》の厄介な官僚システムは改善可能かどうか、二人が表立って話し合ったことは一度もない。クロフォードとクラリスは、言ってみれば、神学にほとんど絶望している医療伝道団のようなものだった。神が何の助けの手も差し伸べてくれないことは承知で、それを決して口に出さずに、二人はただ目前の一人の赤子の命を救うことに専念する。イボ族の五万人の幼児の命を助けるために雨を降らすことなど、神は考えたこともないのだ。

「これは、間接的に、という意味なんだが、きみを救ってくれたのは、きみに最近手紙を送ってきた人物なんだよ、スターリング」

「レクター博士ですか」その名前をクロフォードが毛嫌いしていることを、クラリスはずっと前から気づいていた。

「ああ、まさしくその男だ。これまでずっと、彼はわれわれの追及を逃れてきた――完全に逃げおおせていたんだ――それなのに、いまになってきみに手紙を書いてきた。なぜだろう？」

すでに十人を殺していたレクター博士がメンフィスの監房から逃走したのは、七年前のことだった。その際、彼はさらに五人の命を奪ったのである。

実際、レクターはこの地上から異次元の世界へ転落してしまったかのように、ふっつりと姿を消していた。もちろん、ＦＢＩは彼の捜索を断念したわけではない。捜索は永遠に、正しくはレクターが逮捕されるまで、つづけられるだろう。テネシーや他の管轄《かんかつ》区《く》でも事情は変わらない。ただ、彼を追跡する特別な機動班はもはや設置されてはいないのだ。レクターの犠牲者の遺族が、テネシー州議会の前で怒りの涙を流しつつ善処を要望したのちも、それは設置されなかった。

現在、レクターの精神構造を学術的に論じた本が何冊も刊行されているが、著者の大部分は獄中のレクターと会ったことが一度もない心理学者たちである。専門誌上でレクターから痛撃された精神分析学者による著作も、何冊か現われた。それらの学者は、いまなら名のりをあげても安全だと思ったのだろう。彼らの中には、レクターの異常性は必ずや自殺衝動に結びつくはずで、彼はもうこの世にいない可能性も十分にある、と指摘する者もいた。

すくなくともサイバースペースにおいては、レクター博士に対する関心はいっこうに衰えていない。インターネットのじめついた土壌には、レクターの精神構造に関する仮説が毒キノコのように生えているし、博士を目撃したという情報の数はエルヴィスの目撃情報のそれにもひけをとらない。インターネットの〝チャット・ルーム〟はペテン師どもに荒らされ、燐光《りんこう》を放つ電脳空間の沼地では、レクターの残虐《ざんぎゃく》な犯行現場を撮った警察写真が陰惨な神秘現象のコレクターたちに密売されている。その人気をしのぐものがあるとしたら、ただ一つ、一九〇五年に北京《ペキン》でバラバラに切り刻まれて刑死したリー・フォウチョウの写真くらいのものだ。

そしていま、七年ぶりにレクターの消息が浮上してきたわけである——そう、タブロイド紙の集中攻撃にさらされているクラリス・スターリング宛《あ》ての手紙の形をとって。

　その手紙には、指紋は一切付着していなかったのだが、ＦＢＩは、たぶん本物だろうという妥当な判断を下していた。クラリス・スターリングは、本物に間違いない、と確信していた。

「あの男はどうしてこういう挙に出たんだろうな、スターリング？」彼女にも腹立ちを覚えているような口調で、クロフォードは言った。「あの男をどう理解したらいいのか——その点に関して、わたしは蒙昧《もうまい》な精神分析屋どもより優《まさ》っているふりをしたことは一度もない。きみはどう思っているのか、教えてくれ」

「たぶん、こんどわたしの身に起きたことは、ＦＢＩに対するわたしの信念を揺るがせるだろう、ＦＢＩに対する幻滅をわたしに抱かせるだろう……そう彼は見てとったんじゃないでしょうか。何であれ、人の信念が崩壊する様を見るのが、彼には楽しいんです。それが彼の楽しみなんですから。それはちょうど、彼が収集していた教会崩壊の事例のようなものだと思うんですね。イタリアであの特別なミサが行なわれたとき、教会が崩れ落ちて、おばあさんたちが瓦礫《がれき》の下に埋まりましたね。そうしたら、だれかがその瓦礫の上にクリスマス・ツリーを立てた。そういう行為が大好きなんです、彼は。わたしと話すのが、彼には面白いんでしょう。それでわたしをおもちゃにしているんだと思います。以前、彼と会って話したとき、彼はわたしの受けた教育の欠陥を好んで指摘しました。わたしのことをかなり単純な人間だと思っているんでしょう」

自分自身の年齢と疎外感《そがいかん》を意識しながら、クロフォードは言った。「彼から好かれているのかもしれない、と思ったことはあるかい、スターリング？」

「彼は、わたしという人間を面白がっているんだと思います。彼にとって、周囲の物事は、面白いか、面白くないか、そのどちらかなんですね。面白くない場合には……」

「自分は彼に好かれている、と感じたことはあるか？」バプティスト派が体全部を水に漬《つ》ける洗礼にこだわるように、クロフォードはある事実を〝思ったか〟、それとも〝感じたか〟、の差にこだわった。

「知り合ってまだまもないうちに、彼はわたしという人間について、いくつかのことを言い当てました。人はとかく〝理解〟を〝共感〟と見誤りがちです――わたしたちは他人の共感を切望していますからね。でも、〝理解〟と〝共感〟のちがいを学んでいくことが、すなわち、人間が成長していくことの一端なんじゃないでしょうか。人は自分に好意を持たなくとも自分を理解できるのだということを悟るのは、とても苦しく、また興ざめなものです。〝理解〟という行為が単に殺人者の道具として使われたのに気づいたときは、もう最悪ですね――レクター博士がわたしのことをどう感じているのか、それはまったくわかりません」

「だいたい、以前、きみと会ったとき、彼はどんなことをしゃべったんだ？　差し支えなければ、教えてもらいたいな」

「このわたしは野心的で功を焦《あせ》っている田舎者だ、と彼は言いました。それから、わたしの目は安っぽい誕生石のように輝いている、とも。それと、こうも言いました――わたしは安物の靴をはいているけれども、趣味は悪くない、そこそこいいようだ、と」

「それは当たっていると思ったのかい？」

「ええ。たぶん、いまのわたしにもそれは言えるでしょう。靴だけはもっといいものをはいてますけども」

「彼がきみに激励の手紙を送ってきたのは、そうされてもきみが彼のことを当局に通報するかどうか、それを見きわめたかったのだ、という気はしないか、スターリング？」

「わたしが通報することを、当然彼は見越していたと思います。見越していなければ嘘《うそ》です」

「法廷で有罪判決を受けてからも、彼は六人の人間を殺している。あの病院では、きみの顔に精液をふりかけたことを咎《とが》めてミッグズを殺した。そして、逃亡する過程でさらに五人を殺している。現在の政治的風潮を考えれば、こんどレクターが捕まった場合は、たぶん、死刑を免れまい」クロフォードの顔に微笑が浮かんだ。彼はそもそも連続殺人の研究に先鞭《せんべん》をつけた男である。その彼はいま定年退職を目前に控えており、彼に多大な試練を与えた怪物は自由を謳歌《おうか》している。レクター博士が死ぬ可能性を考えたとき、クロフォードの胸には大きな喜びが湧《わ》いたのだろう。

クラリスにはわかっていた――クロフォードがミッグズの行為を口にしたのは自分の注意を喚起するため、かつてボルティモア精神異常犯罪者用州立病院の独房で〝人食いハンニバル〟を尋問しようとしていた恐ろしい日々に自分を立返らせるため、であることが。実際、レクターが知的な意味で自分をもてあそんでいたとき、恐るべき連続殺人犯ジェイム・ガムの地下室では一人の若い女性がうずくまって死を待っていたのである。クロフォードが要点に触れようとするとき、まさしくいまのようにこちらの注意力を高めようとするのは毎度のことだった。

「きみは知ってたかな、スターリング、レクター博士の初期の犠牲者の一人がいまも生きていることは？」

「あの金持ちの男でしょう。彼の家族が懸賞金を出しましたね」

「そう、メイスン・ヴァージャーだ。彼はいま、メリーランドで人工呼吸装置の厄介になっている。今年父親が亡《な》くなってから、彼は食肉加工業の大会社を受け継いだんだよ。彼はまた、下院司法監督委員会に属する議員の面倒を見る義務も、父親から受け継いでいる。その議員はメイスンの経済援助なしにはやっていけないのさ。そのメイスンがこう言ってるんだがね――自分はレクター捜索に役立つような情報を握っている、と。そして彼は、きみと話し合うことを希望しているんだ」

「わ、わたしとですか」

「そう、きみとだ。それがメイスンの望みでね。それが明らかになったとたんに、みんな、そいつは名案だと言いはじめたのさ」

「それは、あなたに勧められてメイスンが希望しはじめたことなんじゃありません？」

「彼らはきみを放り出そうとしてたんだ、スターリング。ボロきれのように捨てようとしてたんだ。まさしくジョン・ブリガムのように、きみは無駄死にするところだった。それもこれも、ATFの何人かの官僚どもを命拾いさせるためにね。恐怖。圧力。あの連中に理解できるのは、もうそれくらいのことしかないんだろう。わたしはある人物に言って、メイスンのところに電話をかけさせた。そして、もしきみがクビになったら、レクター捜しは一頓挫《いちとんざ》するだろうと言わせたのさ。そのあとで何が起きたのか、メイスンがだれに電話を入れたのか、わたしは知りたくもない。しかし、たぶん、その相手はヴェルモア下院議員だったんだろうな」

　一年前のクロフォードだったら、そういう手は使わなかったのではなかろうか。定年を目前に控えた連中にしばしばとりつくという狂気が認められるかどうか、クラリスはじっと上司の顔に目を凝らした。それらしきものは見てとれなかった。が、クロフォードの顔に疲労の色が濃いのは否《いな》むべくもない。

「メイスンは、およそ身辺のきれいな男とは言えないんだ、スターリング。そいつは彼の容貌《ようぼう》だけに限ったことじゃない。彼が何を握っているのか、探りだしてくれ。それをここに持ち帰ってくれれば、二人でまた協力して働けるじゃないか。ようやっとね」自分がFBIアカデミーを卒業して以来、クロフォードが行動科学課に呼び寄せようと何年も努めてくれたことは、クラリスも知っていた。

FBIのヴェテラン捜査官となったいま、兄弟機関へ貸しだされる任務を数知れずこなしてきたいま、クラリスは身にしみてよくわかる——あの連続殺人犯ジェイム・ガムを捕らえた初期の勝利こそがFBIにおける自分の蹉跌《さてつ》の原因だったのだということが。ガ彼女は言ってみれば、飛躍しかけたところで足をすくわれてしまったスターだった。ガムを捕らえる過程で、彼女はすくなくとも一人の強大な敵をつくってしまったし、多くの男性の同僚たちの嫉妬《しっと》をもかってしまった。それに加えて生来の依怙地《いこじ》さがたたったのだろう、もう何年ものあいだ、凶暴な犯罪者の巣窟《そうくつ》に突入する班やら、銀行強盗発生と同時に犯人を追う班やらでコキ使われたり、逮捕令状を執行したり、つまりは、四六時中ショットガンをかまえて危険地区ニューアークと対峙《たいじ》するような仕事に甘んじなければならなかった。そのうちとうとう、短気すぎてチームワークには向かない、という烙印《らくいん》を押されて、技術担当捜査官に任命されてしまったのである。ギャングスターや幼児ポルノ製作業者の電話や車に盗聴器を仕掛けたり、〝第三条〟で認可された盗聴装置で孤独な監視をつづけたりするのが、その仕事だった。と同時に彼女は相変らず、兄弟機関が手入れを行う際、頼りになる助っ人としてしょっちゅう貸し出されていた。拳銃さばきが見事なうえ、その扱いにも慎重だったからだろう。

一方クロフォードは、こんどの任務は彼女にとっての転機になり得る、と見ていた。スターリングは一貫してレクター捜索の熱意を燃やしつづけていたのではないか、と彼は推測していたのである。事実はそれよりもっと複雑だったのだが。

クロフォードはじっと彼女の顔を見つめた。「きみの頬の火薬の跡、取り除かなかったんだね」

ジェイム・ガムのリヴォルヴァーから放たれた微細な火薬の粉末が、クラリスの頬には黒子《ほくろ》のように残っていた。

「取り除く時間がありませんでしたので」

「頬の上のほうのそういう黒子、そういう〝ムーシュ（つけ黒子）〟のことを、フランス人は何と呼んでいるか、知ってるかい？　それはどういう意味だか？」クロフォードは、刺青《いれずみ》、肉体の象徴学、儀式的な手足切断等に関する膨大な資料を所有している。

クラリスは首をふった。

「フランス人はそれを〝クラージュ（勇気）〟と呼んでるんだな」彼は言った。「だから、それはそのままにしておいたほうがいい。わたしがきみだったら、取り除かないでおくね」

9

北メリーランドのサスケハナ川に近いヴァージャー家の邸宅、マスクラット・ファームは、一種の妖気《ようき》を帯びた美しさに包まれている。食肉加工業で財をなしたヴァージャー家がそこを買収したのは、シカゴからワシントンにより接近すべく東方へ移住した一九三〇年代のことだった。一家の財力をもってすれば、それしきの不動産の購入は何程のことでもなかった。政治的な読みの深さと優れた商才によって、ヴァージャー家は南北戦争以来アメリカ陸軍への食肉納入契約をほぼ独占し、巨万の富を築いてきたからである。

アメリカ・スペイン戦争時に〝防腐加工牛肉〟スキャンダルが発覚した際も、ヴァージャー家はいささかの打撃も受けなかった。アプトン・シンクレアと汚職摘発活動家たちがシカゴの食肉加工場の危険な実態にメスを入れた際、彼らはとんでもない事実を突き止めた――ヴァージャー社の数人の従業員がちょっとした手違いからラードに加工されてしまい、缶詰にされたうえ、パン屋に人気のある〝ダラムズ・ピュア・リーフ・ラード〟として販売されていたのだ。が、それでもヴァージャー家の屋台骨が揺らぐことはなかった。その件で手厳しく弾劾《だんがい》されながら、彼らは政府との契約をただの一件も失わずにすんだのだから。

　その種の深刻な醜聞や他の多くの問題をヴァージャー家が克服できたのは、もっぱら政治家たちへの贈賄《ぞうわい》のおかげだった――彼らにとっての唯一《ゆいいつ》の打撃は、一九〇六年の〝食肉検査法〟の成立くらいのものだっただろう。

　今日、ヴァージャー社は――季節によって多少のちがいはあるものの――一日に八万六千頭の牛と三万六千頭の豚を処理している。

　マスクラット・ファームの芝はきれいに刈り整えられ、咲き乱れたライラックの花が風に揺れて、畜舎のような臭《にお》いはまったく漂っていない。目に入る動物といえば、子馬《ポニー》と鵞鳥《がちょう》くらいのものだ。ポニーはそこを訪れる子供たち向けに飼われている。鵞鳥の群れは、尻《しり》をふりながら芝生に頭を寄せて楽しげに草をついばんでいた。犬は一匹もいない。母屋《おもや》と厩《うまや》と庭は、六平方マイルに及ぶ国有林のほぼ中央にある。それは今後とも、内務省の認めた特別控除《こうじょ》によって、ほぼ永遠にそこに留まりつづけるだろう。

　大富豪の邸宅の常で、一回目の訪問のときから迷わずマスクラット・ファームを見つけるのは容易ではない。クラリス・スターリングは、ハイウェイの一つ先の出口から降りてしまい、側道を引き返してようやく中央の入口を見つけた。林を囲む高いフェンスに鎖と南京錠《ナンキン》で大きなゲートがとりつけられていた。そこをくぐると、消防用の幅広い道路が奥のほうに伸びていて、こんもりと茂った木々のあいだに消えている。消防署への連絡用の戸外電話は見当たらない。その道路を二マイルほど進むと、門衛小屋が目に入った。きれいな私道を百ヤードほど奥に入ったところにあって、制服姿の門衛の手にしたクリップボードには、ちゃんとクラリスの名前が記されていた。

手入れの行き届いた私道をさらに二マイルほど進むと、ようやくファームに到着する。鵞鳥の群れが私道を渡ろうとしていた。野太いエンジン音を轟《とどろ》かせているマスタングを止めて、通してやる。母屋から四分の一マイルほど離れた小綺麗《こぎれい》な厩から、太ったシェットランド・ポニーにまたがった子供たちが一列になって出てくるのが見えた。目前の母屋はスタンフォード・ホワイトの設計になる大邸宅で、低い丘陵のあいだに風格のある翼を広げている。庭を含めた屋敷全体としてみると、堅実にして壮麗と言うべきか、心楽しい夢の具現した荘園《しょうえん》の趣がある。クラリスは好感を抱いた。

ヴァージャー家は、この邸宅に余計な改装を施さないだけの良識を持ちあわせていた。唯一の例外はモダンな翼棟を一つ付設したことで、それはまだクラリスの目には見えないのだが、グロテスクな医学の実験で縫いつけられた余分な腕のように、東面から伸びている。

車は中央の前廊の下に止めた。エンジンを切ると、急に周囲が森閑として、自分の息遣いまで聞こえるようだ。馬にまたがって近づいてくる人物の姿が、ドア・ミラーに写った。クラリスは外に降り立った。舗道にパカパカと蹄《ひづめ》の音をたてて、馬が近寄ってくる。

短い金髪の、肩幅の広い人物が、鞍《くら》からひらりと降りるなり、馬丁の顔はろくに見もしないで手綱をわたした。

「厩にもどしておいて」甲高い、よく通る声で言う。それから、クラリスのほうを向いて、「あたしはマーゴ・ヴァージャー」

近くで見ると、その人物は女性だった。肩からまっすぐ腕をのばして、手を差しだしてくる。マーゴ・ヴァージャーは明らかにボディビルダーだった。首筋には腱《けん》が浮きだしているし、テニス・シャツは逞《たくま》しい肩と腕ではち切れんばかり。その日は乾いた輝きを帯びていて、涙が思うように出てこないかのような焦燥感を宿していた。綾織《あやお》りの乗馬ズボンと、拍車のついていないブーツを、彼女ははいていた。

「その車はなあに？」マーゴ・ヴァージャーは訊《き》いた。「古いマスタングよね？」

「八八年型なんだけど」

「じゃあ、五リッターの？　車高がかなり低いようだけど」

「ええ。これはチューンナップした、ラウシュ・マスタングだから」

「気に入ってる？」

「そうね、とっても」

「どれくらい出るの、スピードは？」

「さあ。十分なだけ出るわ」

「怖くなるくらい？」

「感心するくらい。だから、敬意を抱きながら乗ってるの」

「そういう車だということを承知の上で買ったの？　それとも、なんとなく買ったの？」

「ある程度の予備知識があったので、麻薬密売業者からの没収品の競売で見かけて買ったんだけど。あとで、もっといろいろとわかったわ」

「あたしのポルシェに勝てると思う？」

「どのタイプのポルシェか、によるわね。わたし、あなたのお兄さまにお話があるんだけど、ミズ・ヴァージャー」

「兄が身支度を整えてもらうまで、あと五分はかかると思うけど。じゃあ、こちらに」

マーゴ・ヴァージャーが階段をのぼるにつれ、綾織りの乗馬ズボンが逞しい太ももとこすれ合って、シュッシュッという音をたてる。トウモロコシの毛のような髪が、かなり後退している。ひょっとして筋肉増強用のステロイドを常用しているのかしら、とクラリスは思った。それと、クリトリスにもテープを貼《は》りつけたりしているのかもしれない。

少女時代の大半をルーテル派の孤児院ですごしたクラリスにとって、その邸宅は、並みはずれて広大な空間といい、塗装された天井の梁《はり》といい、しかつめらしい顔をした故人の肖像画のかかっている壁といい、さながら美術館のように感じられた。階段の踊り場には中国の有線七宝《しっぽう》の置物が飾られており、廊下には長いモロッコ製の絨緞《じゅうたん》が敷かれている。

が、新たに増築された棟に入ると、内装のスタイルは一変していた。曇りガラスの両開きの扉の向こうには、丸天井のホールには不似合いな、モダンで機能的なしつらえの空間が広がっていたのである。

マーゴ・ヴァージャーはその扉の前で立ち止まって、あの苛立《いらだ》たしげな、キラキラと輝く目でクラリスの顔を見た。

「兄のメイスンとはうまく話せない人もいるの。もし話すのが苦痛だったり、どうにも我慢できなかったら、あとであたしが何でも教えてあげるからね、あなたの聞き忘れたことを」

この世の人間がすべからく意識していながら、まだそれを形容し得る簡潔な言葉を見つけられずにいる、ある共通の感情がある――いずれ相手を見下せるだろうという幸福な予感、とでも言おうか。クラリスはそれを、マーゴ・ヴァージャーの顔に認めた。

「ありがとう」とだけ、クラリスは言った。

驚いたことに、新しい棟の最初の部屋は、設備の整った大きな遊戯室だった。巨大な動物の縫いぐるみにまじって、二人の黒人の子供が遊んでいた。一人は前輪の馬鹿でかい三輪車に乗っており、もう一人はトラックを押していた。部屋の隅にはさまざまな三輪車やワゴンが置かれている。中央には分厚いマットが敷かれていて、その上に大きなジャングル・ジムが設置されていた。

部屋の隅では看護人の制服を着た長身の男が小型のソファにすわって、『ヴォーグ』を読んでいる。周囲の壁には多数のビデオ・カメラがとりつけられていた。高い位置に据えられたものもあれば、大人の目の高さに据えられたものもある。一方の隅の高い位置にあるカメラは、しきりにレンズを回転させて焦点を合わせつつ、クラリスとマーゴ・ヴァージャーの動きを追っていた。

クラリスは褐色の子供が見えないところまできていたが、彼らの存在ははっきりと意識していた。子供たちが夢中で遊んでいる姿を見るのは、いいものである。そんなことを思いながら、彼女はマーゴ・ヴァージャーと並んで遊戯室を通り抜けた。

「兄のメイスンは子供を見ているのが好きなの」マーゴ・ヴァージャーは言った。「でも、子供のほうじゃ、いまの兄の姿を見ると恐《こわ》がるんだけどね。まだほんとにちっちゃい子供たちは別だけど。だから兄は、あのビデオ・カメラを通して眺めているわけ。ここでのお遊びが終ると、子供たちはポニーに乗るの。みんな、ボルティモアの児童福祉局管轄《かんかつ》の託児所に預けられてる子供なんだけど」

メイスン・ヴァージャーの居室へは、浴室を通ってのみ入れるようになっている。名前は浴室でも、そこは大浴場並みの広さで、幅は増設された棟全体のそれに及んでいる。内装はクロームとステンレス・スティールが目立ち、床には化繊のカーペットが敷かれて、個人の住宅の一部というより、衛生を旨《むね》とする公的な施設の観がある。

各種の設備も完備していた。大きなドアのシャワー室。体を抱えあげるリフトを備えたステンレス・スティール製の浴槽。ぐるぐる巻いてあるオレンジ色のホース。サウナ室。フィレンツェの古い薬舗ファルマチーア・ディ・サンタ・マリーア・ノヴェッラから取り寄せた各種の軟膏《なんこう》が納められた大型のガラス張りキャビネット。全体に蒸気がたちこめているのは、そこがいま使用されたばかりのせいだろう。バルサムと冬緑油の香りが空中には漂っていた。

メイスン・ヴァージャーの居室のドアの下には明りが洩《も》れていたが、彼の妹がドアの把手《とって》に触れると、それは消えた。

居室の隅の接客スペースは、天井から強烈な光で照射されていた。ソファの上の壁には、ウィリアム・ブレイクの〝古《いにしえ》の日々〟の版画が掛かっている――神がそのカリパスで計量を行なっている絵柄の、まずまずの出来の版画だ。その上に黒い布がかけられているのは、ヴァージャー家の始祖が最近逝去《せいきょ》したことを記念するためだった。接客スペースを除けば、室内は暗かった。

その闇《やみ》の奥から、リズミカルに作動している機械装置の音が響いている。一搏《いっぱく》するたびに、それは吐息のような音を発していた。

「グッド・アタヌーン、スターリング捜査官」機械的に増幅された深みのある声が響いた。破裂音のfが、〝アフタヌーン(afternoon)〟から落ちていた。

「グッド・アフタヌーン、ミスター・ヴァージャー」暗闇に向かって、クラリスは言った。真上のライトが熱く頭のてっぺんを照らしている。明るいアフタヌーン(午後)は、どこか他のところにあるのだろう。アフタヌーンはここから閉めだされている。

「すわりたまえ」

(これはどうしても言わなければ。言うとしたら、いまだわ。いまがその時よ)。

「ミスター・ヴァージャー、これから論じ合うことは宣誓証言の性格を持っていますので、録音したいんです。かまわないでしょうか?」

「ああ、いいとも」機械の吐息の合間に、声が響いてくる。その言葉から、歯擦音《しさつおん》のsが失われていた。「捜査官と二人だけにしてくれないか、マーゴ」

クラリスのほうはちらとも見ずに、マーゴ・ヴァージャーは乗馬ズボンをシュッシュッと鳴らしながら出ていった。

「このマイクをとりつけたいんですが、ミスター・ヴァージャー――もしわずらわしくなければ、あなたの服か枕《まくら》に。それとも、看護人を呼んでとりつけてもらいましょうか」

「好きなようにやってくれ」bとmの音が、その言葉からは落ちていた。呼吸装置の与える次の呼気を待って、彼はつづけた。「きみがやってくれてかまわんよ、スターリング捜査官。わたしはここにいるから」

電気のスイッチは見当たらない。自分の目をきかせれば、よく見えるかもしれない。クラリスは片手を前にのばして、闇の奥の、バルサムと冬緑油の香りのするほうに近寄っていった。

メイスンがだしぬけにライトをつけたとき、彼女は自分で思ったよりベッドに接近していた。

クラリスの表情は変わらなかった。ただ、クリップ・オン式のマイクを持った手を反射的に、おそらくは一インチほど、ひっこめていた。

胸とみぞおちに走った不快感とは別に、頭では考えていた――この人が自然にしゃべることができないのは、唇が完全に欠けているからなんだわ。次に頭でとらえたのは、メイスンが盲目ではない、という事実だった。彼の一つしかない青い目は、モノクル（単眼鏡）のようなものを通してこちらを見ていたが、そこには目蓋《まぶた》のない目にしめりけを与えるためのチューブが備わっていた。顔のそれ以外の部分には、数年前、外科医たちの手で可能なかぎりの処置が施されていた——骨の上に直接、皮膚が引き伸ばされて移植されていたのである。

鼻と唇を欠き、顔に柔らかな肉づけの一切されていないメイスン・ヴァージャーは、歯が異様に大きく剝《む》きだしになっていて、深い深い海洋の底に棲息《せいそく》している生き物を思わせた。日頃奇怪なマスクを見慣れている者でも、この顔を見ると、すこし遅れてショックに襲われる。これでも、背後に精神が働いている人間の顔なのだ、というショック。しかも、それが動くのを見ると、そう、顎《あご》が微妙に動き、目がこちらを、正常な人間の顔を、見つめようとして動くのを見ると、抑えがたい吐き気がつきあげてくる。

メイスン・ヴァージャーの髪は唯一《ゆいいつ》まともだったが、奇妙なことに、いちばん正視しがたい存在がそれだと言っていいかもしれない。白いものがまじったその黒髪は、ポニーテイルのように束ねてあって、枕の上に伸ばせば床に垂れ落ちるほど長い。が、いま、その髪は、亀《かめ》の甲羅のようにメイスンの胸にかぶさる人工呼吸装置の上でとぐろを巻いている。腐った牛乳色の顔の廃墟《はいきょ》の下の、人間の髪。それは重なり合う鱗《うろこ》のように輝いていた。

上体部分の起された病院用のベッドに横たわる、麻痺《まひ》して久しいメイスンの下半身は、寝具の下で徐々に細くなって消えていた。

彼の顔の前には、牧羊神の笛か透明なプラスティックのハーモニカを思わせる制御装置が吊下《つり》がっていた。その一方の端に舌を巻きつかせると、彼は呼吸装置の次の搏動《はくどう》に合わせて息を吹き込んだ。するとベッドが低く唸《うな》って呼応し、彼をわずかにクラリスのほうに向かせると同時に、さらに彼の上体を起こさせた。

「こういう目にあったことを、わたしは神に感謝している」ヴァージャーは言った。「あれはわたしの救済だった。きみはイエスを受け容《い》れているか、ミス・スターリング？　信仰を抱いているかね？」

「わたしは宗教の影響の濃厚な環境で育ちました、ミスター・ヴァージャー。だから、それなりの薫陶《くんとう》は受けています」クラリスは言った。「では、ご迷惑でなければ、これを枕にとりつけさせてもらいますから。ここでも、お邪魔じゃありませんね？」その声は、自分で意図したよりも、キビキビと世話を焼くような響きを帯びていた。

ヴァージャーの頭のそばに、クラリスの手が近づく。二人の肉体の一部が並ぶのを見ると、彼女はいい気持がしなかった。ヴァージャーの顔の上を這《は》っている血管は、特に血の流量が増えたようには見えない。定期的に収縮をくり返している血管は、何かを呑《の》み込んだミミズのように見えた。

ほっとしながらコードを伸ばして、クラリスはテープレコーダーと自分のマイクが置いてあるテーブルにもどった。

「録音者は、クラリス・M・スターリング特別捜査官。FBIナンバー5143690。

これより社会保険ナンバー475989823のメイスン・R・ヴァージャーの証言を、彼の自宅にて収録する。期日はカセット上部に刻印されているとおり。すでに宣誓ずみ。ミスター・ヴァージャーは、第三十六地区検事局及び地元の当局から、合同の覚え書きに記されているとおりの免責特権を認められていることを承知している。これも正式に宣誓ずみ。さて、ミスター・ヴァージャー――」

「いまはキャンプのことを話したいな」呼吸装置の与える次の呼気に合わせて、ヴァージャーは言った。「あれは少年時代の素晴らしい体験だった。わたしは何度も何度もあれを思いだしてるんだよ」

「それはのちほどおうかがいするとして、いまはまず――」

「いや、いまこそこの話をしなきゃな、ミス・スターリング。いいかね、それはあらゆる事と関わり合っているんだ。わたしはそうしてイエスに出会ったんだから。きみに話すことで、これ以上重要な件はないのだとも」そこで、呼吸装置が吐息をつくのを待った。「あれは、父が後援したキリスト教キャンプだった。父はすべての経費を負担したんだがね。ミシガン湖の岸辺でキャンプに参加した百二十五名全員の経費をな。その児童の中には不幸な連中もいて、チョコレート・バーをもらうためなら何でもした。わたしはそこにつけ込んだと言えるかもしれん。チョコレートを受けとってわたしの言うなりにならない者がいると、手荒にいじめたかもしれん――いまはもう何も隠すことはない。いまはもう万事オーケイなんだから」

「あのぅ、ミスター・ヴァージャー、ここでぜひ資料を見ていただいて――」

ヴァージャーは聞く耳持たなかった。彼はただ呼吸装置が息を与えてくれるのを待っていた。「わたしには免責特権があるんだ、ミス・スターリング。だから、万事オーケイなのさ。わたしはイエスからも免責特権を与えられている。アメリカの連邦検事からも、オウイングズ・ミルズの地方検事からも免責特権を与えられている。ハレルヤ。わたしは自由なんだ、ミス・スターリング。だから、万事オーケイなのさ。わたしは〈彼〉と共にある。だから、万事オーケイなんだ。〈彼〉とは〝リズン・ジーザス（復活したイエス）〟だ。キャンプでは、みんな〈彼〉を〝ザ・リズ〟と呼んだ。〝ザ・リズ〟に勝てる者はいない。〝ザ・リズ〟、いいだろう、この響き。われわれは〈彼〉をモダンな存在にしたんだよ。わたしはアフリカでも〈彼〉に仕えた。ハレルヤ。シカゴでも〈彼〉に仕えた。その御名《みな》よ、讃《たた》えられてあれ。そしていまも〈彼〉に仕えている。〈彼〉はこのベッドからわたしを起きあがらせてくれるんだ。そして〈彼〉はわたしの敵に懲罰を加えて、わたしの前に引き据えてくれる。わたしは彼らの女たちの嘆きを聞いてやる。だから、いまは万事オーケイなのさ」そこで唾《つば》を呑み込もうとして、息がつまったらしい。前頭部の黒い血管がにわかに脈打った。

クラリスはすぐ立ちあがって、看護人を呼びにいった。が、戸口に達する前に、ヴァージャーに呼び止められた。

「わたしは大丈夫だ。万事オーケイなんだよ」

誘導を試みるより直接質問をぶつけたほうが効果的かもしれない。そう判断して、クラリスは言った。「あなたは法廷の命令によってレクター博士の治療を受けにいく前から、彼と面識があったんですか、ミスター・ヴァージャー？　レクター博士とは社交的な付き合いがあったんですか？」

「いや」

「あなた方は二人とも、ボルティモア交響楽団の理事でしたね」

「いや。わたしはただ多額の寄付をしていたために名目上の理事の座を与えられていただけさ。何かの採決が行なわれるときは、弁護士を代わりに出席させていたんだ」

「レクター博士の裁判が行なわれているあいだ、あなたは何の証言もしなかったようですが」ヴァージャーがすんなりと息をついで答えられるように質問を投げるタイミングを、クラリスはつかみかけていた。

「あの男を六回でも九回でも有罪にできる罪状があるから、と当局に言われたもんでね。ところが、あの男は精神異常答弁を行なって、それをすべて回避してしまったのさ」

「最初に法廷が、彼を精神異常と判定したんです。レクター博士が精神異常答弁を行なったわけじゃありません」

「その区別がそんなに重要なのか？」

その反問を聞いて初めてクラリスは、ヴァージャーの頭脳の回転を感じとった。それは、彼のそれまでの言葉遣いとはちがって、鋭い理解力と懐《ふところ》の深さを感じさせた。

光に慣れたのか、巨大なウナギが水槽の底の石のあいだから上昇して、疲れを知らぬ回転運動をはじめた。リボンのようにくねっている褐色の肌には、ところどころクリーム色の斑点《はんてん》が散っていて、美しい模様を描いている。

視野の隅で動いているウナギの存在は、クラリスもはっきり意識していた。

「学名ムラエナ・キダコだ」メイスンは言った。「これよりもっと大きなやつが、東京で飼われている。こいつは二番目に大きいんだ。通称は、〝ブルータル・モウレイ（残忍なウツボ）〟。なぜそう呼ばれているか、証拠を見てみたいかね？」

「いいえ」クラリスはノートのページを繰った。「で、法廷から命じられた治療の過程で、あなたはレクター博士をご自宅にお呼びになったんですね、ミスター・ヴァージャー」

「わたしはもう恥ずかしくなんぞない。何でも話してやろうじゃないか。もう万事オーケイなんだから。あのときは、わたしが五百時間の社会奉仕を行ない、野犬の収容場で働き、レクター博士の治療を受ければ、少女たちに対する性的悪戯《いたずら》の罪を不問にしてもらえることになっていたんだ。もちろん、その容疑はでっちあげだったんだが。そのとき、わたしはこう考えたのさ——何かしらヤバいことに博士を巻き込んでしまえば、彼はきっと治療の手加減をしてくれるだろうし、こっちが治療をサボったり、治療時にすこしラリったりしていても、保釈の取消しにつながるような具申はしないだろう、と」

「それは、あなたがオウイングズ・ミルズにお宅をかまえていた頃のことですね?」

「そうだ。レクター博士には何もかも話してあった。わたしのアフリカでの活動や、あの独裁者イディ・アミンのことなども。わたしのお宝もいくつか見せてやろう、とも言っておいた」

「あなたのお宝を……?」

「なに、いろいろな装置さ。まあ、おもちゃだな。そこの隅に置いてあるやつは、イディ・アミンのために使った携帯用の小型ギロチンさ。あれをジープの荷台に放り込んで、どこにでも出かけたんだ。いちばん遠い村にでも。まあ十五分もあれば、あのギロチンを設置できたな。処刑される当人が巻き上げ装置でギロチンの刃を上にセットするには、だいたい十分くらいかかった。処刑されるのが女子供の場合はもうちょっとかかったが。そういう行為をしたことを、いまは恥ずかしいともなんとも思っちゃいない。わたしの魂はもう洗い浄《きよ》められているからだ」

「そうして、レクター博士があなたのお宅を訪ねてきた」

「そうだ。わたしは不気味な革のウエアを着て、玄関に出迎えたと思ってくれ。で、博士がどんな反応を示すか見守ったのだが、彼はまったく無表情だった。ひょっとするとおれを恐れているのかと心配になったよ。だが、そんな気配はなかった。おれを恐れる——いやはや、いまとなってはお笑い草だがね。わたしは彼を二階に連れていった。そこで見せてやったんだ。実は、野犬の収容場から、犬をもらい受けてきてあった。二頭の仲のいい犬をな。それを一緒に檻《おり》に入れて、きれいな水をふんだんに与える一方、餌《えさ》は一切与えなかった。そうするとどういうことになるか、興味があったのだよ。わたしは博士に首縄のセットも見せた。ほら、仮死状態でオートエロティシズム（自己性欲）にふけるためのな。その縄で首を吊るわけだが、本当に吊るわけじゃない。ただ、そうすると異様に鋭い快感が得られるわけさ、つまり、首を吊りながら、その——わかるかね？」

「ええ、わかります」

「ところが、博士はわからないようだった。それはどういう原理なのか教えてくれ、というのさ。だから、わたしは言ってやった、こんなことも知らないとは、あんたは変わった精神科医だな、とね。すると、彼は言った。ああ、あのとき彼が浮かべた笑みは一生忘れられんね。彼はこう言ったのさ——〝それを、目の前でやって見せてくれ〟と。そのときは思ったね、〝ようし、こっちのペースにはまってきたぞ！〟と」

「で、あなたは実演をしてみせた」

「あれを恥ずかしいとは、毫《ごう》も思っちゃいないさ。人間は過《あやま》ちをおかすことで成長していくんだ。わたしの魂はすでに洗い浄められているんだし」

「つづけてください、ミスター・ヴァージャー」

「で、わたしは大鏡の前に首縄を吊り下げて、首にかけた。一方の手に縄の解除装置を持ち、もう一方の手でさかんにアレをしごきながら、わたしは彼の反応を見守った。ところが、何も読みとれないのだ。いつもなら、まずたいていの人間の心中を読みとれるのに。レクター博士は部屋の隅に置かれた椅子《いす》にすわっていた。脚を組んで、その膝《ひざ》の上で両手の指を組み合わせていた。そのうち立ちあがると、上着のポケットに手を突っ込んだ。それも、実に優雅な仕草で。そう、ちょうど、あの映画俳優のジェイムズ・メイスンがライターをとりだそうとするような仕草で。そして言ったんだ、〝アミル・ポッパーをやってみるか?〟。やったぞ、と思ったね——ここであの悪名高い興奮剤を一錠わたしにくれれば、医師免許を守るためにも、彼はこの先永遠に、こちらの求めに応じてそいつを渡しつづけなきゃならんじゃないか。実際、このアメリカは万事処方箋《しょほうせん》が幅をきかせる国なんだから。ところが——あのときの報告書に目を通したのなら、あれが単なる亜硝酸アミルじゃなかったことは、あんたも承知してるな」

「エンジェル・ダスト、数種のメタンフェタミン、それにLSDまでまざっていたんでしょう」

「わぉぅ、ってなもんさ。わたしがそれを服《の》むと、彼はわたしが眺めていた鏡につかつかと近寄って、その下の部分をいきなり蹴《け》りつけた。そして、割れたガラスの破片をとりあげたんだ。こっちは瞬時にヤクが効いて、ぶっとんでいた。そこへ彼が近寄ってきて、わたしにガラスの破片を手渡し、こちらの目を覗《のぞ》き込んで言ったのさ。そのガラスで顔の皮を剝《は》いでみたらどうだ、と。それから彼は、檻の中の犬を放した。すでにとんでもなくラリっていたわたしは、その犬どもに自分の顔を食わせてやったんだ。顔の肉をぜんぶ食いちぎられるまでには、かなり時間がかかったらしい。こっちはヤクでぶっとんでいたため、まるで覚えていない。レクター博士は、首縄でわたしの首の骨も折っていった。その後、野犬の収容場で犬の胃の内容物を吐きださせたとき、わたしの鼻も出てきた。しかし、それを元の位置に縫いつけることはもはや不可能だったのさ」

クラリスは必要以上の時間をかけて、テーブルの上の書類を整えた。

「レクター博士がメンフィスの施設から逃亡したあと、あなたのご家族は懸賞金を提供しましたね、ミスター・ヴァージャー」

「ああ、百万ドルをな。百万ドルだ。世界中に広告を出した」

「その際、通例の、〝逮捕と断罪につながる情報〟だけでなく、博士に関わるものならどんな情報に対しても賞金を払う、と申しでたんでしたね。そうして寄せられた情報は、わたしたちの組織にも提供してくれることになっていた。その約束は守ってくれましたか？」

「いや、百パーセントは守っちゃいないだろう。しかし、提供に値する情報など一つもなかったこともたしかなのだよ」

「どうしてわかるんです？　そういう手がかりを自分で追ってみたことはあるんですか？」

「ああ、まったくのガセネタだと判明する場合がほとんどだったが。それに、われわれが独断で手がかりを追って悪いという法はあるまい——きみたちFBIは何も教えてくれんのだから。一度、クレタ島から情報が寄せられたが、ガセネタだった。ウルグアイからも寄せられたが、ウラはとれなかった。わかってほしいんだが、これは復讐《ふくしゅう》ではないんだ、ミス・スターリング。わたしはすでにレクター博士を許している、われらが救世主がローマ帝国の兵士たちを許したもうたようにな」

「こんど入手した最新の手がかりは有望かもしれない、とあなたはわたしどもの組織に伝えたそうですが、ミスター・ヴァージャー」

「そのテーブルの引出しを見てくれ」

クラリスはハンドバッグから白い木綿の手袋をとりだして、両手にはめた。言われたとおり引出しをあけると、そこには大判のマニラ封筒が入っていた。ゴワゴワしていて、重みがある。中からレントゲン写真をとりだして、頭上の明るいライトにかざしてみた。

写っていたのは、負傷しているらしい左手だった。指を数えてみる。親指、プラス四本。

「中手骨を見てほしい。わかるかね、何のことだか？」

「ええ」

「指関節を数えてくれ」

指関節は五つ。「親指も勘定に入れると、この人物の左手には指が六本あったことになりますね。レクター博士みたいに」

「そう、レクター博士みたいにな」

その写真の症例番号と当人の名前が記されているはずの隅の部分は、切断されている。

「これはどこから送られてきたんですか、ミスター・ヴァージャー？」

「リオ・デ・ジャネイロだ。もっと詳しいことを教えてもらうには、追加の金を払わなきゃならん。大金をな。その手の主はレクター博士だと思うか？　これ以上の金を払う価値があるのかどうか、わたしは知りたいんだ」

「調べてみます、ミスター・ヴァージャー。最善を尽くして。この写真が送られてきたときのパッケージはお持ちですか？」

「マーゴがビニールの袋に入れて保管しているはずだ。あいつからきみに手渡させよう。失礼だが、ミス・スターリング、すこし疲れてきた。看護人を呼びたいんだがね」

「では、いずれわたしのオフィスのほうから報告させます、ミスター・ヴァージャー」

クラリスが部屋を出てまもなく、メイスン・ヴァージャーは顔の前のパイプに息を吹き込んだ。「コーデル？」

遊戯室にいた看護人が部屋に入ってきて、〝ボルティモア市児童福祉局〟と記されたフォルダーから何かを読みあげた。

「じゃあ、フ、フ、フ、フランクリンなんだな、きょうは？　よし、フランクリンを呼べ」メイスンは言って、ライトを消した。

応接スペースの強烈な電光の下に一人で立って、少年は目をすぼめながら、何かが喘《あえ》いでいるような闇《やみ》を覗き込んでいた。

よく響く声が言った。「おまえはフランクリンか？」

「そう、フランクリン」少年は答えた。

「どこに住んでるんだ、フランクリン？」

「ママと、シャーリーと、ストリングビーンと一緒に」

「ストリングビーンは、いつも一緒にいるのかい？」

「うちに入ったり出たりしてる」

「〝入ったり出たりしてる〟と言ったのか？」

「うん」

「おまえのママは本当のママじゃないんだろう、フランクリン？」

「うん、里親なの」

「おまえの最初の里親でもないんだな？」

「うん」

「家にいるのが楽しいかい、フランクリン？」

少年はパッと顔を輝かせた。「うん、キティ・キャット（子猫）がいるからね。ママはレンジでパイをつくってくれんの」

「いまのママのうちには、いつからいるんだ？」

「わかんない」

「いまのうちにきて、誕生日を迎えたかい？」

「うん、一度。シャーリーがクールエイドをつくってくれた」

「クールエイドが好きなのか？」

「ストロベリーの味のやつが好き」

「ママとシャーリーが好きか？」

「うん、あのね、好きだよ。キティ・キャットも」

「これからも、そこに住みつづけたいか？　夜、寝るときは怖くないか？」

「うん。ぼく、シャーリーと一緒の部屋で寝るの。シャーリーは大きいお姉さんなんだ」

「いいか、フランクリン、おまえはもうママやシャーリーやキティ・キャットとは一緒に暮らせないぞ。いまの家からは、出ていかなきゃならない」

「だれが言ってんの、そんなこと?」

「政府さ。ママは失業したんだ。だから、もう里親とは認められない。それに、警察がおまえの家からマリファナ・タバコを見つけたしな。今週限りで、おまえはもうママには会えない。シャーリーにも、キティ・キャットにも」

「嘘《うそ》だい、そんなの」

「もしかすると、ママやシャーリーのほうで、もうおまえとは住みたくないのかもしれんな、フランクリン。おまえには何か嫌われるようなことはないか? 何か腫《は》れ物とか、汚らしいものが体にできてないか? おまえの肌は黒すぎるから、ママやシャーリーに嫌われるんだと思わないか?」

フランクリンはシャツの裾《すそ》をひきあげて、小さな褐色のおなかを見た。彼は首をふった。顔をくしゃっと歪《ゆが》めて、泣いていた。

「キティ・キャットはどうなると思う? キティ・キャットの名前は何だ?」

「キティ・キャットだよ。それが名前なんだもん」

「キティ・キャットはどうなるか、知ってるか? 警官がキティ・キャットを野良猫《のらねこ》処理場に運んでいってな、医者が注射を打つんだ。おまえは託児所で注射を打たれたことがあるかい？　看護婦に注射を打たれたか？　ピカピカの針で？　キティ・キャットも注射を打たれるんだ。注射器の針を見ると、きっと怖がるだろうな。その注射を打つとな、キティ・キャットはすごく苦しんでから死ぬんだぞ」

フランクリンはシャツの裾を顔のほうに引っ張りあげて、親指を口に突っ込んだ。そういう仕草をするのは、ママにそれを禁じられてから一年ぶりのことだった。

「ここにおいで」闇の奥の声が言った。「ここにくれば、キティ・キャットが注射を打たれないですむ方法を教えてやるぞ。キティ・キャットが注射を打たれてもいいのか、フランクリン？　いやか？　じゃあ、こっちにくるんだ、フランクリン」

親指を吸い、涙を流しながら、フランクリンはゆっくりと闇の中に進んでいった。彼がベッドの六フィートほど手前に達したとき、メイスンはいきなり口の前のパイプに息を吹き込んだ。パッと、ライトが点灯した。

生まれつき度胸があるせいか、それとも、キティ・キャットを助けたい一心のせいか、あるいは助けを求める場所がもうどこにもないという悲痛な事実を認識していたせいか、フランクリンはひるまなかった。逃げだそうともしなかった。彼はしっかりと両足を踏んばって、メイスンの異相を見返した。

メイスンの顔にもし眉《まゆ》があったら、落胆すべき結果に接して、たぶんその眉をひそめていただろう。

「キティ・キャットが注射を打たれないようにしたかったらな、フランクリン、おまえが自分で、ネコイラズの毒を食わせてやればいいんだ」その声からは破裂音のpが落ちていたが、フランクリンには理解できた。

彼はくわえていた親指を口から離して、言った。

「イジワルじじい。なんだい、カイブツみたいな顔して」

そこでくるっと振り返り、その部屋を出ると、ホースののたくっているホールを通り抜けて遊戯室にもどった。

メイスンはその様子をビデオのモニターで見ていた。

看護人は、もどってきた少年を見た。『ヴォーグ』に読みふけっているふりをしながら、彼は少年の様子をうかがっていた。

フランクリンはもうおもちゃを手にしなかった。彼は縫いぐるみのキリンに歩み寄ってその下にすわり、壁をじっと見つめた。親指をしゃぶるまいとすると、そうする以外なかったのだろう。

看護人のコーデルは、少年が泣きださないかどうか、じっと観察していた。やがてフランクリンの肩が震えだすと、彼はそこに近寄ってゆき、清潔なガーゼで少年の涙をそっとぬぐいとった。

遊戯室の冷蔵庫の中には、オレンジ・ジュースやコークと並んで、メイスン・ヴァージャー用のマティーニのグラスが置かれて冷やされている。コーデルはその前に立って、少年の涙のしみこんだガーゼをマティーニにひたした。

10

ハンニバル・レクター博士の治療上の資料を見つけるのは、容易ではなかった。彼が医療施設や大半の医師たちに深い軽侮の念を抱いていたことを考えれば、かかりつけの医師など存在しなかったのは驚くにあたらない。

あの大失敗に終ったメンフィスへの移送に至るまで彼が収容されていたボルティモア精神異常犯罪者用州立病院は、いまはもう存在せず、遺棄された病棟が解体されるのを待っている。

逃亡の直前までレクター博士の拘束に責任を負っていた機関は、テネシー州警察である。彼らはレクター博士のカルテは受けとっていない、と主張している。彼をボルティモアからメンフィスまで護送した警官たちはすでに故人となっているが、彼らはレクター博士の身柄を受領するサインをしたのであって、いかなるカルテも受領してはいない、というのだ。

クラリスはまる一日、電話とパソコンを相手に奮闘してから、クワンティコとJ・エドガー・フーヴァー・ビルの証拠保存室を自ら探しまわった。収穫はなし。こんどは午前中いっぱいかかって、ボルティモア警察署の埃《ほこり》っぽい、異臭のたちこめた、だだっ広い証拠室を這《は》いずりまわり、午後は午後で、フィッツヒュー記念法律図書館に保管されている未整理の〝ハンニバル・レクター・コレクション〟と格闘して、気が狂いそうになった。その図書館では、そもそも鍵《かぎ》がなかなか見つからず、管理人があちこち探しまわっているあいだ、時間がまったく停止しているかに思われた。

結局、手に入ったのはたった一枚の紙――レクター博士が最初にメリーランド州警察に逮捕された際に受けた通り一ぺんの身体検査の記録――だった。そこには何の病歴も付されていなかった。

クラリスは次いで、イネル・コーリーと会見する段どりをつけた。コーリーはボルティモア精神異常犯罪者用州立病院の廃業という事態にもめげずに、もっとレヴェルの高いメリーランド州病院局の要職についていた。オフィスで会うのはいやだというので、同じビルの一階のカフェテリアで会うことになった。

だれかと初めて会う場合、クラリスはなるべく約束の時間より早目にいって、会う場所を遠くから観察することにしている。コーリーは約束の時間ぴったりにやってきた。歳《とし》は三十五くらいだろう。顔色は青白く、すこし太り気味で、化粧もしていなければアクセサリーの類《たぐい》もつけていない。髪はハイスクール時代のように腰まで伸ばしており、ハイ・ソックスに白いサンダル靴という出立《いでた》ちだった。

調味料の台から砂糖の袋をとりあげたクラリスは、打ち合わせておいたテーブルにコーリーが腰を下ろす様をじっと観察した。

人はえてして、プロテスタントの信徒はみな似たような容貌《ようぼう》をしていると思い込んで、馬鹿《ばか》を見ることが多い。似たような容貌をしていることなど、まずないのだ。カリブ海出身の人間が、しばしば各島嶼《とうしょ》出身の人間を見分けられるように、ルーテル派の信徒に育てられたクラリスは、コーリーを見てこう心中に独りごちた――（たぶん、クリスチャン・サイエンス・チャーチ、外見からするとナザレ派かもしれない）。

クラリスのつけているアクセサリーは、地味なブレスレットと、無傷なほうの耳たぶを飾る金のイアリングくらいのものだったのだが、それを両方ともはずしてバッグにしまった。腕時計はプラスティック製だから、贅沢品《ぜいたくひん》には思われまい。それ以外には、もう自分の容姿を変えようがない。

「イネル・コーリーね？　コーヒーでもいかが？」クラリスはカップを二つ持ってきていた。

「正しい発音は、アイ、ネル、なんです。コーヒーはけっこう、飲まない主義なので」

「じゃあ、両方とも、わたしが飲むわ。ほかに何か、飲みたいものはない？　自己紹介がまだだったわね、わたしはクラリス・スターリング」

「すみません、いまは何も飲みたくないので。あのゥ、写真入りの身分証明書か何か、見せてもらえます？」

「ええ、もちろん」クラリスは言った。「ミズ・コーリー——アイネルとお呼びしてもいい？」

相手は肩をすくめた。

「アイネル、あなたの力をお借りしたいのは、あなた個人とはぜんぜん関係のない事柄なの。実は、ボルティモア州立病院に保管されていたに相違ない記録のことで、それを見つけるヒントでもいただければ、と思って」

アイネル・コーリーは、正義や怒りを表現すべく、一種誇張された正確さをこめてしゃべるタイプの女性だった。

「その問題については、すでに病院の廃業時に、州当局とのあいだで解決ずみです、ミス——」

「スターリングよ」

「ミス・スターリング。よろしいですか、あの病院を退院した患者で、カルテ等のフォルダーを渡されなかった者などただの一人もいなかったことは、調べればおわかりになると思います。それに、あの病院から持ちだされたフォルダーで、院長の許可を受けていなかったものはただの一つもありませんでした。死者の場合はどうかと言えば、厚生局は彼らのフォルダーを必要としなかったし、人口動態統計局もその点は変わらなかった。あたしの知る限り、デッド・フォルダー、つまり死者のフォルダーは、あたしの退職した以後もボルティモア州立病院に残っていたはずです。あたしはたぶん、最後に退職したスタッフだと思うけど。失踪者《しっそうしゃ》に関するファイルは、市警察と保安官局に渡されたし」

「失踪者？」

「病院から逃げだした人間のこと。模範囚でも、ときに逃げだすことがあるんです」

「ハンニバル・レクター博士の場合も、失踪者に分類されるの？　彼に関する記録は官憲当局に引き渡されたのかしら？」

「彼は失踪者じゃありません。うちの病院の失踪者とは見なされませんでした。彼が逃げだしたときは、うちで拘束していたわけじゃありませんから。あたし、いつか姉が子供たちをつれて病院を訪ねてきたとき、彼を見せてやったことがあるんです。あのときのことを思いだすと、なんだか背筋がゾッとするような、いやな気がするわ。彼は他の服役者たちをけしかけて、あたしたちに、あの」——声を低めて——「ジズムをふりかけさせたんですから。ジズムってわかります、なんだか？」

「聞いたことがあるわ、その言葉は」クラリスは言った。「ひょっとして、それをしたのは、ミッグズという囚人じゃなかった？　彼は腕力の強い男だったんだけど」

「あのときのことは、頭から閉めだしてきましたから。あなたのことは覚えているわ。一度病院にきて、フレッドと――チルトン博士と――話してから、地下にいってレクターと会ったでしょう？」

「ええ」

フレッド・チルトン博士はボルティモア精神異常犯罪者用州立病院の院長だったのだが、レクター博士が逃亡したのち、ヴァカンスに出かけて行方不明になり、その後も杳《よう》として消息が知れない。

「フレッドが行方不明になったことはご存じかしら」

「ええ、聞いてるわよ」

ミズ・コーリーの目に、たちまちキラキラ光る涙があふれでた。「彼はあたしのフィアンセだったんです。それが行方不明になって、病院も閉鎖されてしまって、まるで頭の上に天が落ちてきたみたいでした。導いてくれる教会がなかったら、いまごろあたし、どうなっていたことやら」

「大変だったのね。でも、いまはいいお仕事についているみたいじゃない」

「でも、フレッドがいないわ。あの人、それは素晴らしい男性だったのに。あたしたち、愛を共有し合っていたんです。そんじょそこらでは見つからないような愛を。あの人、ハイスクール時代には、キャントンで、〝年間最優秀学生〟に選ばれたんですよ」

「ええ、そうでしょうとも。一つおたずねしたいんだけど、アイネル、チルトン院長は記録類を自分のオフィスに保管していたのかしら、それとも、あなたのデスクのあった受付エリアのほうに――」

「最初は彼のオフィスのウォール・キャビネットにしまってあったんです。ところが、すごい量になってしまったので、受付エリアに大型の整理棚を置いたんだわ、たしか。もちろん、常時鍵がかかっていましたけど。うちが廃業したとき、あの病棟には一時、麻薬中毒クリニックが入ったことがあって、その際、ずいぶんたくさんの記録が動かされたみたい」

「あなた自身は、レクター博士のファイルを見たり扱ったりしたことはある？」

「ええ」

「その中に、レントゲン写真は含まれていた？　レントゲン写真は個別に保管されていたのかしら、それともカルテと一緒に保管されていたのかしら？」

「一緒よ。一緒に保管されていました。サイズがファイルより大きいので、きちんと整理するのに手間どったけど。レントゲンの撮影装置はあったのに、フルタイム勤務の技師がいなかったので、個別にファイルすることができなかったんです。正直なところ、レクターのファイルにレントゲン写真が含まれていたかどうか、はっきり覚えていません。心電図のテープは、よくフレッドが人に見せていたけど。レクター博士は――あの男を〝博士〟と呼ぶことすらおぞましいけど——心電図をとるとき異常に興奮して、可《か》哀想《わいそう》な看護婦に襲いかかったことがあるんですよ。あのときは、なんとも不気味だったらしいわ——その看護婦に襲いかかっている最中も、彼の脈搏《みゃくはく》はほとんど上がらなかったとか。用務員たちがいっせいに彼につかみかかって看護婦から引き離したとき、彼は肩を脱臼《だっきゅう》したらしいんです。それでレントゲンを撮る必要が生じたのね。言わせてもらえば、肩を脱臼させたくらいじゃまだ不足だったと思うんだけど」

「じゃあ、ファイルのありかについて何かほかに思いだしたら、電話をもらえるかしら？」

「俗にいう〝地球規模の捜索〟っていうのをやるんですね？」その言葉の語感を楽しみながら、ミズ・コーリーは言った。「でも、何も見つからないでしょうね、きっと。たくさんの資料が散逸してしまったし。あたしたちのせいじゃなく、麻薬中毒クリニックの人たちのせいで」

そのカフェテリアのコーヒー・カップは縁が分厚くて、コーヒーが側面にたれてきてしまう。敗残者のように重々しい足どりで歩み去るアイネル・コーリーを見送ってから、クラリスは顎《あご》の下にナプキンをはさんで半分ほどコーヒーを飲んだ。

いつもの自分を、彼女はすこしとりもどしつつあった。自分があることに辟易《へきえき》しているのを、彼女は意識していた。それは、コーヒー・カップに見るような安っぽさ、いや、安っぽさよりもっと始末の悪い、〝スタイルの欠如〟とでも言うべきものかもしれない。本来目を楽しませてくれるはずの物事に対する無関心。自分はたぶん、ある種の〝スタイル〟に餓《う》えているのだろう。〝人殺しの女王〟のスタイルでも、ないよりはマシだと思う。それは一つの自己表現であることはたしかなのだから――それに共感するかどうかはさておくとして。

自分のなかには気どり屋がひそんでいるのだろうか、とも思ったが、そもそも気どるべき事柄が、自分にはないに等しい。〝スタイル〟のことを考えているうちに、イヴェルダ・ドラムゴの顔が脳裡《のうり》に甦った。あのイヴェルダには強烈なスタイルがあった。そう思ったとたん、一刻も早くそのカフェから出ていきたくなった。

11

かくしてクラリスは、自分にとってのそもそもの発端の場所に帰ってきた。いまは遺棄されたボルティモア精神異常犯罪者用州立病院。さまざまな痛苦の家だった古い褐色の建物は、横桟や鎖で戸口を守られ、あちこちに悪戯《いたずら》書きをされて、解体の時を待っていた。

フレデリック・チルトン院長がヴァカンス中に行方不明になるかなり以前から、この病院の経営は傾きかけていたのである。その後放漫な経理や杜撰《ずさん》な管理が明らかになり、建物自体の老朽化も見逃せなくなると、行政当局は即座に資金援助をカットした。患者の一部は州の他の施設に移されたが、そこに至る前に死亡した者もいた。安易な外来プログラムに編入されて、鎮静剤トラジン漬けのゾンビのようにボルティモア市街をさ迷い歩いた者も少数ながらいた。その結果凍死した者は、一人に留まらなかったという。

古い建物の前で待つうちに、クラリスは気づいた。自分がまず他の手段をいろいろと当たってみたのは、この場所だけには二度と足を踏み入れたくないという気持が潜在的に働いていたからなのだ。

管理人は四十五分遅れてやってきた。ずんぐりとした初老の男で、ポクッ、ポクッという音をたてる、踵《かかと》の継ぎ合わされた靴をはいていた。髪型は東ヨーロッパ風で、たぶん、細君にでも刈ってもらっているのだろう。彼は鼻をグスグス言わせながら、歩道から数歩入った側面の入口にクラリスをつれていった。鍵《かぎ》はゴミあさりの浮浪者たちの手で壊されており、ドアはチェーンと二個の南京《ナンキン》錠で守られていた。チェーンの輪には蜘《く》蛛《も》の巣が張っている。階段のひび割れた隙間《すきま》から伸びた雑草が、クラリスのくるぶしをくすぐった。管理人は鍵をまさぐっていた。遅い午後の空はどんよりと曇り、陽光も濁っていて、物の影も判然としない。

「この建物のことはよくわからんのですわ。こっちはただ、火災報知器をチェックしているだけで」管理人は言った。

「この中に、まだ書類が残っているかしら？　書類棚とか、各種の記録は残っているかしら？」

管理人は肩をすくめた。「病院が廃業してから、麻薬中毒クリニックが入って、数か月開業してましたでしょう。連中、みんな地下室に放り込んだんですわ、バッドやら、寝具やら、何もかも。地下室に入ると、わたしの喘息《ぜんそく》にひびいてね。何もかもかびちまってて。ええ、ひどい黴《かび》なんで。バッドのマットレスなんかも、すっかりかびちまって。

ええ、そりゃひどい黴でして。あそこに入ると、呼吸もできない始末で。階段も急で転びそうになるし。そりゃ、ご案内してもいいですよ、でも——？」

　この管理人のような男でも、連れがいたほうがいい、とクラリスは思った。が、かえって、足手まといになるかもしれない。

「けっこうよ、あなたは帰って。事務所はどこにあるの？」

「この先の、運転免許証交付所が以前あったとこで」

「もし一時間たってもわたしがもどらなかったら——」

　管理人は腕時計を覗《のぞ》いた。「こっちはあと三十分で終業なんですがね」

（トボけるのもいい加減にしてよ、まったく）。「あなたはね、わたしの預かったこの鍵をそちらに返すまで、事務所で待ってるの。いいわね。一時間たってもわたしがもどらなかったら、カードに記したこの番号に電話をして、わたしがどこにいったのか教えてあげてちょうだい。わたしが出てきたときにあなたの姿がなかったら——もう事務所を閉めて家に帰ってたりしてたら——わたしは明日、あなたの上司に直接会いにいって、あなたの職務怠慢ぶりを報告するからそのつもりでいて。それに加えて——いーい、それに加えて、あなたは国税局から税務調査を受けることになるだろうし、移民局と……帰化局が、あなたの戸籍を再調査することになるわ。わかった？　わかったら返事をしてちょうだい」

「だから、ちゃんと待ってますって、もちろん。そんなことをおっしゃらなくたって」

「ありがとう」

管理人は大きな両手で手すりを握り、体をずりあげて歩道に立った。クラリスの耳に、遠ざかっていく彼の不規則な足音が聞こえた。それはしだいに小さくなって、静寂に呑《の》み込まれた。扉を押して、非常階段の踊り場に立つ。鉄栈の嵌《は》まった高い窓から灰色の光線が注ぎ込んでいる。背後の扉はロックしたほうがいいだろうか。よく考えてから、万一鍵をなくした場合でも扉をあけられるように、内側から鎖で縛りつけておくに留めた。

前回、レクター博士と面会すべくこの施設を訪れたときには、正面玄関から入ったのだった。自分の現在位置を呑み込むのに、ちょっと時間がかかった。

階段をのぼって、一階のロビーに入る。そこの窓は曇りガラスのため、ただでさえ弱々しい陽光がさらに遮られて、ロビーは灰暗闇《ほのぐらやみ》に包まれている。ずっしりと重い懐中電灯をつけてスイッチを見つけ、頭上のライトを点灯した。ソケットが壊れかけているのに、三個の電球はちゃんとついた。受付のデスクには、引きちぎられた電話のコードの先端がのっていた。

この建物にも、ペンキのスプレーを持ったならず者たちが入り込んだらしい。受付の部屋の壁には、八フィートもの長さのファロスと睾丸《こうがん》が描かれ、その下に、〝ファロンのママ、おれをしごいてイカせてくれ〟という落書がしてあった。

　院長室の扉はひらいていた。戸口に立つと、あのときの記憶が一気に甦ってくる。ＦＢＩにおけるクラリスの最初の任務は、ここを訪れることだったのである。あのときの彼女は訓練生で、まだ疑うことを知らなかった。自分がちゃんと任務を遂行すれば、そう、もし任務をまっとうすれば、人種、信条、肌の色、出身国のいかんにかかわらず、その功績を認められるものと信じていた。自分が保守的な白人であろうとなかろうと、功績を認められるものと信じていた。いまでは、彼女が信じていることはたった一つしかない。自分は今回も任務をまっとうしてのけるだろう。

　思えば、あのチルトン院長がギトついた手を差しだして、自分にモーションをかけてきたのも、この部屋だった。彼はこの部屋で秘密の情報を売り、盗聴し、自分けハンニバル・レクターに劣らず頭がいいと信じ込んで、あれだけの流血を伴う逃亡劇をレクターに許してしまう決断を下したのだ。

　そこにはまだチルトンのデスクが残っていたが、椅子《いす》は消えていた。さほど大きくない椅子だったので、盗まれてしまったのだろう。引出しには、押しつぶされたアルカセルツァーの箱しか入っていなかった。オフィスに残っている整理棚は二つ。どちらにも簡単な鍵がかかっていたが、元技術担当捜査官のクラリスは、一分もかからないうちにあけてしまった。最下段の引出しには、紙袋に入ったままの乾燥したサンドイッチと、麻薬中毒クリニックが使っていたらしい文書が何枚か入っていた。それに、口臭予防剤に、ヘアトニックのチューブ、櫛《くし》、それとコンドームがいくつか。

かつてレクター博士が八年間暮らしていた、この病院の地下牢《ろう》のような部屋が脳裡に甦ってくる。あそこには、踏み込みたくなかった。あそこにいくなら、いっそ携帯電話で市警の応援を求めたほうがいい。FBIのボルティモア支局に電話して、もう一人捜査官を送ってくれ、と要請する手もある。だが、灰色の午後は夕暮れに近づいており、ワシントンのラッシュアワーは避けようがあるまい。待てば待つほど、事態は悪化してしまいそうだ。

埃《ほこり》も気にせずにチルトンのデスクにもたれて、クラリスは考えた。地下にはファイルが残っているかもしれないと、自分は本当に思っているのだろうか？　もしかすると自分は、レクター博士に初めて相見《あいまみ》えた場所に本能的に引き寄せられているのではなかろうか？

これまでのFBI体験を通じて、クラリスが何か自分自身について学んだことがあるとすれば、それはこう要約できるだろう——自分は進んでスリルを求める人間ではない。実際、もう二度と恐怖を味わわずにすむなら、それほど嬉《うれ》しいことはないと思う。だが、地下には本当にファイルがあるかもしれない。五分もあれば、それを確認できるはずだ。

七年前、あの地下室に降りていった際、頑丈な扉が次々に背後で閉まっていったときの、ガタン、ガタンという音は、いまだに耳の底にこびりついている。こんども、扉のどれか一つが背後で閉まってしまうかもしれない。それに備えてクラリスはボルティモア支局に電話を入れ、自分の居場所を告げて、一時間後にここから無事出てきたときは電話で報告する段取りを整えた。

七年前、チルトンに案内されて地下に降りたときの階段の照明は、いまも健在だった。あのときチルトンはこの階段を降りながら、ハンニバル・レクターと会う際の安全措置について講釈したのだ。あのとき彼はこのライトの下で立ち止まって、財布から一枚の写真をとりだして見せたのだった。そう、レクター博士の身体検査を行なおうとして、彼に舌を食いちぎられた看護婦の写真を。そのとき用務員たちが博士をとり押えようとして、博士の肩が脱臼したのが事実なら、レントゲン写真はたしかに存在するにちがいない。

微《かす》かな空気の流れがうなじに触れて通りすぎた。どこかに、ひらいた窓があるのだろうか。

踊り場に、マクドナルドのハンバーガーの箱が一つ。周囲にはナプキンが散乱している。豆の入っている、薄汚れたカップが一個。ジャンク・フードばかりだ。隅のほうに大便がしてあって、ナプキンで覆《おお》われていた。天井のライトは、下の階の踊り場を照らしているやつが最後だった。その先には凶悪犯棟に通じる鋼鉄製の大扉があって、いまはあけ放たれたままになっている。手にした懐中電灯が五つのD監房を照らしだし、周囲を明るく浮かびあがらせた。

最高度警戒棟の長い廊下を、彼女は照らしていった。突き当りに何かの固まりのようなものがあった。監房の扉がみなひらかれたままになっているのが、薄気味悪い。床にはパンの包装紙とカップが散乱している。元の用務員のデスクに、麻薬のクラック・パイプの使用で黒ずんだソフト・ドリンクの缶がのっていた。

用務員の部屋の内側のスイッチを入れてみた。明りはつかない。携帯電話をとりだした。闇の中で、赤いライトが輝きを放つ。地下では携帯は使えないのだが、クラリスはわざと大声で送話口に言った。「バリー、トラックを側面の入口に向けてバックさせて。投光照明装置を忘れないでね。これだけのものを階段の上に運ぶには、手押し車が要るわ——ええ、すぐ降りてきて」

それからクラリスは、闇に向かって呼びかけた。「よく聞いて、そこにいる人たち。わたしはFBI捜査官。あなたたちがここに不法に居住しているなら、出ていってちょうだい。逮捕はしないわ。あなたたちには興味がないの。こちらの用件がすんだあとで、あなたたちがまた舞いもどってきても、こちらは関知しないから。さあ、出てきてちょうだい。もし邪魔だてするなら、お尻《しり》に一発お見舞いするから、相当ひどい怪我《けが》をするのを覚悟することね」

通路に声が谺《こだま》する。幾多の異常者たちが喉《のど》のかすれるまでわめき散らし、歯が欠けると歯茎で鉄棒をくわえていた、あの通路に。

いくつかの記憶が、もどってきた。あのとき、あの大柄な用務員バーニーがいてくれたおかげで、いくぶんでも不安が薄れたこと。レクター博士とバーニーのあいだに流露していた、奇妙な親愛感。そのバーニーも、いまはいない。学校時代に習った何かの詩句が記憶を突きあげてきた。身についた習慣で、彼女はそれを頭の中に甦らせた。

記憶の中で足音が谺する
それはまだ歩いたことのない通路を下り
あけたことのない扉に向かって
バラ園の中に遠ざかってゆく

バラ園か、と思う。ここがバラ園でないことはたしかだ。

クラリスは最近の新聞各紙の社説上で、自分自身のみならず武器をも憎むように勧められた。が、いまのように不安な状況下では、拳銃《けんじゅう》の感触はむしろ心強く感じられる。四十五口径を脚のわきにたらすと、彼女は懐中電灯で前方を照らしながら通路を進んでいった。左右両側に同時に目を配るのは難しい。だれかに背後にまわられないように、それだけは気をつけなければ。どこかで水の滴《したた》る音がした。

各監房には、解体されたベッドが積みあげられていた。マットレスが積みあげられている房もある。通路の中央には水たまりができていた。常日頃、靴の汚れに気をつかっているクラリスは、細い水たまりをよけつつ進んでいった。この監房のすべてがまださがっていたあのとき、バーニーから聞かされた忠告が甦った——〝進むときは、必ず通路の真ん中を歩くように〟。

とにかく、目標は整理棚なのだから。通路の中央からはずれずに歩いていく。懐中電灯の光に、くすんだオリーヴ色の床面が浮かびあがっている。

あの〝マルティプル〟・ミッグズが収容されていた監房も、ここにあったのだ。あの男の房の前を通るのが、クラリスはいちばんいやだった。自分に卑猥《ひわい》な言葉をささやきかけたばかりか、精液までふりかけてきたミッグズ。その後レクター博士から唆《そそのか》されて、自らの不潔な舌を嚙《か》み切って呑み込んだミッグズ。そのミッグズが死ぬと、そのあとにはサミイが収容された。その詩心を、レクター博士が言葉巧みに鼓舞していた、あのサミイ。いまもクラリスの耳には、大声で自作の詩を読みあげるサミイの声が聞こえた。

ジーザのところにいきたい
クリーズのところにいきたい

ジーザのところにいけるぞ
本当にいい子でいれば

この詩を丹念にクレヨンで書きつけた紙を、自分はまだどこかに持ってるはずだ。

その房にはマットレスが積みあげられていた。それと、シーツに包んで括《くく》ってある寝具の、いくつもの梱包《こんぽう》。

そしてとうとう、レクター博士の監房の前に着いた。

博士が読書に用いていた頑丈なテーブルは、依然床の中央にボルトで据えつけられたままだった。何冊もの本が並んでいた棚の底板はなくなっていたが、壁から突きでた腕木はまだ残っている。

すぐにでも整理棚を調べなければ、と思うのだが、その場に釘《くぎ》づけにされたように足が動かない。かつて自分はここで、生涯で最も忘れがたい出会いをしたのだ。そして呆《ぼう》然《ぜん》と立ちすくみ、衝撃を受け、驚愕《きょうがく》した。

ここで自分は、自分自身について、あまりにも正鵠《せいこく》を射た指摘を次々に聞かされたあまり、心臓が大きなベルのように高鳴るのを覚えたほどだった。

房の中に、クラリスは入っていきたかった。そう、バルコニーに立った者がつい飛び降りたくなるように、入っていきたかった。接近する汽車の轟音《ごうおん》を聞いた者が鈍く光る線路につい吸い寄せられるように、入っていきたい衝動に駆られた。

周囲を懐中電灯で照らし、整理棚の背後をたしかめてから、近くの房を照らす。好奇心に駆られるままに敷居をまたいで、レクター博士がかつて八年間すごした房の中央に立った。ちょうど彼が立っていた箇所に立ってみる。背筋が疼《うず》くかと思ったが、何も感じなかった。懐中電灯がごろっと転がらないように注意しつつテーブルに置き、拳銃もそのわきに置く。両手をぺたっとテーブルについてみた。手の下に感じられたのは、古いパン屑《くず》だけだった。

もっと、何か特別な感情が湧《わ》くのではないかと思っていたのに。元の主《あるじ》のいない監房は、蛇の抜け殻のようにガランとしていた。そのときクラリスは、あることに思い至った――自分がここにやってきたのは、死と危険は特別な衣装をまとわずにやってくる、ということを理解したかったからなのだ。そう、死と危険は愛する者の香ぐわしい吐息に運ばれてやってくることだってある。もしくは、〝ラ・マカレナ〟がスピーカーから流れるフィッシュ・マーケットの、うららかな午後にも。

仕事にとりかかろう。書類棚は全部で四つ、いずれも大人の顎《あご》の高さで、合わせると約八フィートの長さに及んでいる。それぞれ五つの引出しがあり、最上段の引出しのそばのフォー・ピン・ロックで固定されている。どの引出しにも、鍵《かぎ》はかかっていなかった。いずれもフォルダーに挟まれたファイルで一杯で、フォルダーにはかなり分厚いものもある。古いマーブル紙のフォルダーは時の経過でくたっとなっており、新しいファイルはみなマニラ・フォルダーに挟まれている。すでに死亡した者に関するファイルは、一九三二年の病院創設時にまでさかのぼっていた。それはだいたいアルファベット順に分類されており、長い引出しにおさめられたフォルダーの背後にぺたっと平積みされているものもあった。重い懐中電灯を肩にのせ、もう一方の手でファイルを繰りながら、クラリスは急いで調べていった。こんなことなら、口にくわえられる小型のペンシル・ライトを持ってくればよかったと思う。いったん感じがつかめると、関係のない項目は飛ばして、Jの項目と、数少ないKの項目、それにLの項目を見ていった。と、あった――レクター、ハンニバル。

その長いマニラ・フォルダーを引きだすと同時に、レントゲン写真のネガの固い感触を求めて、指でさぐってみた。他のファイルの上にそれをのせて、中身を引っ張りだした。なんと、I・J・ミッグズのカルテだった。くそ。ミッグズのやつは墓場からも自分にたたるつもりなのだろうか。そのファイルを整理棚の上にのせて、Mの項目を調べてみる。アルファベットの順番通り、ミッグズのファイルがちゃんと入っていた。が、中身はからっぽ。整理のミスなのだろうか？　だれかが偶然、ミッグズの記録をハンニバル・レクターのファイルに入れてしまったのだろうか？　となると、レクターの記録がミッグズのファイルに入っている可能性もある。表紙のないファイルがまざってないかどうか、Mのファイルを調べていった。次いでJの項目にもどってみる。苛立《いらだ》ちがつのってきた。この部屋独特の臭気も、ますます気にさわってくる。あの管理人の言うとおりだった。ここではまともに呼吸するのもむずかしい。Jの項目の半ばまでさしかかったときに、気がついた……悪臭が急に強まりつつある。

背後で水が跳ねる音。思わず、さっと振り向いた。奇襲に備えて懐中電灯をかかげ、もう一方の手をブレザーの下のガン・ベルトにのばす。懐中電灯の光芒《こうぼう》に、汚いボロをかぶった長身の男が浮かびあがった。異様に肥大した両足の一方が水たまりにつかっている。片方の手は横にのばし、もう一方の手に割れた皿の破片を握っていた。片方の脚と両方の足に、シーツの切れ端が巻きつけてあった。

「よお」男は言った。口腔《こうこう》カンジダ症にかかった舌が、もつれている。五フィート離れていても、その口臭が伝わってくる。上着の下で、クラリスの手は拳銃から催涙ガスのメース・スプレーにのびた。

「びっくりさせないで。そっちの鉄棒の前に立ってくれる?」

男は動かない。

「あんた、ジーザか?」

「いいえ」クラリスは答えた。「わたしはイエスじゃないわ」あの声。あの声には覚えがある。

「あんたはジーザだ！」男の表情が動いている。

（あの声。さあ、考えるのよ）。「しばらくね、サミイ」クラリスは言った。「どう、元気？　ちょうどあなたのことを考えていたところだったのよ」

サミイはどういう男だったっけ？　急いで脳裡《のうり》にたぐり寄せた情報は、必ずしも順を追ってはいなかった。（教会の会衆が〝自分の最良の物を主に捧《ささ》げよう〟を歌っているとき、この男は募金皿に母親の首をのせたのだ。これは自分のいちばん素敵なものだ、と言って。場所はどこかのハイウェイ・バプティスト教会。イエスの出現が遅すぎるので怒っているんだ、とレクター博士は言ってたっけ）。

「あんた、ジーザか？」こんどは訴えかけるような口調で訊《き》いてくる。次の瞬間、彼はポケットに手を突っ込み、吸いさしのタバコをとりだした。まだ二インチ以上残っている、値打ちのある吸いさしだった。それを皿の破片にのせると、あたかも供物《くもつ》を捧げるように両手でかかげる。

「ごめんなさい、サミイ、ちがうのよ。わたしは――」

サミイの顔が急に紅潮した。クラリスがイエスではないと知って、むかっ腹を立てたらしい。濡《ぬ》れた通路に、怒鳴り声が響きわたった。

ジーザのところにいきたい

クリーズのところにいきたい！

先端が鍬《くわ》のようにとがった皿の破片を片手でかかげて、彼は一歩近寄った。いまや両足とも水たまりにつかっていて、顔が怒りに歪《ゆが》み、あいているほうの手が虚空《こくう》をつかんでいる。

背後の整理棚の角が腰に食い込むのを、クラリスは感じた。

「大丈夫、あなたはイエスのところにいけるわ——もし本当にいい子ならば」遠くから彼に呼びかけるように、大きな声で、はっきりとクラリスは唱えた。

「そうさ、ああ」サミイは静かに言って、立ち止まった。

急いでバッグの中をさぐる。チョコレート・バーを一つ見つけた。「ほら、スニッカーズよ、サミイ。スニッカーズは好き？」

答えはない。

マニラ・フォルダーにスニッカーズをのせると、クラリスは、皿の破片を差しだしている彼のほうにそれを差しだした。

サミイは包装紙もはがさずにがぶっと嚙みつき、ぺっと紙を吐きだして、また食らいついた。たちまちチョコレート・バーの半分を食べてしまった。

「ねえ、サミイ、ほかにもここに降りてきている人がいるの？」

サミイはその問いかけを無視してチョコレート・バーの残りを皿の破片にのせ、かつての自分の房内に積まれたマットレスの陰に消えた。

「何よ、これ?」女の声が響いた。「ありがと、サミイ」

「あなたはだれ?」クラリスは呼びかけた。

「あんたの知ったこっちゃないよ」

「サミイと、ここに住んでるの?」

「だれがこんなところに。ここにはデートできてるだけさ。あたしたちのこと、ほっといてくれる?」

「ええ。こちらの質問に答えてくれればね。いつからここにいるの?」

「二週間前からさ」

「ここで寝泊りした人は、他にもいた?」

「何人かいたよ、サミイと付き合ってる宿無し連中が」

「サミイはあなたを守ってくれてるわけね?」

「あたしにちょっかいを出してごらん。そうすればわかるから。あたしはどこでも歩きまわれるから、食べ物も手に入れられるんだ。サミイは、それを安心して食べられる場所を持ってるからね。たくさんいるさ、そういう付き合いをしてる連中は」

「あなたたちのどちらか、ホームレスの救済プログラムに入ってる? そういうプログラムに入りたい？　もしその気があるなら、手を貸してあげるから」

「サミイはね、そういうやつをぜんぶ体験してるんだよ。みんな、一度は世間に出てって、そういうくだらない施設の厄介になるんだけど、結局はまた元のところにもどってくるのさ。あんた、何を探してんだい？　何が望みなのさ」

「あるファイルを探しているの」

「ここにないなら、だれかが盗んでったんだろ。それくらいのことも、わかんないのかい？」

「サミイ？」クラリスは呼びかけた。「サミイ？」

答えはない。

「もう眠っちまったよ」彼のガールフレンドが答える。

「いくらかお金を置いていったら、それで何か食べ物を買う気はある？」

「ないね。どうせ買うなら、酒を買うよ。食べ物は、見つけりゃいいのさ。酒は見つからないからね。出ていくとき、お尻《しり》をドアの把手《とって》にぶつけないようにしな」

「デスクにお金を置いておくわ」クラリスは急に駆けだしたくなった。あの日、レクター博士との会見がすんで、監房を後にしたときのことを思いだした。あのときは、しっかりするのよ、と自分に言い聞かせながら、安全な島のように見えたバーニーの用務員室のほうに歩いていったんだっけ。

階段の吹き抜けの明りの下で、クラリスは財布から二十ドル紙幣をとりだした。バーニーの使っていた傷だらけのデスクにそれを置いて、重し代わりに空のワイン・ボトルをのせる。それからビニールのショッピング・バッグをひらいて、ミッグズの記録が挟んであるレクターのファイル・ホルダーと、中身のないミッグズのファイル・ホルダーをそこに入れた。

「さようなら。元気でね、サミイ」世間を巡歴してから、また勝手知った地獄に舞いもどってきた男に向かって、彼女は呼びかけた。近いうちにイエスが現われるのを祈ってるわ、と言おうとしたが、あまりに馬鹿馬鹿《ばかばか》しいような気がして、やめた。

現世での自分自身の巡歴をさらに重ねるべく、クラリスは光に向かって階段をのぼりはじめた。

12

もし地獄に至る途中に中継駅があるならば、それはメリーランド・ミゼリコーディア総合病院の救急入口に酷似しているにちがいない。救急車のサイレンの死につつある叫び、死につつある者の救命を求める叫び、点滴を行ないつつ移動するストレッチャーのせわしない車輪の音、絶叫と悲鳴——それらすべての上に、マンホールから噴出する蒸気が〝救急病棟〟の大きなネオン・サインに赤く染められて、モーゼの火柱のごとく闇《やみ》にたちのぼり、夜明けと共に雲に変じてゆく。

その蒸気の中から、バーニーが姿を現わした。逞《たくま》しい肩をすくめて上着をまとうと、髪を短く刈った丸い頭を前に突きだして、ひび割れた舗道の上を大股《おおまた》に歩きだす。朝日の昇った東の方角に、彼は進んでいった。

きょうの夜勤明けは二十五分遅れていた——ヤクでラリっている娼婦《しょうふ》のヒモが、警察に運び込まれてきたのだ。そいつは女を痛めつけるのが好きなやつで、銃創を負っていた。で、バーニーは婦長からしばらく残ってほしいと頼まれたのである。凶暴な患者が運び込まれると彼が居残りを頼まれるのは、毎度のことだった。

　クラリス・スターリングはジャケットの深いフードから目を光らせて、バーニーを追っていた。道路の反対側を彼が半ブロックほど進むのを待ってトート・バッグを肩にかけ、尾行に移る。彼が駐車場とバス停のいずれをも通りすぎるのを見て、クラリスはほっとした。向こうがこのまま徒歩で進んでくれたほうが、あとを尾《つ》けやすい。彼の現在の住いを、こちらはまだつかんでいないのだから。彼に見つからないうちに、それをぜひとも確認する必要があった。

　病院の背後に広がっているのは、人種の混在した、主としてブルー・カラーの人々が住む平穏な区域だった。自分の車のボンネットに盗難防止装置を取り付けはしても、夜間、バッテリーを家に持ち込むほどのことはなく、子供たちも戸外で遊べるような、そんな地区だ。

　三ブロックほど進むと、バーニーは十字路で一台のヴァンをやりすごし、北の方角に折れた。そこは大理石の階段や、手入れの行き届いた庭園を備える小さな家々が立ち並ぶ街路だった。空き家になっている店も何軒かあったが、きれいに洗われた窓ガラスは破壊されることもなく残っている。あちこちで商店がひらきはじめていて、路上にもちらほら人影が見える。道路の両側には前夜から駐車しているトラックが残っていて、クラリスの視野は三十秒ほど遮られた。また視界がひらけてバーニーを追おうとすると、ク彼は立ち止まっていた。道路を隔てて、クラリスはちょうど彼の向い側にきていた。ひょっとすると、気づかれたかもしれない。

バーニーは両手を上着のポケットに突っ込んで立っていた。首を前に突きだし、目をすぼめるようにして、道路の真ん中で動いている何かを見つめている。路上に横たわっているのは、一羽の死んだ鳩《はと》だった。その片方の翼が、そばを通過する車のたてる風にあおられて動いているのだ。その周囲を、死んだ鳩の連れ合いだったらしい鳩がよちよちと歩きまわっている。ピンク色の足を踏みだすたびに小さな頭を振って、死んだ連れ合いを眺めていた。ホッホーと低く鳴きながら、何度もぐるぐるまわっている。車やヴァンがそばを通ると、その鳩は間一髪舞いあがって、難を避けていた。

バーニーがちらっとこちらを見たような気がしたが、クラリスは確信を持てなかった。とにかく、立ち止まったら最後、完全に見つかってしまうだろう。しばらく進んでからさりげなく振り返ってみると、バーニーは道路の真ん中にしゃがみこみ、片手をあげて車の通行を止めていた。

クラリスはその先の角を曲がり、バーニーからの死角に入ったのを確かめて立ち止まった。フードつきのジャケットを脱ぎ、トート・バッグからセーターと野球帽とスポーツ・バッグをとりだす。素早く着替えて、ジャケットとトート・バッグをスポーツ・バッグにしまい、髪を野球帽の下にたくしこむ。帰宅する途中らしい掃除婦の群れにまぎれこんで角を曲がると、またバーニーのいる道路に引き返した。

バーニーは歩道に立っていた。死んだ鳩を両手にのせている。連れ合いの鳩が低い羽音をたてて頭上の電線まで舞いあがり、そこに止まって彼を眺めている。バーニーは歩道のわきの芝生に死んだ鳩を横たえて、乱れた羽毛を撫《な》でつけはじめた。それから、その大きな顔を上向けて電線に止まっている鳩を見あげると、何か言った。彼はまた歩きだした。生き残った鳩は地面に降下して、死んだ鳩のまわりをよちよちと歩きだす。バーニーはもう振り返らなかった。彼が百ヤード先のアパートメントの階段をのぼって鍵《かぎ》をとりだそうとしたとき、クラリスは猛然と地を蹴《け》って半ブロックの距離を一気に駆け抜け、彼がドアをあける寸前に背後に立った。

「しばらくね、バーニー」

彼は驚いたふうもなく振り返って、こちらを見下ろした。彼の目と目の間隔が異様にひらいていることを、クラリスは思いだした。その目には、知的な輝きがある。いま、その目の奥で記憶の電子回路がつながったことを、彼女は見逃さなかった。

野球帽を脱いで髪をたらしながら、彼女は言った。「クラリス・スターリングよ。覚えてる？　わたしはいま――」

「ああ、あのGの」無表情に言う。

Gとは〝Gメン〟の意味だ。

クラリスは両の掌《てのひら》を合わせてうなずいた。「ええ、そのとおり、Gよ、わたしは。実は、あなたに話があるんだけど、バーニー。公式な尋問というわけじゃなくて、ちょっとお訊《き》きしたいことがあるの」

バーニーは階段を降りてきた。こちらと同じ平面の歩道に立っても、クラリスは見あげなければならなかった。が、彼女は並みの男性のようには相手の巨体に気圧《けお》されることはない。

「自分はまだ、こちらに認められている権利を読みあげられてはいませんな、スターリング捜査官？」ジョニー・ワイズミューラーが演じたターザンを思わせるような、甲高くてザラついた声だった。

「ええ、そのとおり。わたしはまだあなたに、〝ミランダ準則〟を読みあげていない。それは認めます」

「そのバッグの中にあるレコーダーに向かって、言ってくれませんかな？」

クラリスはバッグをひらいて、中に小人がひそんでいるかのように、大きな声で言った。「わたしはまだバーニーに〝ミランダ準則〟を読みあげていません。したがって彼は、黙秘権その他、彼に認められている正当な権利を知らされていません」

「この先に、感じのいいコーヒー・ショップがあります」バーニーは言って、歩きだしながら訊いた。「いくつ帽子が隠してあるんです、そのバッグには？」

「三つだけど」

身体障害者のマークのついたヴァンが横を通りすぎたとき、中の男たちがじっとこちらを見つめているのにクラリスは気づいた。ハンデのある人たちも女に魅《ひ》かれることはしょっちゅうあるだろう。それは当然のことだ。次の交差点で止まっていた車の男たちも、こちらを猥《みだ》らな目つきで眺めていた。が、バーニーの存在を意識してか、何も言わない。その窓から何かが突きだされたら、即座にクラリスは反応を起こしていただろう――彼女はあの〝クリップ団〟の復讐《ふくしゅう》を常に警戒しているのだ――が、黙って見つめられるだけなら、我慢しなければならない。

二人がコーヒー・ショップに入ると、さっきのヴァンは横丁にバックし、車首をめぐらして元きた道をもどっていった。

ハム・エッグがメインのその店はかなり込んでいて、二人はしばらく待たされた。ウエイターはヒンドゥー語でコックに何か叫び、コックはどこか後ろめたそうな表情を浮かべながら長いトングで肉を扱っている。

「何か食べましょうよ」やっと着席すると、クラリスは言った。「これはアンクル・サム（政府）の奢《おご》りだから。で、いまはどうしてるの、バーニー？」

「仕事は順調にいってます」

「というと？」

「やっぱり用務員をやっております。LPN（公認看護士）の資格をとって」

「いまごろはRN（登録看護士）になってるんじゃないかと思ってたけど。じゃなきゃ、医学校にでも通っているのかしら、って」

バーニーは肩をすくめて、クリームに手をのばした。こちらを見あげて、彼は訊いた。

「イヴェルダを射殺した件で、だいぶいじめられてるようですな？」

「どうなるかは今後の展開しだいね。あなたは、イヴェルダとは面識があったの？」

「一度だけ、会ったことがあります。彼女の夫のディジョンが病院に運び込まれたときに。彼はもう死んでいました。救急車に乗せられる前に、大量出血してたんですな。われわれのところに着いたときには、もう血が残らず出きってしまって、血管からは透明な点滴液が流れていましたよ。イヴェルダは夫のそばを離れるのを拒んで、看護婦につかみかかりました。それで自分が……その……あんなにきれいな顔して、えらく手強《てごわ》い女でした。あなたと対決したときは結局、勾引《こういん》されずに――」

「そう、その場で死亡が確認されたの」

「やっぱり、そうでしたか」

「ところでバーニー、あなたがレクター博士をテネシー警察の面々に引き渡したあと――」

「連中、かなり手荒く博士を扱ったようで」

「あのあと、あなたは――」

「結局、全員死亡したんでしたな、あの連中は」

「ええ。彼に付き添った連中は三日間生きつづけるのが精一杯だったわ。あなたは八年間もレクター博士の面倒を見つづけたのにね」

「六年間です――自分があの病院に勤める前から、博士はいたわけですから」

「その秘訣《ひけつ》は何だったの、バーニー？　よかったら教えて、あなたはどうしてそんなに長く博士と付き合えたのか。ただ、手荒に扱わなかったから、という理由だけじゃないはずよね」

　バーニーは、スプーンに映る自分の顔を黙然と見つめた。最初はスプーンの裏を見つめ、すぐにひっくり返して表に映る顔を眺めていたと思うと、おもむろに口をひらいた。

「レクター博士は完璧《かんぺき》なマナーを身につけていました。といっても、堅苦しいマナーではなく、優美で気どらないマナーを。あの頃自分はある通信教育のコースで学んでいたんですが、彼はその学識をこちらに分け与えてくれた。といっても、チャンスと見たらこっちを殺そうという意志まで失《な》くしていたわけじゃない――一人の人間のなかで、ある資質が別の資質を抹消し去ることは決してあり得んのです。それは両立するのですよ、良い資質と恐るべき資質とは。ソクラテスは、それをもっと巧妙な言葉で述べていますがね。最高度警戒の監房では、そのことを一瞬たりとも放念しちゃいかんのです、絶対に。それさえ心に留めていれば、特に問題は生じません。わたしにソクラテスを教えたことを、レクター博士はいまじゃ後悔しているかもしれませんが」

正式教育という不都合を免れているバーニーにとって、ソクラテスは新鮮な体験であり、得がたい邂逅《かいこう》だったのだろう。

「警戒措置をとることと親しい会話を交わすことは、まったく別個のことです。警戒措置には個人的感情は決して混じりませんからな、こちらが博士の外部との文通を遮断したり、彼に拘束服を着せたりする必要が生じたときにしても」

「レクター博士とはしょっちゅう会話を交わしていたの？」

「彼はときに数か月間も口をきかないことがありました。かと思うと、深夜、病棟内での叫び声がもはや聞かれなくなったときに、じっくりと話し合うこともありました。なにせ自分は——通信教育で学んでいたわけで、間違った思い込みも多かったのです——それを博士は正してくれて、文字どおり全世界の実像を自分に示してくれましてね——スエトニウスとかギボンとか」

そこでバーニーはカップをとりあげた。彼の片方の手の甲には新しい引っ掻《か》き傷があって、そこにオレンジ色のベタジンが塗ってあった。

「彼が逃亡したとき、あなたも襲われるかもしれない、とは思わなかった？」

バーニーは、その大きな頭を振ってみせた。「彼はあるときこう言いましたよ——

〝実行可能〟と見たときはいつでも、自分は無礼なやつを食ってやるのだ、と。〝放し飼いにされた無礼なやつ〟と、彼はその連中のことを呼んでましたがね」バーニーは笑った。めったに見られない笑顔だった。彼には小さな乳歯がある。それを見せて愉快がっているところは、気のいい叔父さんの顔に食べ物を吐きかけた赤子の欣喜雀躍《きんきじやくやく》ぶりにも似て、どこか尋常ならざる感じがあった。

精神異常者たちと地下ですごした時間が長すぎたのかしら、とクラリスは思った。

「そちらはいかがです、あなたは、その……彼が逃亡したあとで、居心地の悪さを覚えましたか？　自分が襲撃されるんじゃないかと思いましたかな？」バーニーは訊いた。

「いいえ」

「それはなぜ？」

「そういうことはしない、と彼は言ってたから」

その回答は、二人のいずれにも奇妙な満足感を与えた。

ハム・エッグが届いた。二人とも空腹だったから、しばらくは黙々と食べた。それから……。

「そういえばバーニー、レクター博士がメンフィスに移送されたとき、わたしはあなたに、彼の描いた絵を監房から持ってきてくれ、と頼んで、あなたはそのとおり持ってきてくれたわね。彼の残りの所持品はどうなったのかしら——書籍とか、各種の書類とかは？　病院には彼の診療記録すら残ってないんだけど」

「実は、あれから、大きな騒ぎがありましてな」そこでいったん口をつぐむと、塩の容器で掌を叩《たた》きながら、バーニーはつづけた。「大混乱があったのですよ、あの病院では。わたしは解雇された。他にもたくさん解雇された人間がいました。で、スタッフは散り散りになってしまいまして。ですから、いまとなっては、自分にもわからんのですよ、何がどこに消えたのやら――」

「なんですって？」クラリスは言った。「まわりがうるさくて聞こえなかったわ、いまのあなたの言葉。これはきのうの夜、突き止めたんだけど、レクター博士の注釈と署名の入ったアレクサンドル・デュマの『料理大辞典』が、二年前に、ニューヨークの私的な競売にかけられているのね。それは一万六千ドルで、あるコレクターの手に落ちた。で、売り手の側の所有証明書には、〝ケイリー・フロックス〟という署名がしてあったわ。あなたは〝ケイリー・フロックス〟をご存じ、バーニー？　もちろん、ご存じよね。なぜなら彼は、あなたが現在勤めている病院への就職願書にも、同じ筆跡で署名しているんですもの。ただし、その名前は〝バーニー〟となっているけど。あなたの納税申告書にも、彼は署名しているわ。ごめんなさい、いまあなたが言ったことを聞きのがして。もう一度最初から言ってくれる？　あの『料理大辞典』を売って、いくら稼いだの、バーニー？」

「一万ドルほどです」彼女の顔を真っ向から見据えて、バーニーは答えた。

クラリスはうなずいた。「領収書には一万五百ドル、とあったわ。じゃあ、レクター博士が逃亡したあと、『タトラー』紙とのインタヴューに応じて得た謝礼は？」

「一万五千ドルです」

「すごいじゃないの。よかったわね。で、さんざんでたらめを吹いたわけね」

「レクター博士は気にせんだろうと、思いましたから。あの連中をいいように翻弄《ほんろう》しなかったら、かえって博士は落胆したでしょう」

「レクター博士が看護婦を襲ったのは、あなたがあの病院に勤める前だったのね？」

「ええ」

「そのとき、博士は肩を脱臼《だっきゅう》した」

「そう聞いております」

「その際、レントゲン写真を撮ったのかしら？」

「その可能性大ですな」

「そのレントゲン写真がほしいんだけど」

「なるほど」

「これも調べてわかったことだけど、レクターの署名は二つのグループに分類されているのね。一つはインクで書かれた、収監前のもの。もう一つは、あの病院に収監されてからクレヨンかサインペンで書かれたもの。いちばん高値がつくのはクレヨンで書かれたものだけど、それはあなたも承知してるわよね。わたしは、クレヨンで書かれた署名は全部あなたが握ってると見てるんだけど、バーニー。あなたはこの先、それをすこしずつ有名人の署名コレクターたちのマーケットに出していくつもりなんじゃない」

バーニーは肩をすくめただけで、何も言わない。

「あなたはおそらく、レクター博士がまた国中の話題になるのを待ってるのよね。いったい、あなたの望みは何なの、バーニー？」

「死ぬ前に、世界中に散らばっているフェルメールの絵を残らず見ることでしょうか」

「あなたをフェルメールにのめりこませたのはだれか、訊くまでもないわね？」

「自分と博士は、真夜中にいろいろなことを話し合いました」

「自由の身になったら博士が何をしたいか、というようなことも？」

「いいえ。レクター博士は仮説には関心を持っとりません。〝三段論法〟も、哲学的な〝総合〟も、いかなる意味での〝絶対〟も、信じとらんのです、博士は」

「じゃあ、何を信じているの、彼は？」

「混沌《こんとん》、でしょう。しかし、これは敢《あ》えて信じ込む必要はない。われわれの周囲に歴然と存在しているわけですから」

クラリスは、ちょっとバーニーをからかってやりたくなった。

「いまのあなたの口調だと、それを信じているように聞こえるけど。でも、ボルティモア州立病院でのあなたの任務は、秩序の維持だったわね。そのための主任用務員だったんだから、あなたは。そう、秩序の維持という意味では、あなたもわたしも同じ稼業《かぎょう》についているんだわ。結局、レクター博士があなたから逃亡する事態は起きなかった」

「その点は、もう説明したはずです」

「それはなぜかというと、あなたが決して警戒をゆるめなかったから。たとえ、あなたが、ある意味で、兄弟のように博士と接していたとしても――」

「いや、兄弟のように、など、とんでもない。博士はだれの兄弟でもなかった。自分らは互いに関心のある問題について論じ合っただけです。すくなくとも、自分にとって、博士の持っていた書物は興味がありました、その内容がわかってみると」

「あなたは、あなたの無知を理由にレクター博士からからかわれたことはあった？」

「いいえ。そちらは博士からからかわれたことがあったので？」

「いいえ」バーニーの気持を傷つけまいとして、クラリスはそう答えた。なぜなら、あの怪物の嘲弄《ちょうろう》の言葉の中には賛辞も含まれていたことに、彼女はいまにして気づいたからである。「その気なら、彼はいつでもわたしをからかえたでしょうけどね。で、写真はどこにあるの、バーニー？」

「何か報酬はもらえるんですかな、それを見つけたら？」

クラリスはナプキンを折って、自分の皿の下にはさんだ。「あなたを公務執行妨害で逮捕しないことが、あなたに与える報酬かしら。あの病院で、あなたがわたしのデスクに盗聴装置をとりつけたときも、見逃してやったわよね」

「あの盗聴装置は、いまは亡《な》きチルトン博士のものでした」

「いまは亡き？　どうしてチルトン博士がいまは亡いってわかるの？」

「とにかく、もう七年間も消息が知れんわけですから。この先彼が姿を現わすとは、とうてい思えません。それはそうと、どうすればあなたは満足するんです、スターリング特別捜査官？」

「わたしはレントゲン写真が見たいの。レントゲン写真がほしいのよ。レクター博士の持っていた本が見つかるなら、それも見てみたいし」

「仮にお捜しのものが見つかったとします。で、あなたの用がすんだら、それはどうなるんです？」

「実を言うと、それはわたしにもわからないの。逃亡事件の捜索の証拠として、検事が全部没収するかもしれない。その場合は、検事の大きな証拠室で朽ち果てる運命が待ってるでしょうね。わたしがいくら調べても、レクター博士の本の中に有益な手がかりが何も見つからなかったら、あなたはこう主張してもいいわ、それはみんなレクター博士から自分がもらったんだ、って。彼はもう七年間も行方不明なんだから、あなたが所有権を主張しても認められるんじゃない。レクター博士には親類縁者もいないわけだし。特に問題のないものは全部あなたに引き渡すように、わたしも勧告するわよ。ただし、わたしの勧告は強制力がいちばん弱いということは、あなたも承知しておいて。それと、レントゲン写真と診療記録はもともとレクター博士に所属するものじゃないわけだから、あなたの手には渡らないでしょうね」

「そもそもそういう本だの写真だのを自分は最初から持っていない、とこちらが主張したら？」

「あなたがレクターの遺留品を売却するのは、まず不可能になると思ったほうがいいわね。なぜなら、わたしたちはそれに関する公示を出して、それを取得したり所有したりしても、すべて没収・告発の対象にするということを、コレクション市場の関係者に通告するから。わたしはあなたの住居の捜索・押収《おうしゆう》令状をとるし」

「こちらの住居は、さっき知られてしまったわけですからな。この場合の〝住居(premises)〟は、文法的には複数扱いすべきなんでしょうか？」

「さあ、どうかしら。とにかく、はっきり言えるのは、あなたがレクターの遺留品をこちらに引き渡せば、それをわがものにしていた罪は問わない、ということ。あなたがそれをあそこに放置しておいたら、いまごろはみんな朽ち果てていたかもしれないわけだから。ただし、用済みになったあとでそれをあなたに返還できるかどうか、という点に関しては、たしかな約束はできないわ」ひと息入れるつもりで、さりげなくハンドバッグをまさぐってから、「ねえ、バーニー、あなたがもっとハイ・レヴェルな看護士の資格をまだ取得していないのは、仮に取得しても州のライセンスが降りないからじゃないか、って気がしてるんだけど。あなた、ひょっとして、何か前科でもあるんじゃない。ちがう？ わかってほしいんだけど——わたしはまだ、あなたの警察記録を調べたりはしてないのよ。まったくチェックしてないの」

「ええ、ただ、こちらの納税申告書と就職願書を調べただけですな。その点はありがたいと思っとります」

「もしあなたに前科があるなら、その地区の地方検事に連絡してもいいわ。で、その検事に手をまわしてもらって、あなたの前科の記録を抹消してもらうという手もあるんだけど」

バーニーは、ちぎったトーストで皿のソースをすくいとった。「もうお食事はすみましたか？ じゃあ、すこし歩きましょう」

外に出たところで、クラリスは言った。「サミイに会ったわ。ミッグズのあとに、あの監房に入った男。覚えてる？ まだあそこで暮らしてるのよ、彼」

「あそこは立入り禁止になっとるはずですが」

「ええ、そう」

「ホームレス救済プログラムに入ってるんですか、サミイは？」

「いいえ。いまも、あの暗闇《くらやみ》の中で暮らしてるの」

「当局に通報したほうがいいと思いますがね。サミイは重篤《じゅうとく》な糖尿病にかかってるんです。放置しておけば、死にますよ。レクター博士があのミッグズに自分の舌を呑《の》み込ませた理由は、ご存じで？」

「ええ、まあ」

「あなたに失礼を働いたんで、殺したんですよ。あれは特殊なケースでした。でも、あまり気になさらんほうがいい――あのことがなくとも、彼はミッグズを殺していたかもしれんです」

二人はバーニーのアパートメントの前を通りすぎて、さっきの死んだ鳩《はと》が横たわっている芝生までもどった。その周囲を、なおも連れ合いの鳩がヨチヨチと歩きまわっている。バーニーは両手を振って、その鳩を追い払った。「さあ、いけ。もうたっぷり悲しんだろう。いつまでもそんなところにいると、猫に食われちまうぞ」鳩はホッホーと鳴きながら飛びあがった。舞い降りた先は見えなかった。

バーニーは死んだ鳩を拾いあげた。なめらかな羽毛に覆《おお》われた体は、すんなりと彼のポケットにおさまった。

「あるとき、レクター博士があなたの話をしてましたよ。あれは、最後に彼と話したときだったかな。とにかく、その頃のことでした。この鳩で思いだしたんですがね。お教えしましょうか、彼が何と言ったか？」

「ええ」クラリスは答えた。さっきの朝食で、すこし胃がもたれていたが、尻込《しりご》みはすまいと肚《はら》を固めた。

「あれは、人間の、遺伝に基づく固有の行動を話題にしているときでした。レクター博士は〝宙返り鳩〟における遺伝を例に引いていましたな。この種類の鳩は、空中で何度も何度も宙返りをくり返しながら地面に降下してくる。しかも、この鳩には、浅く宙返りするものと、深く宙返りするものと、二種類あるんだそうです。その場合、深く宙返りをする鳩同士をかけ合わせるのは禁物なのだと。じゃないと、生れた子供はとてつもなく大きな弧を描いて宙返りして、地面に激突死してしまうからです。で、博士はあのときこう言ったんですよ――〝スターリング捜査官は、深く宙返りする鳩だ、バーニー。彼女の両親の一方がそうではないことを祈りたいな〟」

クラリスはしばらくその言葉の意味を考えた。それから、たずねた。「あなたがポケットにしまった鳩は、どうするの？」

「羽をむしって、食うんです」バーニーは答えた。「わが家に寄ってください。レントゲン写真と本をお渡ししましょう」

大きな包みを持って病院と自分の車にもどる途中、クラリスの耳に一声、生き残った鳩がなおも連れ合いを悼《いた》んで鳴くのが、木々の梢《こずえ》から聞こえた。

13

ある狂人の思いやりと、別の狂人の執念のおかげで、クラリスはいま、念願のものを手に入れていた。何層もの地下にある、行動科学課の、廊下に面した一室。こういう形でこのオフィスに到達し得たのは、苦い勝利と言えただろう。

ＦＢＩアカデミーを卒業したとき、エリート集団である行動科学課に自分が即刻引っ張られるだろうとはクラリスも思っていなかった。が、いつかはその一員になれるだろうと信じていた。もちろん、その前にまず数年間は、いくつもの支局の現場で場数を踏まなければならないことは承知していた。

クラリスは有能な捜査官だった。が、組織内の政治的駆け引きに長《た》けていたとはとうてい言えない。たとえ行動科学課のジャック・クロフォード課長に望まれようとも、自分が彼の部下になることはまずあり得ないと悟るまでには、数年を要したのである。自分を阻《はば》んでいる最大の理由は、クラリスの目になかなか見えてこなかった。そのうち、ブラック・ホールをようやく探し当てた宇宙飛行士のように、彼女は見抜いたのだ

――ほかでもない、ポール・クレンドラー監査次官補が、その影響力を最大限に行使して自分の異動を阻んでいるのだということを。クラリスが彼に先んじて連続殺人犯のジェイム・ガムを発見したという事実が、クレンドラーにはどうしても許せなかったのである。クラリスがあれほど華やかなマスコミの脚光を浴びたという事実が、彼には耐えられなかったのだ。

ある冬の雨もよいの晩、クラリスの自宅にクレンドラーから電話がかかってきたことがある。受話器をとったとき、クラリスはバス・ローブを着てバニー・スリッパをひっかけ、髪をタオルで巻いていた。その日の日付を決して忘れられないだろうと思うのは、それがちょうど、あの〝砂漠の嵐《あらし》〟作戦の第一週目の最中だったからだ。当時のクラリスは技術担当捜査官で、その日はニューヨークから帰還したばかりだった。ニューヨークでの任務は、イラクの国連使節団のリムジンに盗聴装置を仕掛けることだった。新型の盗聴装置の旧型と異なる点は、リムジン内の会話を上空の国防総省の衛星に中継できるという点だった。工作は個人のガレージで行なったのだが、終始危険が伴っていた。無事自宅にもどってきても、クラリスの神経がまだささくれだっていたのはそのせいだった。

一瞬、彼女は頭が混乱して、よくやった、と自分を褒めるためにクレンドラーが電話をかけてきたのかと思った。

あのとき、窓を叩《たた》いていた雨音はまだ耳に残っている。受話器に流れたクレンドラーの声はろれつがまわっていなくて、背後には酒場の騒音が聞こえていた。

今晩、付き合わないか、と彼は言ったのである。これから三十分できみを迎えにいくから、と。クレンドラーは女房持ちだった。

「お断わりします、ミスター・クレンドラー」クラリスは言って、留守番電話の録音ボタンを押したのだった。いつものブーッという音が鳴って、電話は切れた。

そして、あれから数年後のいま、彼女は念願のオフィスにとうとうすわっている。一枚のメモ用紙に自分の名前を鉛筆で書いて、ドアにスコッチ・テープで貼《は》ってみた。なんだか野暮な感じなので、またはがしてゴミ箱に捨ててしまった。

来信トレイには、郵便が一通。『ギネスブック』からの質問票だった。アメリカ史上、女性としては最も多数の犯罪者を殺した捜査官として、『ギネスブック』に掲載したいのだという。この場合、〝犯罪者〟という言葉を用いるのは——と、発行者は説明していた——射殺された全員に複数の重罪の前科があり、逮捕状が出ていた者も三人いたからです。その質問票もまた、彼女の名前と共にゴミ箱行きになった。

コンピューターと格闘すること二時間、顔にかかったほつれ髪をふうっと吹きはらっていると、クロフォードがドアをノックして顔を覗《のぞ》かせた。

「鑑識のブライアンから電話があったよ、スターリング。メイスンが所有しているレントゲン写真と、きみがバーニーから手に入れたやつとはぴたり符合するとさ。やっぱり、レクターの手だ。これから映像をデジタル化して比較するらしいが、疑問の余地はない、と彼は言ってる。いずれＶＩＣＡＰ（凶悪犯逮捕プログラム）のレクター関連ファイルに、すべておさめることになるだろう」

「メイスン・ヴァージャーには知らせます？」

「ありのままを伝えよう。あの男は、自分では入手不可能な情報と交換でないかぎり、自分でつかんだ情報をわれわれに教えようとはしないからな、スターリング。それは、きみとわたしの両方が承知していることだ。しかし、いまの段階で、ブラジルにおける彼の情報源にわれわれが接触を図れば、相手は蒸発してしまうだろう」

「それには手をつけないように、というご指示だったので、ブラジル方面にはまったくタッチしていません」

「しかし、きみのことだ、この部屋でのんべんだらりとすごしてたわけじゃあるまい」

「メイスンの手中にあるレントゲン写真は、ＤＨＬエクスプレスで届いたわけです。で、ＤＨＬに照会してみたところ、先方では運んだ荷物のバーコードとレッテルに含まれているデータから、その荷物を預かった場所を特定してくれました。それは、リオのホテル・イバラと判明したんです」クラリスは手をあげて、相手が口をはさもうとするのを遮った。「これはすべてニューヨーク情報ですから。ブラジルでは一切調査活動は行なっていません。メイスンは頻繁に電話を使って、情報収集を行なっています。それも、ラス・ヴェガスの賭《か》け屋の電話交換台を通して。賭け屋には毎日とてつもない本数の電話がかかってきますから、格好の隠れ蓑《みの》になるんですね」

「それをどうやって突き止めたのか、教えてもらえるかな？」

「完全に合法的な手段を使いました」クラリスは言った。「いえ、というか、相当程度合法的な手段、と言ったほうがいいかしら――とにかく、ヴァージャーの家に盗聴装置を仕掛けてきた、とか、そういうことはしてませんから。実は、彼の家の電話料請求書の内容を覗けるコード・システムを、わたしは持ってますので。それだけなんですよ、武器は。技術担当捜査官なら、だれでも持ってるんです。だって、仮にヴァージャーが違法行為を犯しているとしても、あれだけの影響力を持っている男ですもの、彼の自宅の電話盗聴や逆探知の許可はそう簡単には降りないでしょう？　それに、彼を告発したとしても、具体的にはどういう手が打てると思います？　あの男は賭け屋を利用しているんですから」

「なるほどね。そうか、そういうことなら、ネヴァダ州賭博《とばく》委員会に依頼してみたらどうだい。電話を盗聴するか、賭け屋を絞めあげるかして、われわれの知りたいこと、つまり、ヴァージャーが電話をかけている相手をさぐりだしてくれると思うがね」

クラリスはうなずいた。「とにかく、ご指示どおり、ヴァージャーには直接手を触れていませんから」

「ああ、それはわかった。じゃあ、ヴァージャーにはこう言ってくれんかな——われわれはインターポルや大使館を通じて援助したい、と。それから、こうも伝えてくれ——われわれは捜査官をブラジルに派遣して、レクターの国外追放処分を実現する段どりをつけたいと願っている、と。レクターはおそらく南米でも犯罪を重ねているだろうから、リオ警察が彼らのファイルのカニバリスモ（人肉食）の項目に注目する前に、国外追放処分を実現させたほうがいい。まあ、あくまでもレクターが南米にいる、ということを前提にしての話だが。どうだい、ヴァージャーと話すと、気分が悪くならないか、スターリング？」

「そうですね、まずは自分を仕事のモードに追い込まないと。ウェスト・ヴァージニアで、あの水死体を調べたときも、やっぱりそうでした。あら、なんで〝水死体〟だなんて言ったのかしら。彼女はフレドリカ・ビンメルという、れっきとした〝人間〟だったのに。そうですね、ええ、たしかにメイスンと話しているとムカついてきます。最近は、ムカつくことが多すぎるんですもの、ジャック」

自分の口から出た言葉にびっくりして、クラリスは沈黙した。ジャック・クロフォード課長をファースト・ネームで呼んだのは初めてだった。彼を〝ジャック〟と呼ぶつもりなど、毛頭なかったのに。自分でもショックだった。表情を読めないので有名なクロフォードの顔に、彼女はじっと目を凝らした。
微《かす》かな悲哀のにじんだ苦笑を浮かべて、クロフォードはうなずいた。「同感だね、スターリング。じゃあ、あらかじめ胃薬のペプト・ビズモルでも何錠か服《の》んでから、メイスンと話してみるかい？」

クラリスのかけた電話を、メイスン・ヴァージャーは自らとろうともしなかった。秘書の一人がそれを受けて、折り返しヴァージャーが電話をいたしますから、と告げた。が、ヴァージャーからの電話はなかった。優先通報順のリストでクラリスより数段上位にあるメイスンにとって、二つのレントゲン写真が符合したニュースなどは旧聞に属することだったのだ。

14

自分の入手したレントゲン写真が間違いなくレクター博士の腕を写したものであることを、メイスンはクラリス・スターリングよりずっと前に知らされていた。司法省内のメイスンの情報源は、彼女のそれよりずっと高位だったからである。

メイスンに情報を伝えたEメールの発信者は、〝トークン287〟だった。それは下院司法小委員会に属しているパートン・ヴェルモア下院議員のアシスタントが用いる二番目のコードネームなのだ。そして、そのヴェルモアのオフィスに最初にEメールで情報を伝えてきたのは〝キャシアス199〟であって、それは司法省のポール・クレンドラーが用いる二番目のコードネームにほかならなかった。

メイスンは興奮した。レクター博士がブラジルにいるかどうかはともかく、彼の左手の指の数がいまや常人と変わらないことをレントゲン写真は証明していた。その情報は、博士の所在についてヨーロッパからつい最近寄せられた手がかりとぴったり嚙《か》み合っていたのだ。その新たな情報の提供者はイタリアの官憲当局の関係者に間違いない、とメイスンは睨《にら》んでいた。それはレクターに関して、ここ数年来彼が嗅《か》ぎつけた最も強烈な臭跡だったと言えよう。

新しい情報をＦＢＩに伝える気など、メイスンにはさらさらなかった。七年間に及ぶ不退転の努力、連邦機関の機密ファイルの盗み読み、情報を求めるチラシの広範な散布、国境を越えてばらまいた巨額の資金――それらのすべてがあいまって、レクターの追跡に関する限り、メイスンはＦＢＩのはるか先をいっていた。彼がＦＢＩに情報を与えるのは、その発信者の身許《みもと》をさぐりたいときに限られていた。

が、一応表面をとりつくろうべく、彼は、ＦＢＩの調査の進捗《しんちょく》状況を逐次知らせてくれとスターリングにねだるよう、秘書に指示した。一日にすくなくとも三回は彼女に電話しろ、と秘書宛《あて》のメイスンのメモには記されていた。

メイスンは直ちに五千ドルをブラジルの情報提供者に電信で送金し、問題のレントゲン写真がその地で見つかった事情をさぐるよう指示した。彼がスイスに送金した懸賞金の額はそれより数段多かったが、確実な証拠が入手できれば、さらに多くの額を追加送金するつもりでいた。

おそらく、ヨーロッパの情報源がレクター博士を発見したのは間違いないだろう、とメイスンは見ていた。が、偽《にせ》の情報に振りまわされたことは、これまでに何度あったかしれない。それが彼を慎重にさせていた。とはいえ、いずれ遠からず、確実な証拠が届くにちがいない。それまでのあいだ、待つ苦痛をすこしでもやわらげるべく、彼は、レクターを捕らえたあとの措置を考えて時間をつぶしていた。その措置にしてからが、実はずいぶん前から熟慮に熟慮を重ねて練りあげてきたものなのである。メイスンは〈苦痛〉の学徒でもあったのだ……。

神が人間に痛苦を与える際の選択は、われわれにはとうてい納得のゆくものではない。神は純粋な魂の主に怒りを覚えるのだ、とでも考えないかぎり理解できるものでもない。その盲目の怒りで地上を打擲《ちょうちゃく》するとき、神がだれかの助けを必要としているのは明らかだろう。

レクター狩りにおける自己の使命をメイスンが自覚するようになったのは、全身が麻《ま》痺《ひ》して十二年目のことだった。そのとき、寝具に覆《おお》われた彼の体は完全にしなびていて、もはや自分が二度と起きあがれないことを彼は覚《さと》ったのである。マスクラット・ファームの邸宅における居室はすっかり完成していたばかりか、彼には潤沢な資金があった。が、当時はまだヴァージャー家の総帥《そうすい》である父モルソンが健在だったため、使える資金にまったく制約がなかったわけではない。

それはレクター博士が逃亡した年のクリスマスのことだった。そのシーズンにつきものの博愛的な感情に打たれて、メイスンは、まだレクター博士が精神病院に収容されているうちに殺害するよう手配すればよかった、とほぞを噛んだ。この地上のどこかをレクター博士は自由に行き来し、好きなように動きまわっているばかりか、悦楽の時をほしいままにしているに相違ない、と彼は思ったのだ。

メイスン自身はどうかと言えば、人工呼吸装置の下に横たわって、柔らかな毛布に全身を包まれていた。すぐそばに立つ看護婦は、しきりに重心を別の足に移し替えながら、早く腰を降ろせないものかと考えていた。何人かの哀れな子供たちが、クリスマス・キャロルを歌うために、バスでマスクラット・ファームに運ばれてきた。主治医の許可が出て、メイスンの部屋の窓はわずかにひらかれ、外の冷気が漂い込んだ。窓の下には子供たちが陣どっていた。ロウソクを両手に、彼らは歌いはじめた。

メイスンの部屋の電気は消され、農園を押し包む黒い空には星が低く瞬《またた》いていた。

〝ああ、ベツレヘムの小さな町よ、汝《なんじ》はなんと静かに横たわっていることよ！〟

汝はなんと静かに横たわっていることよ。

汝はなんと静かに横たわっていることよ。

メイスンを嘲弄《ちょうろう》するような歌詞が、彼にのしかかってきた。汝はなんと静かに横たわっているんだ、メイスン！

窓の外では、クリスマスの星が息苦しい沈黙を守っていた。ゴーグルをかけた目で懇願するように空を眺め、動かせる指で合図を送っても、星は何も話しかけてはこない。息がつまりそうな気が、メイスンはした。もしおれが宇宙で窒息死するとしたら――と、彼は思った――最後に目に映るのは、真空に浮かぶ美しい沈黙の星だろう。おれはいま窒息しかかっている、と彼は思った。呼吸装置が故障しかけている。おれは呼吸を与えられるのを待つしかない。

オシロスコープに、クリスマス・グリーンの色で、彼の生存徴候グラフが映っていた。黒い森の夜のようなスコープに、突如として緑色の線が跳ねあがる。それは彼の心拍を示す線だ。心臓の収縮と共に線が跳ねあがり、拡張と共にまた線が跳ねあがる。

看護婦は仰天して、警報ボタンを押そうとした。緊急治療用のアドレナリンに手をのばそうとした。

クリスマス・キャロルが、愚弄するように彼の耳に届いた。汝はなんと静かに横たわっているんだ、メイスン。

次の瞬間、クリスマスの啓示が彼の前に顕現したのである。看護婦がベルを押そうとする寸前、治療薬に手をのばそうとする寸前、メイスンの復讐《ふくしゅう》の最初の荒い剛毛が、その青白い、蟹《かに》の亡霊のような手に触れて、彼の狼狽《ろうばい》を鎮《しず》めにかかったのだった。

世界中で行なわれるクリスマスの聖体拝領の儀式に際して、篤《あつ》い信仰を抱く者たちは、パンとぶどう酒がキリストの肉体と血に変わる〝全実体変化〟の奇跡によって、救い主の肉体と血を食らう。メイスンはその日を境に、〝全実体変化〟を必要としない、もっと生々しい儀式の準備を開始したのだった。そう、あのハンニバル・レクター博士が生きながら食われる儀式の準備に――。

15

メイスンの受けた教育は一風変わっていたが、父親が構想した彼の人生や、いま彼が着手しようとしている大業には完璧《かんぺき》に適《かな》うものだった。

少年時代のメイスンは、父が大金を寄付していた寄宿制の学校に学んだ。そこではメイスンが何度欠席しようとも、問責されなかった。ときには何週間もつづけて、父はメイスンに真の教育を授けた。つまり、ヴァージャー家の資産の基礎を築いた家畜飼育場や処理場に少年を伴ったのである。

モルソン・ヴァージャーは家畜生産の多くの分野、とりわけ経費節減の分野におけるパイオニアだった。初期に行なった安価な飼料の実験は、五十年前にバターハムが行なった実験に匹敵するだろう。モルソン・ヴァージャーは、豚の飼料に、豚の毛、粗引《あらび》き粉をふりかけた鶏の羽毛、それに堆肥《たいひ》等を、当時の常識では大胆すぎるほど大量に混ぜ合せたのである。一九四〇年代に、短期間に豚を太らせる妙案として、真水の代わりに発酵した動物の排泄物《はいせつぶつ》から成るどぶ水のようなものを与えはじめたときには、無謀きわまる空想家と見なされた。が、その結果、利益が飛躍的に増大しはじめるに及んで周囲の嘲笑は消え、ライヴァルの業者たちは慌《あわ》ててその方式を真似《まね》しはじめたものだ。食肉加工業におけるモルソン・ヴァージャーの挑戦は、なおもつづいた。〝人道的畜殺法〟が上程されたときには、もっぱら経費節減の観点から、自己資金を投入して勇敢に戦ったし、家畜の顔面に烙印《らくいん》を押すやり方が問題にされたときも、議会に対する莫大《ばくだい》な工作費を惜しまずに、なんとかその合法性を守り切った。処理する前に動物を休ませる問題に関しては、息子のメイスンをかたわらに置いて大規模な実験を敢行し、動物たちの体重を減らすことなしに最大限何日間飼料や水を与えないでいられるかを割りだした。

ベルギー豚に付きものだった脂汁のロスなしに筋肉を倍加させる試みが成功したのも、ヴァージャーが後援した遺伝子研究の賜物《たまもの》である。モルソン・ヴァージャーは世界中で繁殖用の品種を購入し、外国における数多くの繁殖計画に資金を提供した。

だが、食肉加工業はその根本において人間抜きには成り立たないビジネスであって、そのことをモルソン・ヴァージャーくらい知悉《ちしつ》していた経営者もいなかった。労働組合が賃金や安全問題の要求をかかげて利益の分捕りを図ると、彼は数々の策を弄して組合の幹部を骨抜きにした。その点に関しては、全国的な犯罪組織と緊密な関係を保ったことが、三十年間にわたって好結果を生みつづけたと言えるだろう。

当時のメイスンの容貌《ようぼう》は、つやつやした黒い眉《まゆ》の下で光る薄青い殺人者のような目といい、右から左へ斜めに低く額を横切る髪の生え際《ぎわ》といい、父親に酷似していた。モルソン・ヴァージャーはしばしば息子の顔を愛《いと》おしげに両手で抱えては、撫《な》でまわしていた。それはあたかも、豚の顔を撫でるとその骨相で遺伝的な系統がわかるように、息子の人相をさぐることで自分が父親であることを確認しているかのようだった。

メイスンはよく家業を学び、あの事件で寝たきりになったのちも、経営上の正しい判断を下して配下の者に実行させることができた。アフリカ豚インフルエンザの危険から守るためと主張して、アメリカ政府と国連にハイチ島内の豚を皆殺しにさせたのも、息子のメイスンのアイデアである。彼はその後、ハイチ産の豚に代わるアメリカの大型の白豚を大量に売り込むことができた。優美な体型のその白豚は、ハイチ特有の自然条件に馴染《なじ》めずにバタバタと死んでゆき、メイスンは何度もくり返し自社の豚を売りつけて補充することができた。それはハイチの農民たちがドミニカ共和国から小型の頑健な豚を輸入しはじめるまでつづいたのである。

いま、生涯かけてつちかった知識と経験を武器に復讐の手立てを練るメイスンは、作業台に近づくストラディヴァリウスのような気がしていた。

その顔のない頭蓋《ずがい》の中には、なんと豊富な情報と手段が蓄えられていたことか！　ベッドに仰臥《ぎょうが》して、さながら聴力を失ったベートーヴェンのように頭の中で策を練りながら、父と共に豚の品評会に出かけたときのことを彼は思いだしていた。競争相手の実力をさぐるべく、父のモルソンは、いつでも豚の背中に刺して脂肪の厚みを計れるように、銀色の小型ナイフをベストのポケットに忍ばせていたものだ。そして、その地位の高さから毛筋も疑いを招くことなく、怒りの叫びをあげる豚から遠ざかりながら、彼はポケットに隠したナイフの刃の、豚の背中に沈んだ位置を親指で押えていたのである。

もしメイスンに唇があったら、彼は往時の父の振舞いを思い返してニンマリと微笑《わら》ったことだろう。若者主体の4Hクラブの品評会でも、父は疑いを知らぬ豚の背中にナイフを突き刺して、持ち主の子供を泣かせたものだった。子供の父親が激怒して詰め寄ってくると、モルソン配下の用心棒たちがテントの外につまみだしてしまった。ああ、あの頃はあんなにも愉快で楽しい時があったのだ。

かつて参加した多くの豚の品評会で、メイスンは世界中から集まった珍しい豚の数々を見ていた。それが復讐の準備にも役立った。こんどの新たな目標のために、彼は記憶にある最良の豚の品種をかき集めていた。

必要な豚の飼育は、あのクリスマスの啓示を得た直後からはじまっていた。その場所として選んだのが、イタリアの沖合に浮かぶサルデーニャ島にヴァージャー家が所有する小規模な豚の飼育場であった。そこを選んだのは、アメリカから遠く離れていて、しかもヨーロッパに近接しているためである。

レクター博士が逃亡後に最初に立ち寄るのは南米だろうと、メイスンは——正しくも——見抜いていた。が、レクターのような高尚な趣味を持つ男が最後に落ち着く先はヨーロッパに相違ない、と彼は信じてもいた——であればこそ、彼は毎年、ザルツブルク音楽祭その他の文化的な催しに人を派遣して、監視を怠らなかったのだ。

レクター博士殺害の儀式に備えて、彼がサルデーニャの飼育業者に送った豚の種類は、以下のとおりである。

まず、巨大な野豚、ヒュロコエルス・メイネルツハゲニ。この豚は六つの乳首を持ち、染色体の数は三十八。機転のきく頭脳を持っていて、日和見《ひよりみ》主義の雑食動物であるところは人間に似ている。高地に棲《す》む種類は体長二メートル、体重約二百七十五キロ。この巨大な野豚は、言ってみればメイスンの計画の基音に相当していよう。

二番目は、ヨーロッパの古典的な品種であるS・スクロファ・スクロファ。その純粋形態における染色体の数は三十六。顔面にイボはなく、全身剛毛に覆われており、大きな鋭い牙《きば》を持つ。敏捷《びんしょう》且つ獰猛《どうもう》な動物で、そのとがった蹄《ひづめ》でクサリヘビをも殺してしまい、いとも簡単に食べてしまう。欲望を刺激されたり、さかりがついたり、子供を守ったりしているときは、敵対するどんなものにでも突進してゆく。雌は十二の乳房を持ち、子育てにも長《た》けている。このS・スクロファ・スクロファこそは復讐の格好の手段とメイスンは見なしており、その面《つら》つきも、レクター博士に自らが食われる最後の悽惨《せいさん》な光景を想像させるのに最適と見ている（一八八一年刊、『ハリス・オン・ザ・ピッグ』参照）。

さらに、勇猛な攻撃性を買ってオサボー島の豚を、発情ホルモン分泌の旺盛さを買って嘉興《シャジン》産の黒豚をも購入した。

選択の過程では見込みちがいも起きた。東インドネシア産のバビルーサことバビュローサ・バビュルーサをとり寄せたときのことだ。その牙の異様な長さから〝シカ・イノシシ〟としても知られるこの品種は、乳首が二つしかなく、成長も遅くて、体重百キロ分のコストが高くつきすぎた。この品種は躊躇《ちゅうちょ》せずに除外した。バビュルーサでなくとも、同じ品質の豚は他にもいたからだ。

歯の状態に関して言えば、選択の余地はあまりなかった。ほとんどすべての品種が、その牙に相応《ふさわ》しい歯を備えていたからである。すなわち、三対の鋭い門歯。一対の長い犬歯。四対の前臼歯《ぜんきゅうし》。それに、上下それぞれ三対ずつの、咀嚼力《そしゃくりょく》抜群の臼歯。合わせて四十四本の歯。

餌《えさ》が人間の死体なら、どんな豚も喜んで食うが、生きた人間を食わせるとなると、あらかじめ教育が必要である。サルデーニャにいるメイスンの配下たちは、もっぱらその任に励んでいた。

多くの豚を犠牲にして七年の努力が積み重ねられたいま、彼らの達成した成果は——瞠目《どうもく》すべきものだった。

16

サルデーニャのジェンナルジェントゥ山脈の懐《ふところ》に、レクター博士を除くすべての役者が揃《そろ》ったいま、メイスンの次なる関心は、博士の死に様を子孫と自分自身の愉楽のために記録することに移った。そのための布石は、かなり前に打ってある。必要なのは、最後の指令を下すことだった。

細心の注意を要するこの指令は、ラス・ヴェガスのキャスタウェイズ近くで営業している合法的な賭《か》け屋の交換台を通して下した。メイスンのかけた電話は、週末に殺到する膨大な量の電話の海に呑《の》み込まれる細い一本の糸にすぎなかった。

破裂音と摩擦音を伴わない、ラジオの音声のようなメイスンの声は、チェサピーク海岸近郊のナショナル・フォレストから砂漠に弾《はじ》かれ、そこから大西洋を越えて、まずローマに達した。

アルキメデ通りの、同じ名のホテルの背後にあるアパートメントの七階の部屋で、電話が鳴った。イタリアの電話の常で、ブッ、ブッと二度ずつ鳴る呼出し音が重苦しく響き、闇《やみ》の中で眠たげな声が応《こた》えた。

「なんだい？《コーサ》 なんだってんだよ？《コーサ・チェ》」

「明りをつけろ《アッチェンディ・ラ・ルーチェ》、馬鹿《イディオタ》」

ベッドサイド・ランプがついた。ベッドには三人の男女が寝ていた。電話にいちばん近い若者が、真ん中に横たわるでっぷりした中年男に受話器を手渡した。その向こうには、二十代の金髪の女性が寝ていた。彼女は寝惚《ねぼ》けた顔をあげて明りを見たが、またすぐに頭をベッドに沈めてしまった。

「もしもし《プロント》、そちらは？《キ》 だれだい、そっちは？《キ・パルラ》」

「しばらくだな、オレステ。メイスンだよ」

でっぷりした男は気持を引き締めて、ミネラル・ウォーターをグラスについで持ってくるよう若者に合図した。

「ああ、これは失礼、メイスン。ぐっすり寝てたもんだから。いま何時だい？」

「いまはどこでも遅い時間さ、オレステ。こっちはおまえに何をしてやるか、おまえはそのために何をしなきゃならないか、忘れてはいまいな？」

「もちろん、覚えてるとも」

「いよいよ、その時がきたんだ。こちらの望みはわかってるな。まずカメラ二台態勢で撮影してくれ。おまえがいつも撮ってるポルノ・フィルムよりも、音響効果はクリアでなくちゃならん。電力も自力で供給することを忘れずにな。発電機は、撮影現場から遠く離れたところに設置しろ。あとで編集するときのために、周囲の美しい自然も撮っておいてほしい。それと、小鳥のさえずりもな。あすにも現地に飛んで、必要な準備を整えろ。機材は全部、そこに残してくれればいい。盗難を心配する必要はない。こちらで見張りをつけるから。それからまたローマにもどって、本番のときまで待機しろ。だが、いいか、通報を受けたら二時間後には現場に到着できるようにするんだ。わかったな、オレステ？　支度金はＥＵＲ（ローマ新都市）のシティバンクに振り込んであるから、引きだすといい。わかったな？」

「でも、メイスン、こっちはいま、別の映画を――」

「この仕事、やる気はないのか、オレステ？　いまの仕事にはもう飽きた、とおまえは言ったはずだぞ――ポルノ・フィルムやスナッフ・フィルムやＲＡＩ（イタリア放送協会）向けの歴史ドキュメンタリーの撮影はもううんざりだ、と。劇場用の本格的な映画を、おまえは本当に撮りたくないのか、オレステ？　この仕事さえ引き受ければ、その報酬で夢が実現するだろうが」

「そりゃ、撮りたいさ、メイスン」

「じゃあ、きょうにも現地に飛べ。金はシティバンクにある。ぜひいってくれ」

「現地とはどこなんだい、メイスン？」

「サルデーニャだ。カリアリまで飛行機で飛べ。迎えが待っている」

次に電話をかけた先は、サルデーニャ東海岸のポルト・トッレスだった。会話は短かった。そこでの準備態勢はかなり前に完了しており、万事、あの携帯用ギロチンのごとく効率的に進むはずだから、新たに付け加えることはほとんどなかった。エコロジーの観点から言えば、レクターの処理法はギロチンにも優《まさ》った。が、ギロチンほど瞬時にケリがつくわけではなかった。

第二部　フィレンツェ

17

夜ともなると、古都フィレンツェの心臓部は琥珀色《こはくいろ》の投光照明に浮かびあがる。そのアーチ型の窓といい、カボチャ・ランタンの歯のようなギザギザの胸壁といい、中世の面影を色濃く残すヴェッキオ宮殿は、暗い広場にひときわ明るくその威容を刻み、暗黒の空高く鐘楼がそそり立っている。

その鐘の音に震える空中にツバメたちが舞いあがる明け方まで、コウモリたちは鐘楼の基部に嵌《は》め込まれた大時計の白く輝く盤面をよぎって、蚊の群れを追いまわすことだろう。

宮殿の手前のロッジャ（開廊）の陰から姿を現わしたのは、フィレンツェ警察のリナルド・パッツィ主任捜査官だった。ロッジャに並ぶ強姦《ごうかん》と殺戮《さつりく》の大理石像を背に、そのレインコート姿も黒々と、彼は広場を横切っていった。青白い顔がひまわりのように、明るい宮殿をかえりみる。かつて改革者サヴォナローラが火刑に処せられた地点に立つと、彼は自らの祖先が悲運を嘗《な》めた窓を見あげた。

その昔、フランチェスコ・デ・パッツィは全裸のまま首に輪縄をまかれて、まさしくその高い窓から投げ落されたのである。フランチェスコはざらついた城壁にぶつかりつつ、くるくると回転しながら悶《もだ》え死んだのだ。彼と並んで聖衣を着たまま絞首《こうしゅ》された大司教は、いかなる精神的慰めも同志に与えはしなかった。息がつまって目玉の飛びだした大司教は、苦しみの余り狂乱してフランチェスコの肉体にがぶりと嚙《か》みついたのだから。

一四七八年四月二十六日のあの日曜日、ドゥオーモ（大聖堂）におけるミサの場でジュリアーノ・デ・メディチを殺し、ロレンツォ豪華王を殺しそこなったのがたたって、パッツィ一族は残らず辱《はずかし》めを受けたのである。

そしていま、パッツィ家のパッツィ、リナルド・パッツィは——ある事件で名誉を失墜したばかりか運にも見放され、まさしく祖先同様、政府を憎んで、いまにも自分の頭上に振り下ろされようとする斧《おの》のささやきを耳にしていたのだが——ある無上の幸運を最善の方法で利用する道を決しようと、この場にやってきたのだった。

パッツィ主任捜査官は、ほかでもない、あのハンニバル・レクターがこのフィレンツェに潜伏しているのをつきとめた、と確信していたのだ。あの殺人鬼を捕らえることによって、地に堕《お》ちた声望を回復し、名捜査官としての栄誉を再び享受《きょうじゅ》するチャンスが彼にはあった。と同時に彼は、とてつもない金額でハンニバル・レクターをメイスン・ヴアージャーに売り渡すチャンスをも手中にしていた——そう、もしあの男が間違いなくレクターであるならば。もちろん、そのときは、自分の傷だらけの栄光をも彼は売り渡すことになるだろう。

フィレンツェ警察の捜査部門を、パッツィはただいたずらに掌握してきたわけではない——彼には才能があったし、その最盛期には貪婪《どんらん》な出世欲に衝《つ》き動かされもした。彼はまた燃えるような野望にあせったあまり、せっかくのチャンスをふいにしてしまった男の傷を抱えてもいた。

自己の運命を決すべくこの場所を選んだのは、あの一時の名声と、それにつづく破滅をもたらした啓示を得たのが、まさしくこの場所だったからである。

イタリア人特有の皮肉な感覚が、パッツィのなかには強固に根づいていた。祖先の怨《おん》念《ねん》がいまだにくるくる回転しているかもしれないあの城壁の窓。あのとき、まさしくその下で決定的な啓示を得たのは、なんと当を得ていたことか。そして、あのときと同じこの場所で、彼はいま、パッツィ家の運勢を永遠に変えられるかもしれない。

そもそもパッツィに名声を、次いで心臓をかきむしられるような失意を味わわせるきっかけとなったのは、もう一人の連続殺人犯、〝イル・モストロ（怪物）〟の捜索活動だった。その体験が、こんどの新しい発見を可能にしてくれたのである。だが、〝イル・

モストロ〟事件の結末はパッツィの口中に苦い灰となって残っており、それが彼をしていま、法の埒外《らちがい》の危険なゲームに駆り立てようとしているのだった。

〝イル・モストロ〟ことフィレンツェの怪物は、一九八〇年代から九〇年代に至る十七年間にわたって、トスカーナ地方の若い恋人たちを餌食《えじき》にしつづけた。怪物はトスカーナ地方に数多《あまた》ある愛の小道で抱擁するカップルたちに、音もなく忍び寄った。そして小口径の拳銃《けんじゅう》で恋人たちを殺すと、死体に花を添えて活人画のようにそのポーズを整え、女の左の乳房を露《あら》わにしておくのが常だった。その死体のポーズには、どこか見覚えのあるような奇妙な感じがつきまとった。それはある種の既視感を、見る人に与えたのである。

怪物は女の体の局部を戦利品としてえぐりとりもしたのだが、例外が一度だけあった。そのとき彼は、共に長髪のドイツ人のゲイのカップルを明らかに男女のカップルと見過《みあやま》って、殺してしまったのだ。

フィレンツェ警察の肩には、〝イル・モストロ〟の早期逮捕を求める大衆の圧力が重くのしかかり、リナルド・パッツィの前任者はついに職を追われた。そのあとを襲って主任捜査官の座についたときのパッツィは、蜂《はち》の大群と戦う男も同然だった。報道陣は機会あるごとに彼のオフィスに大挙して押し寄せ、カメラマンたちはパッツィが車で出入りする警察署裏のザーラ通りにまでひそんでいたからだ。

その時期フィレンツェを訪れた観光客は、〝モストロ〟の恐怖を恋人たちに警告する、大きな一つの目をあしらったポスターが市内の至るところに貼《は》られていたのを記憶しているだろう。

パッツィは何かにとり憑《つ》かれたように〝イル・モストロ〟狩りに没頭した。

彼は犯人像の割り出しの手引きを求めてFBIの行動科学課を訪ね、プロファイリングの方法に関する資料に隈《くま》なく目を通した。

その一方で、経験的な対策を講じもした。恋人たちが集まる路地や墓地内のデート・スポットでは、本物の恋人たちの車より、カップルを装《よそお》う警官たちの乗り組んだ車のほうが多数駐車しているところもあったほどである。だが、十分な配置をするには婦人警官の数が絶対的に足りなかった。暑い夏の最中《さなか》、男同士の警官のカップルは代わる代わる女性のかつらをかぶり、多くの口ひげが犠牲にされた。パッツィ自身、率先して自分の口ひげを剃《そ》り落したくらいだった。

だが、怪物は慎重だった。襲撃を止《や》めることはなかったにせよ、その殺人衝動は犯行を頻繁にくり返させるほど強くはなかったらしい。

怪物が長期間なりをひそめていた時期も過去にはあったことに、パッツィはあるとき気づいた――次の犯行まで八年も間があいたときもあったのだ。その事実は注目に値した。彼はあらゆる労苦を惜しまず、骨身を削って、脅しのきく部局から可能な限りの支援をとりつけた。その一方で、署に一台しかないコンピューターに加えて甥《おい》のパソコンまでとりあげ、〝イル・モストロ〟の犯行休止期に刑務所で服役していた北イタリアの犯罪者たちを残らずリスト・アップしていった。その数は九十七名にのぼった。

パッツィはまた、服役中の銀行強盗の、乗り心地が良く足の速いアルファロメオGTVの中古車を召しあげた。その車で一か月に五千キロ以上も走破し、リスト・アップした九十七名中九十四名の服役囚に自ら面会して尋問を行なった。残る三名は重病者、もしくはすでに死亡した者だった。

それらの容疑者を絞り込むのに役立つような証拠は、しかし、犯行現場にほとんど残されていなかった。犯人の体液も残っていなければ、指紋も一切見つからなかったのである。

ただ、インプルネータの殺害現場からは、薬莢《やっきょう》が一個見つかった。それは二十二口径のウィンチェスター・ウェスタン・リムファイア弾のもので、コルトのセミオートマティック・ピストル、おそらくはウッズマンのそれと一致する綫条痕《せんじょうこん》がついていた。この一連の事件では、すべて同一の凶器の二十二口径弾が使用されていた。サイレンサーの摩擦痕はどの弾丸にもついていなかったものの、サイレンサーが使われた可能性も無視できなかった。

パッツィはパッツィ家の一員であり、何にも増して野心にあふれていた。それに彼には、夜のおねだりを欠かさない、若くて美しい妻がいた。その求めに応じて努力をつづけた結果、ただでさえ痩身《そうしん》のパッツィの体重は十二ポンドも減ってしまった。フィレンツェ警察の若手たちは、主任は近頃アニメのキャラクター、ワイル・E・コヨーテに似てきたな、などと陰口を叩《たた》いたほどである。

生意気な若手のだれかが署のコンピューターに変身ソフトを組み込んで、〝三大テノール〟の顔をロバと豚と山羊《やぎ》に変えてしまったとき、パッツィは数分間じっとその画像に見入った。するうちに、自分の顔が徐々にロバの顔に変貌《へんぼう》していくような錯覚に襲われたりした。

フィレンツェ警察署の鑑識課の部屋の窓には、悪霊《あくりょう》を追い払うニンニクが飾られていた。最後に残った容疑者たちを訪ねて厳しく尋問した結果もシロと出たとき、パッツィは埃っぽい中庭を見下ろすこの窓際《まどぎわ》に立って絶望に沈んだ。

新妻のことを、彼は考えた。そう、彼女の形の良い、引き締まったくるぶしや、腰のあたりの一握りの柔毛《にこげ》のことを。彼女が歯を磨くにつれ小刻みに震えて揺れる乳房や、それを自分が見ているのに気づいた彼女の浮かべる笑顔が、頭に浮かんだ。妻に贈りたいもろもろの物を、彼は考えた。その贈り物を妻がひらくところを、頭に思い描いた。妻のことを考えるとき、彼の頭にはそのイメージが鮮やかに浮かんだ。妻はいつも香ぐわしく、体に触れたときの感触も素晴らしかったが、最初に頭に浮かぶのはきまってもろもろのイメージだった。

自分は妻の目にどう映ってほしいのか。そのことも彼は考えた。報道陣の侮蔑《ぶべつ》の的と化した自分の姿だけは映ってほしくなかった——フィレンツェの警察本部は元精神病院だった建物の中にあるのだが、風刺マンガ家たちはその事実を最大限に利用したのである。

成功はインスピレーションの結果だと、パッツィはかねて思っていた。彼の映像の記憶は並はずれており、視覚が何より秀《ひい》でている人間の常で、啓示とは、最初朦朧《もうろう》としていたイメージがしだいに鮮明になってくるプロセスだと、彼は考えていた。パッツィの思索の経路は、大方の人間が失《な》くし物を探すときの経路に似ていた——われわれは失くした物のイメージを頭に浮かべ、それを眼前にあるものと比較しながら、短時間に何度もそのイメージを新たにして、さまざまな角度から見直すものだ。

そうこうしているうちに、ウッフィーツィ美術館の裏で爆弾テロ事件が勃発《ぼっぱつ》した。それを機に一般大衆の関心は政治的テロに移り、パッツィの時間も一時的にその事件の捜査に割かれることになった。

が、この重要な美術館の爆弾テロ事件を追う間も、パッツィの頭には〝イル・モストロ〟関連のもろもろのイメージが残っていた。人が暗闇《くらやみ》の中である物体を見ようとするとき、最初はその周辺に視線を注ぐように、パッツィは怪物の残した活人画を視野の隅に留めて眺めていた。彼がわけてもこだわったのは、インプルネータで殺されたカップルの死に様だった。小型トラックの荷台で発見されたそのカップルの死体は、怪物の手で入念にポーズが整えられていた。その上には花がまかれ、花輪で飾られていたばかりか、女の左の乳房が露わにされていた。

ある日の夕方、ウッフィーツィ美術館をあとにしたパッツィは、近くのシニョリーア広場を横切ろうとしていた。そのとき、絵葉書の売店の陳列台から、ある映像が躍りあがってきたのである。

その映像の由来がわからぬまま、パッツィはサヴォナローラが火刑に処せられた地点で立ち止まった。振り返って、周囲を見まわした。広場はいつものように観光客で賑《にぎ》わっている。うなじのあたりに冷たいものを感じた。もしかすると、映像は最初から自分の脳中にあったのかもしれない。それが何かのきっかけで、意識の前面に躍りでたのだろうか。彼はウッフィーツィ美術館前まで引き返し、また広場に向かって歩きだした。

あれだ。ボッティチェッリの〝春〟のポスター。蠅《はえ》の糞《ふん》のしみのついた、雨で反り返った小さなポスター。そのオリジナルの絵は、すぐ背後のウッフィーツィ美術館に展示されている。〝春〟。この絵の右端には、左の乳房を露わにした、花冠をいただいたニンフが描かれている。背後の森からは青白い顔をした西風の神ゼピュロスが彼女に手を伸ばしていて、彼女の口からは花びらがこぼれている。

あれだ。小型トラックの荷台で死んでいたカップルの映像。あの娘も花で飾られ、その口中には花びらが押し込まれていたではないか。いいぞ、ぴったりと重なる。

かつて祖先が絞首されてくるくると回転していた城壁。まさしくその下で、パッツィの捜し求めていたイメージが湧《わ》き、アイデアがひらめいた。そのイメージは五百年前にサンドロ・ボッティチェッリの手で創《つく》りだされたものであり、しかもそのボッティチェッリは四十フローリンの謝礼と引き換えに、絞首されたフランチェスコ・デ・パッツィの絵を、首縄から何からすべてありのままに、バルジェッロ牢獄《ろうごく》の壁に描いた画家でもある。その淵源《えんげん》がかくも興味深いインスピレーションに、どうして逆らうことができるだろう？

興奮を静めるべく、パッツィはどこかにすわらずにいられなかった。が、ベンチはすべてふさがっていた。結局、目についた老人にバッジを見せてむりやりベンチから立ち退《の》かせたのだが、元軍人のその老人が一本の足で立ちあがった瞬間まで、パッツィは彼の松葉杖《まつばづえ》には気づかなかった。老人は声高に罵声《ばせい》を放って、去っていった。

パッツィが興奮した理由は二つあった。まず第一に、〝イル・モストロ〟が依拠したイメージの正体がわかったこと。それに気づいたのは大きな収穫だった。が、より重要なのは、過日、容疑者たちを尋問してまわった際、〝春〟の複製画をどこかで見かけたことがあるという事実だった。それはどこで見たのだったか？

こういうときは無理に記憶をこじあけないほうがいい。彼は上体を傾け、ぼんやりとした想念に身を任せて、記憶が自然に甦るのを待った。それからウッフィーツィ美術館にとって返し、〝春〟の原画の前に立った。が、そこに長居はしなかった。彼は〝麦わら市場〟まで歩いて、自分の幸運を期すべくブロンズの猪像《いのしし》〝イル・ポルチェッリーノ〟の鼻面《はなづら》にさわってから、イッポカンポまで車を飛ばした。そこで埃《ほこり》だらけの車のボンネットにもたれかかると、熱いオイルの匂《にお》いを嗅《か》ぎながら、サッカーに興じる子供たちを見るともなく眺めたのである……。最初に頭に浮かんだのは、階段のイメージだった。次いで、その上の踊り場。あのとき、階段をのぼっていくと、〝春〟のポスターの上部が最初に現われたのではなかったか。あの戸口の様子がちらっとよみがえった。が、あの通りや、人の顔などはまったく思いだせなかった。

尋問の名手パッツィは、聴覚と嗅覚《きゆうかく》に訴えながら自問していった。

〈あのポスターを目にしたとき、耳には何が聞こえたっけ?……〉一階のキッチンでカタカタ鳴っていた鍋《なべ》の音だ。では、踊り場にあがってポスターの前に立ったとき、何が聞こえた? テレビの音だ。居間のテレビ。『リ・イントッカービリ〈アンタッチャブル〉』でエリオット・ネスを演じていたロバート・スタックの声。料理の匂いはしたか? ああ、料理の匂いが伝わってきた。他に何かの匂いをかいだか? ポスターは目に入ったのだが――いや、目にした物の匂いはしなかった。他に、何か匂いをかいだか？　あのアルファロメオの匂いなら、はっきり覚えているのだが。車内はとても暑かった。あの熱いオイルの匂いはまだ鼻にこびりついているようだ。あれだけオイルが熱くなっていたのは……ラコルドだ。そう、ラコルド・アウトストラーダを飛ばしていたからだが、あのときはどこに向かっていたんだったかな？　サン・カッシアーノ。うん、たしか犬の吠《ほ》える声も聞いたな、サン・カッシアーノで。思いだしたぞ、あの家の主《あるじ》を。あいつは強盗とレイプを重ねたやつで、名前はたしかジロラモなんとか、といった）。

記憶の断片が一つにまとまる瞬間、そう、神経の末端が痙攣《けいれん》しながら連結し、灼熱《しゃくねつ》のヒューズを通して一つの着想が浮かびあがる瞬間、人は何よりも鮮烈な喜悦にひたるものだ。リナルド・パッツィにとって、それは生涯で最良の瞬間だった。

それから一時間半後、パッツィはジロラモ・トッカを勾引したのである。トッカの妻は、夫を連れ去る数台の車の列に向かって何個も石を投げつけた。

18

トッカは願ってもない容疑者だった。彼には、まだ若い頃、奥まった散歩道で自分の許婚《いいなずけ》を抱いていた男を殺した罪で七年間服役した過去があった。そればかりか、実の娘たちに対する性的悪戯《いたずら》や家庭内暴力で告発されたこともあったし、強姦《ごうかん》の罪で服役したこともあった。

フィレンツェ警察は完膚なきまでの家宅捜索を行なって、証拠品の押収《おうしゅう》を図った。最後にはパッツィ自身がトッカの家の庭を捜索して、薬莢を一個発見したのだった。それが、検察側の提出した数少ない物的証拠の一つとなったのである。

裁判は一大センセーションを巻き起した。それは〝地下壕《ごう》〟と呼ばれる、最高度に警戒の厳重な建物で行なわれた。そこは七〇年代にテロリストたちの裁判が行なわれた場所でもあって、イタリアの有力紙『ラ・ナツィオーネ』のフィレンツェ支局の向い側にあった。陪審員は、正式に飾り帯を巻いて宣誓した、男女それぞれ五人から成っていた。彼らが最終的に下した評決は有罪だったが、その根拠となる証拠といえば、せいぜいトッカという男の人となりくらいしかなかった。大多数の人間はトッカは無罪だと見ていたのである。が、その一方で、トッカはいかがわしい男だし、犯罪歴も多すぎると言う者もすくなからずいた。結局、そのとき六十五歳だったトッカは、ヴォルテッラ監獄における懲役四十年の実刑判決を受けたのだった。

それにつづく歳月は黄金のように素晴らしかった。このフィレンツェで、第一次十字軍に参加したパッツォ・デ・パッツィが〝エルサレムの聖墳墓〟から火打ち石を持ち返って以来五百年間に、彼、リナルド・パッツィくらい祝福されたパッツィ家の人間は一人もいなかっただろう。

伝統的な復活祭の行事に際して、往時と同じ聖なる火打ち石が、ロケット推進の鳩《はと》の模型の点火に用いられたとき、リナルド・パッツィとその美しい妻はドゥオーモに大司教と並んで立つ栄誉に包まれた。鳩は鉄線に沿って大聖堂から空中高く飛びだし、華やかな花火を打ちだして観客の喝采《かっさい》を浴びたのだった。

一連の捜査で足を棒のようにして歩きまわった部下たちを、パッツィが――一定の節度を保って――褒めたたえると、新聞はその一言一句を報道した。シニョーラ・パッツィは女性のファッションに関するコメントを求められたが、デザイナーたちの推奨するドレスをまとった彼女はたしかにあでやかだった。かと思うとパッツィ夫妻は有力者たちの邸宅で催される息苦しいお茶会にも招かれ、ある城の、甲冑《かっちゅう》がずらりと周囲を取り囲む広間で、当主たる伯爵《はくしゃく》と晩餐《ばんさん》を共にしたりもした。

パッツィを政界に推す声もあがったし、国会でも大方の異議を抑えて表彰され、アメリカのＦＢＩと協力してマフィアを撲滅する作戦を指揮するよう指示された。

その指示に加えて、ジョージタウン大学の犯罪学セミナーに参加する特別研究員の資格を得たこともあって、パッツィ夫妻はアメリカの首都ワシントンをも訪れた。パッツィはクワンティコの行動科学課で多くの時間を費やし、ローマにも行動科学部門を創設することを夢見た。

そうして二年間がすぎたとき、突如として、破滅が訪れたのである。事件にまつわる世間の熱気も冷めて、大衆の圧力を免れた上訴裁判所が、トッカの再審に同意したのだ。こんど捜査の矢面に立ったのはパッツィのほうだった。彼が置き去りにしたかつての同僚たちのあいだでは、彼に対する刃《やいば》がむかれていた。

上訴裁判所はトッカの有罪判決を覆《くつがえ》し、パッツィに厳重な戒告を行なった。彼は証拠を捏造《ねつぞう》したと見なす、というのがその理由だった。

かつてパッツィをもてはやした政府上層部の面々は、悪臭を忌み嫌《い》うように彼を遠ざけた。そしていま、彼は依然フィレンツェ警察の要職にあるものの、もはやお払い箱も同然の身であり、それを知らぬ者はいなかった。イタリア政府の動きは決して俊敏ではない。が、ほどなく彼の頭上に斧《おの》が振り下ろされるのは必至と言ってよかったのである。

19

フィレンツェの学者たちのあいだで〝フェル博士〟として知られる人物にパッツィが初めて会ったのは、斧の一撃を待ちかまえる煉獄《れんごく》の日々のさなかだった……。

その日リナルド・パッツィがヴェッキオ宮殿の階段をのぼっていたのは、彼の失墜を喜ぶ元部下たちがお膳立《ぜんだ》てした多くの雑用の一つをこなすためだった。磨《す》り減った石段を踏みしめる彼の目には自分の靴の爪先《つまさき》しか映らず、フレスコ画の描かれた壁際《かべぎわ》をのぼるあいだも、周囲の芸術の結晶は目に入らなかった。いまから五百年ほど前に、彼の先祖は血を流しながら、まさしくその階段を引きずられてのぼったのであったが。

踊り場に達すると、パッツィはさすがに本来の彼らしく胸を張って、フレスコ画に描かれた人々の目を強いて見つめた。その人々の中には、彼の一族の人間もまじっていた。彼の耳にはすでに頭上の〝百合《ゆり》の間〟で論争する声が聞こえていた。そこではウッフィーツィ美術館の理事会と〝ベッレ・アルティ（美術）委員会〟の合同会議が催されていたのである。

その日のパッツィの用向きは、長らくカッポーニ宮の司書を務めた人物の失踪《しっそう》事件の捜査だった。問題の老人は女と駆け落ちしたか、だれかの金を持って逐電したか、もしくはその両方ではないかと、一般には思われていた。いずれにしろその人物は、このヴェッキオ宮殿で催される彼の所属団体の月例会議に、四回つづけて欠席していた。

パッツィが派遣されたのは、その捜査を続行するためだった。あの爆弾テロの直後、狙《ねら》われたウッフィーツィ美術館の理事会と、そのライヴァルである〝ベッレ・アルティ委員会〟の理事たちの蒼白《そうはく》な顔を前に、警備上の課題について厳しい講義を行なったパッツィ主任捜査官は、その日、あのときとは様変りの状況下で彼らの前に立ち、一老司書の愛情生活について質問する任を負っていた。面白いはずがなかった。

会議中の二つの団体は、いずれも非妥協的で好戦的だった――双方とも、多年、相手方のオフィスで会合することを潔《いさぎよ》しとせず、会議の場所一つとっても容易に決まらない始末だったのである。彼らは結局ヴェッキオ宮殿の壮麗な〝百合の間〟に集まったのだが、それは、どのメンバーもその美しい広間が自分の威信にふさわしいと考えたせいだった。ひとたび〝百合の間〟で集うことが慣例になると、彼らはそれ以外の場所で会うことを頑として拒んだ――折りからヴェッキオ宮殿では何千という修復作業の一つが行なわれており、〝百合の間〟にも足場や垂れ布や各種の工具が持ち込まれていたのだが。〝百合の間〟の外のホールには、パッツィの古い級友のリッチ教授が立って、漆喰の粉《ふん》塵《じん》が原因のくしゃみの発作に襲われていた。なんとか発作がおさまると、彼は涙にうるんだ目をパッツィに向けて言った。

「例によって言い争い《ラ・ソリタ・アリンガ》さ。きみは行方不明のカッポーニ宮の司書の件できたんだろう？　その件で、連中はいま論争してるんだよ。ソリアートは後任の座を実の甥《おい》にまわそうとしている。それに対して学者たちは、自分たちが数か月前に任命した仮の司書、フェル博士にご執心でね。彼を手放したくないんだ」

ポケットをさぐってティシューをとりだそうとしている友人を尻目《しりめ》に、パッツィは黄金の百合の象徴が天井を彩《いろど》る歴史的な広間に入っていった。広間の二面の壁は工事用の垂れ布に覆《おお》われていて、それが、気色《けしき》ばんだ論争の声をいくぶんでも和らげていたと言えよう。

そのとき発言していたのは縁故主義者のソリアートで、彼はもっぱらその声の大きさで発言権を守りつづけていた。

「いいかね、カッポーニ家に伝わる書簡は、十三世紀にまでさかのぼるんだ。フェル博士はほかでもないダンテ・アリギエーリの記した書簡を、イタリア人の血の流れていないその手中にすることがあるやもしれん。果たして彼は、その書簡を正しく識別できるだろうか？　そうは思えんのだよ、わたしには。諸君は博士の中世イタリア語の素養をテストしたという。彼のイタリア語の素養が素晴らしいことは、わたしも認めるにやぶさかじゃない。ああ、ストラニエロ（外国人）にしては見事なものだ。しかし、彼は果たして、前ルネッサンス期のフィレンツェで活躍した著名人たちの事跡にも通じているだろうか？　そうは思えんのだよ、わたしには。たとえば、彼がカッポーニ文庫で、グイード・デ・カヴァルカンティの短信を手にとったとしよう。彼にはそれが識別できるだろうか？　そうは思えんのだな、わたしには。その点に関してお考えを聞かせてもらえるかね、フェル博士？」

リナルド・パッツィは広間を見まわした。警察のオフィスでフェル博士の写真をしかと頭に刻んでからまだ一時間もたっていないのだが、彼と覚しい顔はどこにも見当たらない。それも道理で、フェル博士はそのとき、他の委員たちと一緒に着席してはいなかったのだ。パッツィはまず彼の声を耳にし、次いで彼の姿を目にした。

フェル博士は広間の一隅にある〝ユーディットとホロフェルネス〟の大きなブロンズ像のかたわらに静かに立って、議長や委員たちに背を向けていたのである。彼はそのまま振り向きもせずに口をひらいたから、その声がどの人物から発せられたのか判然としなかった——そう、泥酔《でいすい》したホロフェルネス将軍を切り殺そうと永遠に剣を振りかざしているユーディットからか、あるいは彼女に髪をわしづかみにされたホロフェルネスからか、それともドナテッロ作のそのブロンズ像の横に微動もせずに立っている、ほっそりとした体軀《たいく》のフェル博士からか。彼の声はさながらレーザーのように人声とタバコの煙を切り裂き、言い争っていた男たちは沈黙した。
「かつて詩人カヴァルカンティは、『ラ・ヴィータ・ヌオーヴァ（新生）』におけるダンテの最初のソネットに対し、公開の席で感想を述べました。この『ラ・ヴィータ・ヌオーヴァ』の中で、ダンテはベアトリーチェ・ポルティナーリに関する不思議な夢のことを歌っているのですが」フェル博士は言った。「おそらく、ダンテの友人でもあったカヴァルカンティは、私的な感想をも寄せたことでしょう。彼がもし当時、カッポーニ家の人間にも書簡を送ったとしたら、その相手はアンドレアだったのではありますまいか。彼は他の兄弟たちよりずっと文学的感性に恵まれていたのですから」自分以外のどの人間にとっても落ち着かない間をしばし置いてから、フェル博士は悠然と委員たちのほうに向き直った。「あなたはダンテの最初のソネットをご存じか、ソリアート教授？　いかがかな？　それはカヴァルカンティを魅了してやまなかったのだが、あなたが読まれる価値も十分にあると思うね。その一部を紹介してみようか。

夜の最初の三時間はほとんどすぎた
星があまねくわれらに向かって瞬《またた》くときが
愛はあまりにも突然に顕現したから
わたしはまだその記憶に震えている

愛の歓喜がわたしに訪れたとき
それはわたしの心臓をその手と腕に握り
わが貴婦人はヴェイルに包まれて眠っていた
やがて愛の歓喜が彼女を目覚めさせると
彼女は震えながらも柔順にその手から燃える心臓を食べた
愛の歓喜がわたしから去りゆく様を、涙ながらにわたしは見送った

当時のイタリアの平俗な土地言葉、庶民の〝ヴルガリ・エロクェンツィア（俗語による雄弁）〟とダンテ自らが呼ぶものを、彼が自在に駆使しているのをお聞き逃しなきように。

Allegro mi sembrava Amor tenendo
Meo core in mano, e ne le braccia avea
Madonna involta in un drappo dormendo
Poi la svegliava, e d'esto core ardendo
Lei paventosa umilmente pascea
Appreso gir lo ne vedea piangendo」

いかに闘争的なフィレンツェ人士といえども、フェル博士の澄明《ちょうめい》なトスカーナ語で朗唱されるダンテの詩句がフレスコ画で彩られた壁に響きわたる様には、抗し得なかっただろう。まず拍手が湧《わ》き、次いでうるんだ目で放たれる賞賛の声が広間を満たした。フェル博士はカッポーニ宮の司書として認められたのだ。ソリアートは怒りに目をむいた。その勝利を博士自身喜んでいるのか否《いな》か、パッツィにはわからなかった。博士はまたしても聴衆に背を向けてしまったからである。だが、ソリアートはまだ諦《あきら》めなかった。

「なるほど、博士がそれほどのダンテの権威ならば、ぜひとも〝ストゥディオーロ〟を相手にダンテの講義をしてもらおうではないか」〝ストゥディオーロ〟という言葉を、さながら異端審問でもあるかのように、彼は歯のあいだから押しだした。「なるべく早く、彼らの前に立ってもらおう。できれば来週の金曜日にでも」

装飾を凝らした書斎にちなんで命名された〝ストゥディオーロ〟とは、峻厳《しゅんげん》をもって鳴る小人数の学者たちのグループで、しばしばヴェッキオ宮殿で例会を持っていた。彼らのために学者としての声望に泥を塗られた者は数知れない。彼らを相手の講演の準備をするのは並々ならぬ労苦であり、彼らの前に立つのは危険きわまりない行為と見なされていた。ソリアートの動議は即座に彼の叔父の支持を受け、ソリアートの義弟が投票を要求した。そして数分後には、ソリアートの妹が投票結果を記録していた。動議は成立した。フェル博士の司書任命は動かなかったものの、〃ストゥディオーロ〃の面々を満足させることが、司書の座を維持するための条件となったのである。

ともあれカッポーニ宮は新しい司書を正式に迎えることになった。二つの理事会は前任の司書にさしたる執着を持たず、彼の失踪に関して、昔日《せきじつ》の面影のないパッツィが向ける質問には、木で鼻をくくるような態度で応じた。それでもパッツィは、顔色ひとつ変えなかった。

優れた捜査官の常で、彼はすでに新たな状況を逆手にとっていたのだ。前任者の司書の失踪で利益を得る者はだれか？　姿を消した司書は独身で、およそ乱脈な暮らしとは無縁の、だれからも尊敬されている寡黙《かもく》な学者だった。貯《たくわ》えもあったが、決して多額ではなかった。彼の財産と言えば、仕事と、それに伴う、カッポーニ宮の屋根裏で暮らせる特権、くらいのものだっただろう。

そしていまここに、理事会によるフィレンツェ史と中世イタリア語に関する厳しい質問に合格して任命された新たな司書がいる。パッツィはすでに自分のオフィスで、フェル博士の提出した各種の申請書類と国民健康保険に関する宣誓供述書に目を通してきていた。

ブリーフケースに荷物をつめて帰り支度をしている理事たちを横目に、パッツィは博士に近寄っていった。

「フェル博士」

「何かね、コンメンダトーレ？」

コンメンダトーレとは、イタリア勲位のコンメンダの保有者のことである。

新任の司書は小柄で、ほっそりとした体つきをしていた。眼鏡のレンズは上半分だけ色が入っており、ダーク・スーツはイタリアの標準に照らしても見事に仕立てられていた。

「行方をくらました前任者とは、面識がおありなんですか、博士は？」練達の警官のアンテナは、ごく微妙な恐怖の波長をもとらえるべく研ぎすまされている。注意深くフェル博士の表情をさぐりながらも、パッツィは眉毛《まゆげ》ひとつ動かさなかった。

「いや、まったくないんだよ。『ヌオーヴァ・アントロジーア』誌に掲載された彼の論文は、いくつか読ませてもらったが」会話体における博士のトスカーナ語は詩を朗唱したときに劣らず明晰《めいせき》だった。ほんの微《かす》かな訛《なま》りも、パッツィには聞きとれなかった。

「最初に捜査を担当した警官たちがカッポーニ宮を調べて、なんらかの書き置きの類《たぐい》、別れの挨拶《あいさつ》とか遺書等が残されていないか捜しまわったんですがね。何も見つからなかった。もし何かの書類、どんな些細《ささい》なものでも結構です、何か個人的な書き置きの類が見つかったら、電話をいただけませんか？」

「ああ、よろしいとも、コンメンダトーレ・パッツィ」

「彼の私物はまだカッポーニ宮に？」

「ああ、二つのスーツケースに詰められてね。内容のリストと一緒に」

「じゃあ、部下を——いや、わたしが直接うかがってお預かりしましょう」

「その前に電話をいただけるかな、コンメンダトーレ？ あなたのこられる前に防犯システムのスイッチを切っておくから。そうすれば、時間の節約になるはずだ」

（この男の冷静なことはどうだ。ふつうなら、すこしは不安がってもよさそうなものなのに。訪ねる前に電話をよこせ、などとほざいている）。

先刻の理事会とのやりとりで、パッツィの気持はささくれだっていた。あのときは、どんな手も打てなかった。こんどは目前の男の傲岸《ごうがん》さに、彼は怒りを覚えていた。よし、やり返してやろう。

「一つ、立ち入った質問をしてよろしいですか、フェル博士？」

「職務柄必要なことならばね、コンメンダトーレ」

「あなたの左手の甲には、比較的新しい傷跡がありますね」

「そしてそちらは、新しい結婚指輪をはめているね。ラ・ヴィータ・ヌオーヴァ（新しい人生）に踏みだしたばかりだと見えるな」フェル博士は微笑した。彼の歯は小粒で、真っ白だった。一瞬パッツィは虚をつかれた。不快の色を浮かべようとする間もあらばこそ、フェル博士は傷のあるほうの手を掲げて、つづけた。「手根管圧迫症候群なのだよ、コンメンダトーレ。歴史学はなにかと危険の伴う職業でね」

「この地で働くにあたって、国民健康保険の申請書に手根管圧迫症候群のことを記載しなかったのはなぜです？」

「わたしはこう考えたのさ、コンメンダトーレ、傷病の記載が必要になるのは障害者手当を受けとるときに限るのだろう、と。わたしは手当を受けとっていないのでね。もちろん、わたしは障害者でもないし」

「とすると、その手術はあなたの出身国のブラジルで受けたことになる」

「ああ、このイタリアで受けたわけではない。わたしは何の手当も受けとってないんだよ、イタリア政府からは」これで完全な答えになったはずと信じているような口調で、フェル博士は言った。

その広間から出るのは、二人が最後だった。パッツィが先に戸口に達すると、背後からフェル博士が呼びかけた。

「コンメンダトーレ・パッツィ？」

振り向くと、フェル博士は高い窓を背に黒々とした影を刻んでいた。その窓越しには、はるか彼方《かなた》に聳《そび》えるドゥオーモの丸屋根が見える。

「なんでしょう？」

「あなたはパッツィ家のパッツィとお見受けするが、ちがうかね？」

「いや、そのとおりですが。どうしてわかりました？」一瞬、無礼きわまりない最近の新聞記事に言及する必要があるかなと思ったが、そうせずにすんだ。

「サンタ・クローチェ教会に隣接したご一族の礼拝堂内の壁には、デッラ・ロッビアの手になる、丸枠の彩色陶板がいくつも嵌《は》め込まれている。あの中の一つに描かれた人物が、あなたにそっくりだからさ」

「ああ、あれは施洗者ヨハネに擬せられた、祖先のアンドレア・デ・パッツィです」胸のつかえを溶かすように、かすかな満足感が湧くのを覚えつつ、パッツィは答えた。

会議室に佇《たた》ずむほっそりとした人影をその場に残してホールに出たとき、リナルド・パッツィの胸に深く刻まれたのは、フェル博士の並々ならぬ沈着さだった。

遠からずして、その印象はますます深まることになった。

20

猥褻《わいせつ》で俗悪なものに絶えずさらされた結果、大方の人間の神経が鈍麻してしまった現在、われわれの目にいまなお邪悪に映るものを確認しておくのは、無益なことではない。われわれの柔弱な意識のじめついた贅肉《ぜいにく》を激しく打って、いまも強い関心をかきたて得るものは何か？

フィレンツェにあって、それは〝残忍な拷問《ごうもん》用具〟展示会であり、リナルド・パッツィが二度目にフェル博士に遭遇したのもその会場でだった。

二十以上の古典的な拷問用具と念入りな説明文が売り物のこの展示会が催されたのは、いかめしいベルヴェデーレ要塞《ようさい》だった。フィレンツェの南の城壁を守るべく、メディチ家が十六世紀に築造した要塞である。開催と同時に、会場には予想を上まわる多数の観客が押し寄せた。人々のズボンの中で、興奮は鱒《ます》のように跳ねあがった。

当初予定された開催期間は一か月だったが、〝残忍な拷問用具〟の人気はウッフィーツィ美術館と並び、ピッティ宮殿美術館を凌駕《りょうが》して、結局六か月もの長期開催となったのだった。

主催者は剥製師《はくせいし》あがりの二人の男で、かつては自分たちが剥製にした動物の肉を食らって糊口《ここう》をしのいでいたのが、この成功でたちまち大金持ちになり、新調のタキシードを着てヨーロッパ中凱旋《がいせん》興行を行なっていた。

客の大半はカップルで、ヨーロッパ各地から集まってきていた。彼らは延長時間を利用して苦悶《くもん》の道具のあいだを歩きまわり、各装置の由来とその使用法を、四つの国語のいずれかで注意深く読むのだった。それぞれの用具が使用された時代の日記類に加えて、デューラーをはじめとする画家たちの絵も展示されており、観客は〝車裂きの利点〟といった事柄に関する知識をいっそう深めることができた。

英語版のある説明文には、こう書かれていた。


イタリアの君主たちは、図示したように石材を犠牲者の下に敷き、その上から鉄の車輪で轢《ひ》くことによって、彼らを地上で痛めつけることを好んだ。それに対し北ヨーロッパで人気があったのは、犠牲者を車輪そのものにくくりつける方法だった。男女いずれかの犠牲者をくくりつけたら、鉄棒で痛めつけ、スポークを通して手足を車輪の外縁部にまきつかせる。すでに複雑骨折を起こしている手足はぐにゃっとしているから、作業に支障はない。その間、頭と胴体は車輪の中央部にあって無残な音を発しつづける。この方法は見せ物としてより満足のいくものだったが、一片の骨髄が心臓を直撃した場合、気晴らしは短時間で終ってしまっただろう。

〝残忍な拷問用具〟展は、人間の最低の属性を愛好する者たちを魅《ひ》きつけてやまなかった。とはいえ、最低の属性の精髄、人間の魂の恥垢《ちこう》を象徴しているのは、〝鉄の処女《み》〟や磨かれた刃《やいば》ではない。〝根源的な醜悪さ〟は、拷問用具に見とれる観客の顔にこそ見出《いだ》されよう。

この仄暗《ほのぐら》い石造りの大広間で、ひときわ明るい照明を浴びた〝呪《のろ》われし者の吊《つ》り籠《かご》〟の下に、チーズにも比すべき多様な味わいを持つ人間の表情の愛好者、フェル博士が立っていた。傷跡のある手に眼鏡を持ち、その耳蔓《みみづる》を唇に押し当てて、彼は列をなして通りすぎる人々を恍惚《こうこつ》と見守っていた。

リナルド・パッツィが彼の姿に気づいたのも、その広間でだった。

パッツィはその日二度目の雑用をこなそうとしていた。愛妻との夕食もそっちのけに、自分の捕えそこなった〝フィレンツェの怪物〟の恐怖を恋人たちに訴える新しい警告ポスターを貼《は》ろうと、観客の群れを押し分けていたのである。彼のオフィスのデスクぎわの壁には、世界中から寄せられたお尋ね者のポスターと並んで、そのポスターがいちばん目立つように貼ってある。そこに貼るのを指示したのは、彼の新しい上司たちだった。

切符売り場を共に見張っていた二人の剥製師は、現代的な恐怖の一端を彼らの見せ物に加えることには賛成したものの、ポスターはパッツィ自身が貼ってくれるように頼んだ。二人のいずれもが、入場料のつまった箱のそばに相棒を残してその場を離れるのが心配だったからだ。何人かの地元の人間がパッツィに気づいて、正体を知られる心配のない客の群れのあいだから、シッという非難の声を放った。

一つの目がじっとこちらを凝視している青いポスター。その四隅にピンを押し込んで、どこより人目に立つ出口脇《わき》の掲示板に貼りつけると、パッツィはその上のライトをつけた。外に出ていくカップルを見ていると、発情せんばかりに興奮している連中が多いのがわかる。彼らは出口の人込みの中で、互いに体をこすりつけ合っていた。あの死体の有様を、パッツィはもう二度と見たくなかった。血と花にまみれた死体を見るのは、もうたくさんだ。

が、フェル博士とはぜひとも話し合いたかった——ここはカッポーニ宮にも近いのだから、失踪《しっそう》した前司書の私物を預かるには好都合だったのである。ところが、掲示板から振り返ると、博士の姿は忽然《こつぜん》と消えていた。出口の人込みの中にも見当たらない。博士が立っていたところには、ただ虚《うつ》ろな石壁が見えるだけだった。その上部の天井からは餓死用の檻《おり》が吊り下がっており、中では胎児の姿勢をとった骸《むくろ》が、何か食べさせてくれ、といまも懇願していた。

パッツィは困惑した。人込みを押し分けて外に出ても、やはり博士は見当たらなかった。

出口の警備員はパッツィと顔見知りだったから、彼がロープをまたいだときにも文句を言わなかった。パッツィは小道を進んで、ベルヴェデーレ要塞の暗い中庭に出た。胸壁に歩み寄って、北の方《かた》、アルノ川の彼方に目を走らせると、そこには古都フィレンツェがひっそりと横たわっていた。華やかな照明を浴びてそそり立っているのは、大きな瘤《こぶ》のようなドゥオーモとヴェッキオ宮殿の鐘楼。

それを眺めているパッツィは、屈辱的な状況に追いこまれて苦悶している、心朽ちた男だった。愛する街までが、いまは彼を嘲笑《ちようしよう》していた。

当方のプロファイリングで絞り込まれた〝イル・モストロ〟像は、パッツィの捕らえた男とは似ても似つかない——そうマスコミに発表することで、アメリカのFBIは、すでにパッツィの背中に突き刺さっていたナイフの柄に、最後のひねりを加えたのである。地元イタリアの『ラ・ナツィオーネ』紙も、パッツィは〝無実のトッカを投獄〟したのだ、と報道していた。

振り返れば、パッツィが青い〝イル・モストロ〟の警告ポスターを最後に貼ったのは、あの得意絶頂の時期にアメリカを訪れたときだった。FBIの行動科学課の壁に貼ったそれは、誇らしいトロフィーだった。FBI捜査官たちの要請に応じて、彼はそのポスターにサインまでしたのだから。ＦＢＩの捜査官たちは彼のことを熟知しており、彼を讃《たた》えて招待してくれたのだ。彼は新妻と共に、賓客としてメリーランドの浜辺の砂を踏んだのだった。

いま、暗い城壁の前に立って古都を眺めていると、あのチェサピーク湾の塩気を孕《はら》んだ大気の香りがよみがえってくる。真新しい白いスニーカーをはいて浜辺を歩いていた妻の姿も、脳裡《のうり》に浮かんだ。

クワンティコの行動科学課にはフィレンツェを描いた絵があって、それを彼は稀有《けう》な珍品として見せられたことがあった。それはいま眼下に広がっているのと同じ眺め、絶景と言ってもいい、ベルヴェデーレ要塞から見た古都フィレンツェの眺めだった。が、それは彩色された絵ではなく、炭で陰翳《いんえい》をつけた鉛筆画で、ある写真に写っていた。ある写真の背景に写っていた。そして、その写真の主こそはアメリカの連続殺人犯、ハンニバル・レクター博士だったのである。〝人食いハンニバル〟ことレクター博士。鉛筆で再現されたフィレンツェの絵は彼が記憶に基づいて描いたものであり、それはこの要塞に劣らず陰うつな場所、精神病院の独房の壁にかかっていたのだ。

そのときパッツィの脳中に凝縮しかけていた着想は、どの瞬間に浮かんだのか？　二つの映像がそれにからんでいた。眼下に横たわる現実のフィレンツェの眺めと、記憶によみがえったあの絵。つい数分前に貼りつけた〝イル・モストロ〟の警告ポスターと、記憶に自分のオフィスの壁に貼ってある、メイスン・ヴァージャーの流したハンニバル・レクターに関するポスター。そこには巨額の懸賞金と、次のような注意書きが記されていた。

レクター博士は左手を人目から隠さなければならず、手術によってその手の形状を変えようと試みるかもしれない。完璧《かんぺき》な六本目の指を持つ彼のようなタイプの多指症は稀有で、すぐそれと見抜かれるからだ。

傷跡のある手で、眼鏡を唇に押し当てていたフェル博士。

ハンニバル・レクターの独房の壁に貼ってあった、眼下の眺めの詳細なスケッチ。

着想は眼下のフィレンツェを目前にして浮かんだのか、それとも灯火を押し包もうとする夕闇《ゆうやみ》の中から生じたのか？　チェサピーク湾に吹く風の孕む塩の香がそのきっかけとなったのは、なぜだろう？

視覚に秀《ひい》でた男にしては珍しく、洞察は音と共に、そう、深まりゆく水たまりに落下する水滴の音を伴って訪れた。

ハンニバル・レクターはフィレンツェに逃亡していたのだ。

ぽたん。

フェル博士こそ、ハンニバル・レクターだ。

苦衷の檻の中で自分は気がふれたのかもしれない、と内なる声は告げた。餓死用の檻の骸のように、自分は狂乱のあまり鉄の棒に嚙《か》みついて歯を折っているのかもしれない。

どこをどう歩いたのかわからぬまま、気がつくとパッツィはベルヴェデーレ要塞のルネッサンス門に達していた。その門は、コスタ・ディ・サン・ジョルジョという、急坂《きゆうはん》の小道に通じている。曲がりくねったその小道を下っていけば、半マイルも進まないうちにアルノ川の対岸に横たわる古都フィレンツェの心臓部に達するはずだった。それと知らぬ間に、彼の両足は急坂を勝手に下っていった。思いもかけないスピードで下りながら、彼の目はフェル博士と名のる男の姿を終始追い求めていた。なぜなら、それはフェル博士の住む館《やかた》に通じる道だったからだ——途中まで降りたところでパッツィはコスタ・スカルプッチャ通りに折れ、なおも下っていくうちにアルノ川に近いバルディ通りに出た。フェル博士の住むカッポーニ宮は指呼の間《かん》だった。

荒い息遣いと共に、パッツィは街灯の光の及ばない場所を見つけた。カッポーニ宮の向い側の古いアパートメントの入口。そこなら、だれかに怪しまれても、すぐ背中を向けて呼び鈴を押すふりをすればいい。

カッポーニ宮は暗く静まり返っていた。大きな両開きの扉の上に、監視カメラの赤い光が見える。あれは四六時中作動しているのだろうか、それとも訪問客があった場合にのみ作動するのだろうか。わからない。ともかく、かなり奥まった入口の上にあるのはたしかだ。通りに沿った壁際《かべぎわ》まではレンズにとらえられないだろう。

自分の吐息に耳を傾けつつ三十分ほど待ったが、博士は出てこない。たぶん、明りを消したまま中にいるのだ。

路上に人影はない。素早く道を渡って、カッポーニ宮の壁際に身を寄せた。

幽《かす》かに、幽かに、低い調べが中から洩《も》れていた。冷たい窓の鉄桟に頭を寄せて、耳をすました。ハープシコードの音だ。バッハの〝ゴルトベルク変奏曲〟を巧みに弾いていた。

早まらずに、どこかに隠れて考えよう、とパッツィは思った。獲物を狩り立てるにはまだ早すぎる。まず、これからの方針を決めなければ。また馬鹿《ばか》を見るのは真っ平だ。

静かにあとずさったパッツィは道路を渡って闇にまぎれ、最後まで白く照らされていた鼻もすっと黒い影に吸い込まれた。

21

キリスト教の殉教者、聖ミニアートは、ローマ帝国統治下のフィレンツェの闘技場の砂から、われとわが切断された首を拾いあげ、それを小脇にアルノ川を渡って、彼がいま祀《まつ》られている壮麗な教会のある山麓《さんろく》まで運んでいった――そう伝承は説いている。そのとき直立していたかどうかはともかく、聖ミニアートの肉体がこの古い道、バルディ通りを通っていったことは間違いない。夕闇はひときわ濃く、路上に人影はない。扇模様の石畳の道は冬の小雨に光っているが、寒気は猫の匂《にお》いを拭《ぬぐ》い去るほど厳しくはない。周囲に建ち並ぶ館は六百年ほど前に、それぞれルネッサンス期のフィレンツェを支配した大商人、政界の実力者、陰謀家らによって建てられた。アルノ川の対岸のほど近くには、修道士サヴォナローラが絞首《こうしゅ》されて焼かれた、酷薄な尖塔《せんとう》のそそり立つシニョリーア広場と、磔《はりつけ》にされたキリスト像を多数擁する広大な薫製場《くんせいじょう》とも言うべきウッフィーツィ美術館とがある。

この古い道の両側に、近代イタリアの官僚主義の生贄《いけにえ》にされたごとく、肩を寄せ合っ一たまま凍りついている館の群れは、その外見こそどれも牢獄《ろうごく》のように見えるものの、一歩中に入れば、見たことのないような優雅で広々とした広間や、天井の高い静謐《せいひつ》なホールが連なっている。雨がしみて朽ちかけたドレープに囲まれた暗い広間には、偉大なルネッサンス期の名匠たちの二流の作品が長年掲げられていたが、そのドレープもとうとう朽ち落ちたいま、どの作品も明るい照明に照らされている。

そしてあなたのかたわらには、千年つづいた名家、かつてフランス王の最後通牒《つうちょう》をその面前で破り捨てて一人の法王を誕生させた名家、あのカッポーニ家の本拠がある。カッポーニ宮の窓はいま、鉄栈の陰で暗く闇に沈んでいる。かつて篝《かが》り火を燃やしたトーチ・リングも、いまは空だ。毛筋のようなひびの入った古びた窓ガラスには、一九四〇年代のものと思われる弾痕《だんこん》があいている。もうすこし近づいてみよう。あの警官、パッツィがしたように、冷たい鉄栈に頭をつけて耳を傾けるといい。ハープシコードの響きが幽かに聞こえるはずだ。バッハの〝ゴルトベルク変奏曲〟。完璧ではないが絶妙な演奏には、この曲の真髄への理解が滲《にじ》みでている。絶妙ながら、完璧とは言い得ない演奏。左手の微《かす》かなこわばりが、そこには影を落しているのだろうか。

危害を加えられる恐れなしと信じられたら、中に入って見る気はあるだろうか？　血と栄光で名高いこの館に入り、蜘蛛《くも》の巣の張った闇を通り抜け、ハープシコードの甘美な調べが漂いくる方《かた》に近づいてみる気はあるだろうか？　警報装置に気づかれる心配はない。雨に濡《ぬ》れて戸口にひそむ、あの刑事に見られる気遣いもない。さあ、いざこちらに……。

玄関の間に入ると、闇はほぼ完全に近い。そこには長い石の階段がある。手をすべらせてさぐる手すりは冷たく、数百年間踏みつけられて磨《す》り減った階段もまた平坦《へいたん》さを欠く。そこをいま一度踏みしめて、楽《がく》の音《ね》の聞こえる方へのぼっていこう。

もし無理やりにこじあければ、大広間の高い両開きの扉はきしみ音をあげるだろう。が、いまはそれもひらいている。音楽はその奥、一段と奥のほうから聞こえてくる。そしてそこからは唯一《ゆいいつ》の光、大広間の隅なる礼拝堂の小さな扉からこぼれる、数多《あまた》のロウソクの赤味を帯びた光が洩れでている。

妙《たえ》なる調べの方に近づいていこう。垂れ布に覆《おお》われた大きな家具の群れが背後に流れていくのに、ぼんやりと気づくはず。漠然たるその形は、ロウソクの光に揺らめいて、眠れる動物の群れのように微かにうごめいている。頭上では大広間の天井が闇に消えている。

装飾を凝らしたハープシコードと、ルネッサンス学者のあいだでフェル博士として知られる男の背を、赤い光が照らしだしている。背筋を伸ばし、優雅に身を傾けて、博士は演奏に没頭している。その髪と、毛皮のような艶《つや》を持つキルティングの絹の部屋着の背に、光が照り映えている。

立てられたハープシコードの蓋《ふた》に、精緻《せいち》に彫り込まれているのは宴《うたげ》の光景だ。弦を照らすロウソクの光に、小さな男女の像が無数に浮かびあがっているように見える。彼は瞑目《めいもく》したまま鍵盤《けんばん》を叩《たた》く。楽譜は見ないですむ。目の前の、竪琴《たてごと》の形をした楽譜台には、アメリカの俗悪なタブロイド紙、『ナショナル・タトラー』がのっている。それは巧みに折られて、一面に掲載された顔写真、クラリス・スターリングの顔写真のみが大きく正面を向いている。

われらが楽人は微笑を浮かべて曲をひき終り、サラバンドの舞曲をおのれのみの愉《たの》しみのためにひき直す。最後に羽軸の爪で弾《はじ》かれた弦が震えて大広間に静寂がよみがえると、彼は目をひらき、両の瞳《ひとみ》の中央に赤い点のような光が宿る。彼は頭を傾けて、目の前の新聞に目を注ぐ。それから音もなく立ちあがると、アメリカ発見以前に築かれた、小さな、装飾を凝らした礼拝堂にそのタブロイド紙を持って入っていく。ロウソクの光に新聞をかざしてひらくと、祭壇の上の聖人像が、彼の肩越しに紙面を覗《のぞ》き込んでいるかのようだ——あたかも食料品店で行列に並ぶとき背後の人間がするように。見出しの活字は七十二ポイントのゴチックだった——〝死の天使。ＦＢＩの殺人機械、クラリス・スターリング〟。

彼がロウソクを吹き消すと共に、祭壇に置かれた像の、苦悶《くもん》と至福を塗り込まれた顔もまたしだいに消えてゆく。大広間を横切るのに、彼は明りを必要としない。微かな空気の揺らぎと共に、ハンニバル・レクター博士はわれわれのかたわらを通りすぎてゆく。大扉がきしみ、どすんという音を床に響かせて閉まり切る。静寂。

足音が別の部屋に移ってゆく。この部屋における音の共鳴から、四囲の壁はより近く、天井は依然高く感じられ――鋭い音は上方から遅れて谺《こだま》してくる――淀《よど》んだ空気にはベラム（文字を書くために処理された子牛や子羊の皮）と、羊皮紙と、消されたロウソクの芯《しん》の匂いが漂っている。

闇の中で紙がこすれる音が響き、椅子《いす》が床に引かれてきしみ音をたてる。名高いカッポーニ文庫の大きな安楽椅子に、レクター博士はすわっている。その目は赤い光を反射しているが、かつて彼を見張った看守たちの証言とは異なり、闇の中で自ら赤い光を放ちはしない。そこは真の暗闇だ。そして彼は思いに沈んでいる……。

前任の司書を始末することで――それにはあの老人に対するわずか数秒間の手作業と、セメント二袋分の出費というごく単純な手間しか要しなかったのだが――レクター博士がカッポーニ宮に空席を生みだしたのはたしかである。だが、そうして道がひらけてからは、あくまでも公正な手段によって彼は現在の地位を確保したのだった。博士はあの〝ベッレ・アルティ委員会〟の面々の前で、ゴシック期の難解きわまる黒文字の文書に記された中世イタリア語とラテン語を辞書も引かずに翻訳し、その類稀《たぐいまれ》な言語能力を証明してみせたのだから。

この地で見出《みいだ》した心の安息を、できれば長く保っていきたいと彼は願っている――このフィレンツェに定住して以来、あの前任者を除けば、博士はだれ一人殺してはいないのだ。

このカッポーニ文庫の翻訳官兼司書として働けることは、彼にとってはかけがえのない特権と言っていいだろう。理由は一つにとどまらない。

まず、この館の各室の広さと天井の高さは、多年狭い独房に閉じ込められた博士にとっては重要な意義を持っている。もっと肝心なのは、彼がこの場所と共鳴し合えるという点だった。そこは、彼が青年時代から脳中に蔵している〝記憶の宮殿〟に、その大きさと細部、両面において比肩《ひけん》し得る唯一の私的な建物なのだ。

十三世紀初頭にまでさかのぼる文書と書簡を集めたこの稀有《けう》な図書室にいると、彼は自分自身の身上に関する好奇心を心ゆくまで満たすことができるのである。

一家に伝わる断片的な記録から、自分の祖先は十二世紀にトスカーナに住んでいたジュリアーノ・ベヴィサングエという怪異な人物、それにマキャヴェッリ家とヴィスコンティ家の血が入っている、とレクター博士は信じている。そのあたりを調べるのに、ここは願ってもない場所なのだ。この問題について、彼はある種の抽象的な好奇心を持ってこそいれ、自分のエゴの充足を願う気持はいささかも働いていない。レクター博士は、その種の世俗的な自我発揚手段を必要とはしない。その知性の容量、理性の深さと同じく、彼のエゴは常識的な手段では計り得ないのだから。

実際、レクター博士を人間と見なすべきか否《いな》かという点に関して、現在の精神医学界には一致した見解はない。彼は長いあいだ精神分析学の学者仲間から——その多くは専門誌上における博士の痛烈な舌鋒《ぜっぽう》を恐れているのだが——〝人間とはまったく異なる存在〟と見なされてきた。便宜上、彼らは博士を〝怪物〟と名づけている。

怪物はいま、闇に包まれた図書室にすわって、頭の中で闇を彩色している。その脳中には中世の空気が流れている。彼がいま考えているのは、あのパッツィという警官のことだった。

カチッとスイッチが入って、低いランプが点灯される。

われわれの目にはいま、十六世紀に造られた細長いテーブルを前にしたレクター博士の姿が浮かびあがる。背後の壁を埋めているのは、細かく分類された文書と、八百年前までさかのぼる、粗布で装丁された大判の帳簿類だ。ヴェネツィア共和国の大臣との十四世紀の通信書簡が、彼の前には積み重ねられている。その上には、ミケランジェロが〝角を生やしたモーゼ像〟のための習作として製作した小さなブロンズ像が、文鎮代わりに置かれている。そしてインクスタンドの前には、ミラノ大学とオン・ラインで結ばれた検索能力を持つラップトップ・パソコンが。

テーブルに置かれているものはまだあった。羊皮紙やベラムの黄色と灰褐色の束にまじった鮮烈な赤と青は、『ナショナル・タトラー』紙だ。その横にはイタリアの『ラ・ナツィオーネ』紙のフィレンツェ版も置かれている。

レクター博士はイタリアの新聞を選んで、リナルド・パッツィに対する最新の攻撃に目を走らせた。その攻撃を促したのは、〝イル・モストロ事件〟に関するFBIの否定的な見解だった。〝われわれの行なったプロファイリングは、トッカ容疑者とは一致しない〟とFBIのスポークスマンは述べたのである。

『ラ・ナツィオーネ』紙は、アメリカのクワンティコにある有名なFBIアカデミーで訓練を受けたパッツィの経歴に触れた上で、彼がそんなミスを犯したのは不可解だ、と非難していた。

〝イル・モストロ事件〟に対して、レクター博士はいささかも関心を抱いていない。が、パッツィの過去には興味があった。自分が格好の教材扱いされているあのクワンティコで訓練を受けた警官に出会うとは、なんと不吉なことではないか。

ヴェッキオ宮殿でリナルド・パッツィの顔を覗き込み、彼の体臭が嗅《か》げるくらい間近に立っていたときは、たとえこちらの手の傷のことを訊《き》かれたにせよ、この男は何も疑ぐっていない、と思った。前任の司書の失踪《しっそう》事件に関しても、こちらには特に関心を抱いていないように見えた。

ところがあの男には、あの拷問《ごうもん》用具の展示会でまた姿を見られてしまった。どうせなら、蘭《らん》の展示会等で見られたほうがまだマシだっただろう。

おそらく、いま、あの男の脳中にはあらゆる啓示の要素が目覚めていて、彼の知る百万もの他の要素とぶつかり合っているのではなかろうか。

あのリナルド・パッツィにも、いっそ、ここの前司書と同じ運命をたどらせてやろうか？　明白な自殺体として、彼の死体が発見されるようにお膳立《ぜんだ》てしてやろうか？　その場合、『ラ・ナツィオーネ』紙は、そこまで彼を追い込んだことに快哉《かいさい》を叫ぶだろう。が、いまはまずい、と怪物は思った。ベラムと羊皮紙の大きな巻き物のほうを彼は向いた。

何事であれ、レクター博士が気に病むことはない。十五世紀の銀行家にしてヴェネツィア派遣使節ネリ・カッポーニの文体に接するのが、彼には大いなる喜びだった。自分自身の愉しみのために、ときには声に出して、レクター博士は夜の更《ふ》けるまで古《いにしえ》の銀行家の書簡に読み耽《ふけ》った。

22

夜も明けないうちに、パッツィはフェル博士の労働許可申請に際して提出された写真を手中にしていた。それは憲兵隊のファイルにあったもので、ペルメッソ・ディ・ソッジョルノ（居留許可証）のために提出されたネガ・フィルムも添えられていた。比較検討のために、メイスン・ヴァージャーが手配したポスターから複製した鮮明な顔写真も、彼の手にはあった。両者の顔の形は酷似していたが、フェル博士が間違いなくハンニバル・レクター博士だとすると、鼻と頰になんらかの手術を受けたものと思われた。おそらく、コラーゲンを注入したのだろう。

耳の形もそっくりだった。百年前の犯罪学者アルフォンス・バーティヨンよろしく、パッツィは拡大鏡で両者の耳の形を穴のあくほど見つめた。どう見ても、同一の耳としか思えなかった。

彼は次いで、フィレンツェ警察の旧式のパソコンに向かった。インターポルのアクセス・コードをＦＢＩのＶＩＣＡＰに打ち込んで、大部なレクター・ファイルを呼びだす。

伝送速度ののろさを呪《のろ》いながら、不鮮明な文章をディスプレイから読みとっているうちに、目がチカチカして文字が躍りあがってきた。それでも、レクター博士の起こした事件の大要はつかむことができた。思わず息を呑《の》んだ事柄が二つあった。一つは古く、一つは新しい情報。ごく最近入手されたレントゲン写真によると、レクターはおそらく手の手術を受けている、というのだ。古いほうの件は、テネシー警察の謄写版《とうしゃばん》印刷の報告書を一読してわかった。ハンニバル・レクターはメンフィスで看守たちを殺した際、終始〝ゴルトベルク変奏曲〟のテープを流していたという。

アメリカ人の犠牲者の一人、富豪のメイスン・ヴァージャーが配布したポスターは、情報提供者に対して、まずは付記されているＦＢＩの電話番号に連絡するよう定石通りに促していた。レクター博士が武器を携帯した危険な人物である、という型通りの警告ものっていた。そしてそこには――巨額の懸賞金に触れた文章のすぐ下に――プライヴェートな電話番号も記されていた。

フィレンツェからパリへの航空運賃は馬鹿馬鹿《ばかばか》しいほど高くつく。が、パッツィは自分のポケットマネーからそれを支払うほかなかった。フランス警察に盗聴防止電話の取次ぎを頼んでも、フランスの刑事たち自身が割り込んでくるにきまっている。それは避けようがあるまい。結局彼は、オペラ座の近くのアメリカン・エクスプレスの電話ボックスから、メイスンのポスターにのっていたプライヴェートな番号に電話をかけた。この電話が逆探知されることは覚悟の上だった。パッツィはそこそこ英語を話せるのだが、たぶん独特の訛《なま》りからイタリア人であることがバレてしまうにちがいない。

応じた声は男性、アメリカ人で、冷静そのものだった。

「ご用件をおっしゃっていただけますか？」

「実は、ハンニバル・レクターに関する情報をつかんでいるんだ」

「なるほど。それは、わざわざお電話いただいて恐縮です。で、現在の彼の居場所をご存じでいらっしゃる？」

「そう信じてるんだがね。懸賞金はもらえるんだろうか？」

「ええ、もちろん。で、その人物が彼に相違ないという確たる証拠はお持ちですか？とにかく、いい加減な電話が頻々とかかってきますので」

「彼は顔の整形手術を受けた形跡があるし、左手にも手術の跡がある。それでも、まだ〝ゴルトベルク変奏曲〟をひけるようだがね。それと、ブラジルで発行された各種の書類を持っている」

沈黙。ややあって、「では、警察に通報されたらいかがです？　そうするようお勧めするのがわたしの任務でして」

「懸賞金は、どんな場合にもいただけるのかい？」

「逮捕と断罪に結びつく情報にのみ、懸賞金は支払われます」

「懸賞金はその……特殊な状況下にある人間にも支払われるのだろうか？」

「レクター博士に関する懸賞金ですね？　つまり、通例懸賞金を受けとる資格のない人間にも支払われるのか、とおっしゃる？」

「ああ」

「われわれは同一の目標を追及しているようですな。どうぞこのまま電話をお切りにならないように。お役に立つヒントをさしあげますから。ある人物の殺害を促す懸賞金を提供することは、国際法とアメリカ合衆国の法律によって禁じられております。どうぞ、そのまま電話をお切りにならないように。ひょっとして、この電話はヨーロッパからおかけですか？」

「ああ、いまはそれしか言えないがね」

「けっこう。では最後までお聞きください——まずは専門の弁護士と接触し、懸賞金の合法性についてご相談になることをお勧めします。レクター博士に対して直接不法行為を働くことは厳に慎んでください。わたしどものほうで弁護士を推薦いたしましょうか？　実はジュネーヴに、この種の問題に精通した弁護士が一人おります。その弁護士のフリー・ダイアルの電話番号をお教えいたしましょうか？　ぜひとも彼に電話して、率直にご相談になることをお勧めします」

パッツィはテレフォン・カードを買って、オ・ボン・マルシェ・デパートのボックスから次の電話をかけた。それに応じたのは、事務的な口調のスイス人の声だった。話し合いは五分もかからずに終った。

ハンニバル・レクターの頭部と両手に対して、メイスンは百万ドル支払うという。彼の逮捕につながる情報に対しても、やはり百万ドル。博士を生け捕りにした場合には、内密に三百万ドル。その場合は、いかなる状況説明も求めず、秘密は厳守される。いずれの場合も十万ドルの前金を支払うが、それを受けとるためにはレクター博士のものとはっきり認定できる指紋、ある物体に判然と残された指紋をパッツィは提出しなければならない。それを提出し得たら、残りの現金は彼の指定するスイスの銀行の貸金庫室に、第三者預託の形で預けられる。

オ・ボン・マルシェ・デパートから空港に向かう前に、パッツィは妻への土産に、桃色の絹のモアレのネグリジェを買い求めた。

23

世俗的な名誉など屑《くず》も同然と悟ったとき、人はいかに振る舞えばいいのか？　そう、後世の人間の評価など当代の人間のそれにしかずと、マルクス・アウレリウス同様に信じるに至ったときには？　そのときも善行を心がけることは可能だろうか？　そのときも善行を心がけることが望ましいのか？

リナルド・パッツィ、パッツィ家のパッツィ、フィレンツェ警察の主任捜査官は、とうとう断を下すべき時を迎えた。そもそも自分の名誉にはいかなる価値があるのか。名誉の斟酌《しんしゃく》よりも長命を保つ叡知《えいち》は果たして存在するのか。

夕食の時間までにパリからもどった彼は、すこし睡眠をとった。妻の考えも訊いてみたかったが、さすがにそれはできず、ただ妻の肉体に慰めを求めた。そのあと、妻の呼吸が平静にもどってからも、彼は長いあいだ寝つかれなかった。深夜に至って、彼はとうとう眠るのを諦《あきら》め、歩きながら考えてみようと散策に出たのだった。

〈強欲〉は、イタリアにも存在しなくはない。リナルド・パッツィはフィレンツェの空気と共にそれをたっぷりと吸い込んでいた。が、彼生来の物欲と野望が格段の刺激を受けたのは、アメリカ滞在中のことだった。エホヴァの死と、〈強欲〉の象徴たるマモン神の勢威を含めて、アメリカではあらゆる影響がどの地よりも早く人に及ぶのだ。

ロッジャの暗がりから出て、サヴォナローラが火刑に処せられたシニョリーア広場の一点に立ち、夜目にも明るいヴェッキオ宮殿の、かつて祖先の悶死《もんし》した窓を見あげたとき、いま自分は熟慮を重ねているのだ、とパッツィは思った。が、そうではなかった。彼の心中ではすでにして決意が固まっていたのだから。

人は決意の一瞬を心に刻み、そこに至るプロセスを、合理的で意識的な思考の、時宜を得た結果として美化する。だが、実のところ、決意はさまざまな感情をこねくりまわした結果生じるのである。それは思考の総和であるよりは、むしろ感情の塊に近い。

パッツィの決意が固まったのは、パリ行きの飛行機に乗ったときだった。それがさらに強固になったのは、一時間前、新しいネグリジェに身を包んだ妻がごくお義理に彼の求めに応じたときだった。そして数分後、暗闇《くらやみ》に横たわった彼が妻の頬に手を重ねて、優しくおやすみのキスをしたとき、彼は掌《てのひら》の下に涙を感じた。そのとき、それと知らずに、彼は心臓を妻に嚙《か》まれたのだ。

もう一度名誉をかちえてどうなる？　あの大司教の口臭をいま一度我慢してまで、聖なる火打ち石が布製の鳩《はと》の尻《しり》のロケットにくくりつけられる様をドゥオーモで見たいのか？　その私生活をこっちが知りすぎている政治家どもから、その場限りの賛辞をいまひとたび浴びたいというのか？　ハンニバル・レクター博士を捕らえた警官として高名になったところで、それが何だ？　警官の名誉など、あっさりと吹き飛んでしまう。ならばいっそ、**やつを売った**ほうがいいではないか。

その思いはパッツィの胸を貫き、全身を震わせた。彼は蒼白《そうはく》な顔で、決意を再確認した。視覚に秀《ひい》でたパッツィが賽《さい》を投げたとき、その脳中では、妻とチェサピーク海岸、その二つの香りが混じり合っていた。

やつを売れ。やつを売れ。やつを売れ。やつを売ってしまえ。売ってしまえ。

かつてフランチェスコ・デ・パッツィが一四七八年にドゥオーモでジュリアーノ・デ・メディチを追いつめたとき、その剣はさほど深く相手の体に沈まなかった。動転のあまり、彼は自分の太腿《ふともも》をも刺し貫ぬいてしまったのだ。

24

ハンニバル・レクター博士の指紋カードはいまや骨董品《こっとうひん》的存在であり、ある種のカルト崇拝の対象物でもある。そのオリジナルは額に入れられて、FBIの鑑識課の壁を飾っている。指が六本以上ある人間の指紋採取をする際のFBIの慣習に則《のっと》って、カードの表には親指とそれに並ぶ四本の指の指紋がのっており、六本目の指の指紋はカードの裏にのっていた。

博士が最初に逃亡したとき、その指紋カードのコピーは世界中に流された。メイスン・ヴァージャーの手配したポスターには博士の親指の指紋の拡大写真がのっており、どんな未熟な人間にも照合できるよう詳細な説明が付されていた。

単純な指紋の採取は、さほどの熟練を要しない。指紋採取にかけて、パッツィは職人並みの腕を持っているから、おおざっぱな照合をすることで自分なりの確信を持てるはずだった。ところが、メイスン・ヴァージャーは自分の抱える専門家が独自に鑑定できるように、新しい指紋が付着したままの証拠品の提出を求めていた。メイスンは数年前、レクター博士の初期の犯罪現場から採取された古い指紋に騙《だま》されたことがあるのだ。といって、フェル博士に気づかれずにその指紋を採取するにはどうすればいいのか？　博士を警戒させることだけは、なんとしてでも避けなければならない。あの男は姿をくらます名人だ。いまあの男に逃げられたら、パッツィの手元には何も残りはしない。

博士はめったにカッポーニ宮から外出しないし、〝ベッレ・アルティ委員会〟の次の例会まではあと一か月もある。博士の席にコップを置きたいのだが、それまで待つのは長すぎる。あの委員会では日頃、委員たちの喉《のど》を潤《うる》おわせるような気配りはしないから、博士の席にコップを置くとしたら、全員の席に置かなくてはなるまい。

ひとたびハンニバル・レクターをメイスン・ヴァージャーに売る肚《はら》を固めると、パッツィは独力で動かなければならなかった。カッポーニ宮の家宅捜索の令状をとったりして、警察上層部の関心をフェル博士に向けるわけにはいかない。それに、あの建物は警報装置を完備しているため、ひそかに侵入して指紋を採取するのも不可能だった。

フェル博士の使っている屑缶は、周囲の住民たちの物よりずっと新しく清潔だった。パッツィは新しい屑缶を買い込んで、真夜中に、その缶の蓋《ふた》をカッポーニ宮の缶のそれとすり替えた。が、亜鉛メッキされた蓋の表面は指紋採取にはおよそ不向きだった。一晩かかってどうにか採取できたのは、ほとんど識別の不可能な、点描画家の悪夢のような指紋だったのである。

翌朝、目を真っ赤に充血させてヴェッキオ橋に現われたパッツィは、その古い橋の上に並ぶ宝飾店の一つに入って、ピカピカに磨かれた幅広の銀の腕輪と、それを飾るのに使われていたビロード張りの台座を買い込んだ。それからヴェッキオ橋を渡ると、アルノ川の左岸、ピッティ宮殿の向い側の、各種の職工たちの店が並ぶ狭い路地に足を向けた。そこでまた一軒の宝石店を選び、先に購入した腕輪に刻印されたメーカーの名前を店主に削り落とさせた。ついでに銀が曇らないようコーティングを施しておきましょうか、と店主は申し出たが、パッツィは言下に断わった。

世に恐れられているソッリッチャーノ。プラートに向かう街道の途中にある、フィレンツェ市の刑務所だ。

二階の女子房にある洗濯用の深い流しの上に、ロミュラ・クジェスクがかがみこんでいた。両の乳房を慎重に石鹸《せっけん》で洗って拭《ふ》いたあと、彼女はゆったりとした清潔なコットンのシャツをはおった。面会室から帰ってきた、やはりジプシーの女が、すれちがいに何事か彼女の耳にジプシーの言葉でささやいたのはそのときだった。ロミュラの眉間《みけん》に細い皺《しわ》が現われた。が、整ったその顔立ちから、日頃の沈鬱《ちんうつ》な表情が消えることはなかった。

獄房から出るのを許されたのが、定例の午前八時三十分。だが、面会室に近づいてゆくと、看守に呼び止められて、刑務所の一階にある特別尋問室に連れていかれた。その中で、いつもの看護婦に代わってロミュラの男の乳飲み子を抱いていたのは、リナルド・パッツィだった。

「しばらくだな、ロミュラ」

脇目《わきめ》もふらずに彼女は長身の警官の前に歩み寄った。赤子はすぐにこちらに渡してくれるはずだ。抱き留めた赤子は乳をほしがって、彼女の胸に顔を押しつけてくる。

パッツィは部屋の隅の衝立《ついたて》のほうに顎《あご》をしゃくった。あの陰に椅子《いす》がある。その子にお乳を与えながらでも話せるさ」

「何について話すのよ、ドットーレ（先生）？」ロミュラのイタリア語は、彼女のフランス語、英語、スペイン語、それにジプシー語同様に、まあまあ通じるほうだった。が、そのしゃべり方にはほとんど感情がこもっていない——自分では最高の弁舌をふるったつもりでも、スリの罪で三か月くらってしまったのはそのせいだろう。

ロミュラは衝立の陰に移った。赤子の産着《うぶぎ》に隠されたビニールの袋には、四十本のタバコと、使い古した紙幣で六万五千リラ——約四十一ドル分——の現金が入っていた。さて、どうしよう。あの刑事がすでにこの子の服を探っているとしたら、自分が禁制の品をとりだしたとたんにそれを見咎《みとが》めて、この特権を剝奪《はくだつ》してしまえるのだ。赤子の口に乳首を含ませながら、ロミュラは天井を見あげて考えた。いったい、何が目的なのだろう？　いずれにせよ、切り札を握っているのは彼のほうだ。ロミュラはビニール袋をとりだして、自分の下着の中に隠した。衝立越しに、警官が語りかけてくる。

「ここじゃ、おまえは厄介者なんだよ、ロミュラ。刑務所で子供に乳を与えられたんじゃ、いろんな人間の時間が無駄になる。ここには、看護婦が面倒を見なければならない、ちゃんとした病人が大勢いるんだから。おまえだって、面会時間が切れたときに子供を返さなきゃならないのは、つらいんじゃないのか？」

　何なのだろう、この男の望みは？　もちろん、正体はわかっている——フィレンツェ警察の主任捜査官。ペッツォ・ダ・ノヴァンタ——九十口径級のろくでなし。

　ロミュラは、道路の表情を読んで暮しの糧《かて》を得るのを生業《なりわい》にしている。人の財布をスるのは、その一部にすぎない。人生の辛酸に鍛えられた三十五歳。オオミズアオ蛾《が》のようなアンテナを、彼女は持っていた。（この警官は）——と、衝立越しにパッツィを見ながらロミュラは思った——（なんて身奇麗にしてるんだろう。あの結婚指輪、ピカピカに磨かれた靴。女房と暮しながら、きっと腕のいいメイドも抱えているのだ——カラー・ステイは、襟のアイロンがけがすんでから差し込まれている。上着のポケットには財布。ズボンの右ポケットには鍵《かぎ》。ズボンの左ポケットには、たぶん平たく折られてゴム・バンドでくくられた現金。その中間には、彼の一物。身体《からだ》つきは筋肉質で、贅肉《ぜいにく》はついていない。耳はすこし変形していて、髪の生え際《ぎわ》にも打撲傷の跡がある。たぶん、この男、あたしの肉体が目的ではあるまい——それが目的なら、この子を連れてきたりはしないだろうから。ふるいつきたいほどの色男ではないが、女囚を手ごめにしなければならないほど女に餓《う》えてもいないはずだ。この子にお乳をやっているあいだは、あの皮肉っぽい黒い目を見つめないほうがいい。それにしても、どうしてこの子を連れてきたのか？　たぶん、自分の力を誇示して、話の次第によってはこの子をとりあげてしまうぞ、と脅したいためだろう。で、望みは何なのだ？　仲間に関する情報？　それなら、実際には存在しない十五人のジプシーについて、聞きたいことを何でも話してやる。でも、こっちはその見返りに何をもらえるのか？　そのへんを確かめてみよう。おっぱいでもチラッと見せつけてやろうか)。

彼の顔を見つめながら、ロミュラは衝立の陰から出た。抱えた赤子の顔のわきに、乳《にゅう》暈《うん》が三日月形に見えている。

「あそこは暑いよ。窓をあけてくれない？」

「それよりもっといいことをしてやろう、ロミュラ。窓どころか、扉をあけてやれるんだがな、そちらの気持しだいで」

部屋はにわかに静まり返った。外には鈍い、切れ目のない頭痛のように、刑務所特有の騒音が響いている。

「いったい、何が望みなのさ。あたしには喜んでやってやれることもあるけど、やれないことだってあるんだからね」自分が注文をつけたことで、彼は一目置くだろう、と本能は告げていた。その読みは正しかった。

「なに、そうだいそれたことじゃない《ラ・トゥア・ソリタ・コーサ》。おまえの得意技を披露してくれればそれでいいのさ」パッツィは答えた。「ただし、今回はわざとヘマをやらかしてほしいんだ」

25

日中、彼らは通りの向い側のアパートメントにこもって、高い鎧戸《よろいど》つきの窓からカッポーニ宮を見張った——ロミュラと、彼女より年上で、彼女のいとこかもしれないジプシーの女。それにパッツィ。ロミュラのいとこと覚しいジプシー女は赤ん坊の面倒を見るのを手伝い、パッツィは可能な限り公務をサボってその部屋に詰めた。

ロミュラが商売に使う木製の義手は、寝室の椅子に立てかけてある。

その部屋は、パッツィが近くのダンテ・アリギエーリ校の教師から、日中に限って借りたのだった。ロミュラは、小さな冷蔵庫の棚の一つを自分と赤子のためにあけてほしい、と言い張った。

張り込みの成果があがるまでに、そう長くはかからなかった。

監視を開始して二日目の午前九時半、ロミュラを手伝っている女が窓際の椅子からシッという声を洩《も》らした。カッポーニ宮の重厚な扉が内側にひらいて、道路の向い側に黒い虚空《こくう》が生じたのだ。

彼が姿を現した。フィレンツェで〝フェル〟博士として知られている、小柄でほっそりした男。黒っぽい服に身を包んだ博士は、ミンクのようにしなやかに路上に立つと、くんくんと空気をかいでから道の両側に目を走らせた。手にしたリモコンで警報装置のスイッチを入れ、大きな鍛鉄製の把手《とって》のついた扉を手前に引いて閉める。その把手はかなり錆《さ》びついて腐食しているため、指紋は残らない。彼はショッピング・バッグをさげていた。

鎧戸の隙間《すきま》から初めてフェル博士の顔を見た年上のジプシーは、考え直したほうがいい、と言うようにロミュラの手をぎゅっとつかんだ。それでもまだ足りずに、彼女はパッツィの目を盗んでロミュラの顔を覗《のぞ》き込み、頭をさっと横にふった。

パッツィは博士の行先を即座に見抜いていた。

先日、博士のゴミをあさったとき、その中に高級食料品店〝ヴェラ・ダル1926〟の特徴的な包装紙がまじっていたのである。その店はアルノ川のこちら岸、ヴェッキオ橋からサンタ・トリニタ橋にかけて伸びているサン・ヤコポ通りの末端にある。博士はまさしくそちらの方向に向かっているではないか。ロミュラは身をくねらせて商売用のドレスをまとい、パッツィは窓から外を注視しつづけていた。

「やっぱりな、食料品を買いにいくんだ」パッツィは言った。それで五度目になるのだが、彼はロミュラに対する指示をくり返さずにいられなかった。「いいな、しばらく彼のあとを尾《つ》けろ、ロミュラ。そしてヴェッキオ橋のこっち側で待て。そのうち彼がもどってくる。たぶん、食料品のいっぱいつまった紙袋を持っているだろう。おれは終始彼の半ブロック先を歩いているから、最初におれの姿が見えるはずだ。おれは最後まで、そばにいるからな。何か問題が生じて、おまえが逮捕されるようなハメになっても、こっちで話をつけてやるから心配要らん。あいつがほかの場所に向かったら、ひとまずこの部屋にもどってこい。おれはまたおまえを呼びだすから、タクシーのフロント・ガラスの裏にこの通行許可証を挟んで、おれが呼んだところまでくるんだ」

「わかったわ、エミネンツァ（猊下《げいか》）」イタリア人が皮肉を言うときの手で、ロミュラはわざと大袈裟《おおげさ》な敬語を使ってみせた。「もし問題が生じて、あたしがだれかに助けられても、その人を痛めつけないで。あたしの友だちは何も奪ったりしないから、逃がしてやって」

パッツィはエレベーターを待たずに、油で汚れたオーヴァーオールに帽子という格好で階段を駆け降りた。フィレンツェでだれかを尾行するのは容易ではない。歩道は狭いし、路上では人の命など一顧だにされないからだ。パッツィは縁石の前に、何本もの箒《ほうき》の束をくくりつけたオンボロのモトリーノ（モーターバイク）を止めてあった。最初のキックでエンジンがかかり、主任捜査官は青い煙に包まれて石畳の道を走りだした。小型のモトリーノは彼の下で駆ける小さなラバのように石畳の上を跳ねた。

パッツィはすぐにスピードを落としたため、気色《けしき》ばんだ車にクラクションを鳴らされた。それでも博士との間に一定の距離を置くべく、タバコを買うなどして時間をつぶしているうちに、フェル博士がどこに向かっているのか、はっきり見定めがついた。バルディ通りはヴェッキオ橋のたもとで終り、そこからサン・ヤコポ通りにつながるのだが、あいにくとその通りはこちらに向かう一方通行になっている。パッツィはやむなくモトリーノを歩道に乗り捨てると、ヴェッキオ橋の南の端にむらがる観光客の群れにその痩身《そうしん》をまぎれこませて歩きだした。

チーズやトリュフがふんだんに並ぶ〝ヴェラ・ダル1926〟は、神の足のような匂《にお》いがする、とフィレンツェっ子は言う。

博士はそこでたっぷりと時間を費やした。どうやら旬《しゅん》のホワイト・トリュフを選んでいるらしい。所狭しと並んだハムやパスタの前を通る博士の姿が、店のショウ・ウィンドウごしに見えた。

交差点を一まわりしてきたパッツィは、口ひげとライオンの耳を備えた顔から水を噴きあげている噴水で顔を洗った。「おれの下で働きたかったら、そのひげを剃《そ》り落さないとな」みぞおちが緊張にひきつるのを覚えながら、彼は噴水に向かって言った。

小さな包みがいくつか入ったショッピング・バッグをさげて、博士がついに店から姿を現わした。サン・ヤコポ通りをカッポーニ宮のほうにもどってゆく。パッツィは通りの向い側に寄って、だいぶ前を歩いていた。狭い歩道に人があふれているので、つい通りの中央に押しだされてしまう。背後からやってきた憲兵隊のパトカーのボディが、パッツィの腕時計に当たった。思わず苦痛に顔をしかめていると、パトカーのドライヴァーが罵《ののし》った。「ストロンツォ（馬鹿《ばか》）！　アナルファベータ（この阿呆《あほう》）！」いずれ痛い目にあわせてやる、とパッツィは復讐《ふくしゅう》を誓った。やがて、観光客でごった返すヴェッキオ橋のたもとにさしかかったとき、彼は約四十メートルのリードを保っていた。

近くのバルディ通り側に面した建物の戸口に、ロミュラがひそんでいた。首からさげた木製の腕に赤子を抱え、もう一方の手を群衆のほうに差しだしている。ゆったりした服の下に隠した自由なほうの腕は、これまでにスった二百以上の財布にもう一つ戦利品を加えるべく、行動の瞬間を待ちかまえている。その腕は、よく磨かれた幅の広い腕輪を手首にはめていた。

ほどなく獲物は、ヴェッキオ橋を渡ってくる群衆を突っ切ろうとするだろう。彼が群衆から抜けでてバルディ通りにさしかかった瞬間、ロミュラは彼に突き当たる。そして、決められた仕事をしてから、橋を渡ってくる観光客の列にまぎれこむ手筈《てはず》になっていた。

群衆の中に、ロミュラは信頼できる仲間を一人もぐらせてあった。きょうの獲物について、彼女は何一つ知らないし、あの警官が本気で自分を守ってくれるとも思えないのだ。ヴェッキオ橋の南側にむらがる群衆にまじって決行の瞬間を待っているのは、ジル・プレヴェールという男だった。警察のファイルによっては、ジル・デュマンとも、ロジェ・ルデュックとも記されているが、地元では、〝ニョッコ〟で通っている。ニョッコは麻薬の常習者で、体は瘦《や》せこけていた。頰もこけて顔の骨相が露《あら》わになっているが、膂力《りょりょく》はまだ衰えていないから、こちらがドジを踏んだ場合には力になってくれるはずだった。

ごくあたりまえの事務員の服を着たニョッコは、たやすく群衆の中に溶け込むことができる。彼はいま、さながらプレーリー・ドッグがあちこちの巣から顔を突きだすように、ときどきヒョコッと群衆のあいだから顔を覗かせていた。万が一ロミュラが獲物に手をつかまれて動きがとれなくなったら、ニョッコは偶然つまずいたふりをして獲物に倒れかかり、相手ともつれ合いながらしきりに謝罪する。その隙にロミュラは体をふりほどいて逃げだす手筈になっていた。この手を使うのは、きょうが初めてではない。

パッツィがロミュラの前を通りすぎ、ジュースの売店の前に並ぶ列の後尾についた。そこだと、見晴らしがきくのだろう。

ロミュラは、ひそんでいた戸口を離れた。自分と、こちらに近づいてくるほっそりした男とのあいだを埋めている人込みの密度を、慣れた目で判断した。いまのように木製の義手と帆布で赤子を胸に抱いていても、彼女は苦もなく群衆のあいだを移動できる。よし。いつものように、人目にさらしているほうの手の指にキスしてから、その手を獲物の顔に伸ばしてキスをプレゼントしてやろう。その隙に自由なほうの利《き》き腕で獲物の財布があるあたりの肋骨《ろっこつ》をまさぐる。相手がこちらの手首をつかんだら、それを振り切って逃げだせばいい。

この獲物はおまえを警察に突きだしたりはできないはずだ、とパッツィは請け合った。むしろ彼のほうがおまえから逃げだそうとするだろう、と。これまでロミュラが人の財布を狙《ねら》ったことは数知れないが、赤子を抱えている女に暴力をふるった人間は皆無だった。自分の上着をまさぐっているのはだれか別の人間だろうと、みんな思うらしい。ロミュラのほうでも、近くの無関係な人間に罪をなすりつけて逃げおおせたことが何回もある。

歩道の群衆と共に移動しながら、ロミュラは隠していた腕を外に出した。が、その手は赤子を抱える義手の下にずっと添えていた。無数の顔が上下に揺れる群衆にまじって、獲物が近づいてくる。あと十メートル。なおも接近してくる。

まずい！　なんと、フェル博士は人込みの中心から離れて、ヴェッキオ橋に向かう観光客の流れに加わろうとしているではないか。どうやら、自宅にもどる気はないらしい。ロミュラも即座に方向を転じたが、とうてい追いつけそうにない。まだ博士の前方にいるニョッコが、どうする、と問いかけるようにこちらを向く。ロミュラが首を横にふると、彼は博士をそのままやりすごした。実際、ニョッコが博士の財布をスったところで、何の意味もないのだ。

おまえのせいだとなじるように、パッツィがロミュラのわきで言った。「部屋に帰れ。あとで電話をする。旧市街の走行許可証は持ってるな？　さあ、いけ！　早く！」

さっき乗り捨てたモトリーノをまた起こすと、パッツィはそれを押して、のったりと流れる黄緑色のアルノ川に架かるヴェッキオ橋を渡りだした。一瞬、博士を見失ったかな、と思った。が、いた。川の向う側、河岸《かし》の手前のアーケードの下で、スケッチをしている画家の肩ごしに一瞬絵を覗き込んだと思うと、また足どりも軽やかに歩いてゆく。行く先はサンタ・クローチェ教会だな、と見当をつけて、パッツィは一定の距離を保ちながら雑踏を縫って尾けていった。

26

サンタ・クローチェ教会はフランシスコ修道会の本拠地である。その広大な身廊に一歩入ると、大勢の観光客がガイドのかざす派手な色の傘を追って歩きまわり、八つもの外国語が響き合っている。仄暗闇《ほのぐらやみ》の中で、彼らは一様に二百リラ硬貨をとりだそうと財布をまさぐる。それを有料照明装置のスロットに入れれば、彼らの人生の貴重な一分間に限って内陣の各礼拝堂がライト・アップされ、名高いフレスコ画を鑑賞できるからだ。

明るい午前の光を背に教会に入ったロミュラは、すぐ右側の側廊にあるミケランジェロの廟墓《びょうぼ》の近くに立ち止まって、目が暗闇に慣れるのを待った。そのうち、床に嵌《は》めこまれた墓石の上に自分が立っているのに気づいた。「お許しを《ミ・ディスピアーチェ》！」低く叫んで、彼女は慌《あわ》ててその上からどいた。ロミュラの見るところ、床の下に葬《ほうむ》られている死者の群れはその上を歩きまわる人々同様の実在性を帯びていて、おそらくは生者よりずっと大きな影響力を持っているのだ。ロミュラの両親も、祖父母も、心霊術師であり手相の占い師だった。床の上にいる人間と下にいる人間は、截然《せつぜん》と分かたれた二つの種族だと彼女は思っている。より老獪《ろうかい》なのは床の下に眠る人々で、優位に立っているのは彼らのほうだ、というのが彼女の見方だった。

ロミュラは周囲を見まわした。ジプシーに深い偏見を抱いている守衛に見つかるとまずい。とりあえずは右側の最初の円柱を飾っているロッセリーノ作の〝マドンナ・デル・ラッテ〟像に庇護《ひご》を求めて、その陰に身を隠した。抱いた赤子は無心に彼女の乳房に顔を押しつけている。入口を挟んで反対側、そこからかなり離れた左側廊のガリレオの廟墓近くにひそんでいたパッツィが、彼女に気づいた。

彼は広大な教会の奥の内陣に顎《あご》をしゃくってみせた。その突き当りの交差廊のあたりでは、有料照明装置のスロットに、正規の二百リラ硬貨ばかりか、ときにはアメリカの代用硬貨《トークン》やオーストラリアの二十五セント硬貨までが投じられ、そのたびに高い天井まで広がった大いなる闇が、明るい照明と、禁じられているはずの、稲妻のようなカメラのフラッシュに引き裂かれる。

眩《まばゆ》い光に大きなフレスコ画が浮かびあがるにつれ、キリストは何度もくり返し誕生し、裏切られ、その手に釘《くぎ》を打ち込まれる。一分間の照明が果てると内陣はまた暗闇に包まれ、もはや読みとれないガイドブックを手に、なおも観光客たちが歩きまわる。香煙と共にたちのぼった彼らの体臭が、ランプの熱にたたかれて混じり合う。

左の交差廊にあるカッポーニ家の礼拝堂では、フェル博士が作業にいそしんでいた。

輝かしいカッポーニ家の礼拝堂はヴェッキオ橋の近くのサンタ・フェリチタ教会にもあるのだが、このサンタ・クローチェ教会内の、十九世紀に改装された礼拝堂のほうにフェル博士が魅了されているのは、いまもつづく修復作業を通じて過去を振り返ることができるせいだった。彼がいま従事しているのは、表面が極度に磨《す》り減ってしまって斜光照明でも浮きあがらない碑銘を炭でこする作業だった。

それを小型望遠鏡で見張っているうちに、パッツィには納得がいった。博士はどうしてショッピング・バッグだけを持って自宅を出たのか――修復用の道具は礼拝堂の祭壇の裏に置かれていたのである。一瞬、ロミュラに中止を命じて帰らせようか、と思った。肝心な指紋はあの修復用の道具から採取できるかもしれない、と考えたのだ。が、すぐに、その手はきかないとわかった。博士は炭の粉が手に付着するのを避けるべく、木綿の手袋をはめていたからだ。

おそらく、仮にロミュラが成功したとしても、見た目にはぎごちなく映るだろう。彼女のテクニックは、本来公道を想定して練りあげられたものなのだ。が、彼女は最初から目立つ存在だから、犯罪者を無用に恐れさせることもあるまい。博士を逃亡に踏み切らせる恐れのいちばんすくない存在が彼女だ。そう、博士が逃げだす恐れはまずない。仮に博士がロミュラをつかまえたとする。たぶん、博士は彼女を守衛に引き渡す程度ですませるだろうから、あとで自分がのりだして、彼女をもらい受ければいい。

だが、あの男は正気ではない。もしロミュラを殺したらどうする？　あの赤子を殺したらどうする？　パッツィは自分に二つの問いを投げた。もしロミュラが殺されそうになったら、自分は博士と戦うのか？　ああ、そうするだろう。そこまでいかない程度の怪我《けが》をあの母子が負う危険になら、自分はあの懸賞金を手中にするために目をつぶるのか？　ああ、止《や》むを得んさ。

いずれにしろ、決行するのはフェル博士が手袋を脱いで昼食に出かけるときだ。薄暗い交差廊の前を何度もぶらつくうちに、パッツィとロミュラは小声で言葉を交わす機会を持った。観光客の中に見覚えのある顔がまじっているのに、パッツィは気づいた。

「おまえを尾《つ》けているのはだれだ、ロミュラ？　隠すと、ためにならんぞ。あの顔は刑務所で見たことがある」

「あれは、あたしの仲間だよ。あたしが逃げるときに、時間を稼いでもらうの。でも、事情は何も知らないから気にしないで。本当に何も知らないんだから。あんたにとっても好都合でしょ。自分の手を汚さずにすむんだから」

時間つぶしに、二人は内陣に並ぶいくつかの礼拝堂で祈った。ロミュラはパッツィには理解できない言葉で祈りを捧《ささ》げた。パッツィには、祈りを捧げて獲得したい物がたくさんあった。わけてもほしいのは、チェサピークの海岸に建つ邸宅だ。それと、教会の中では頭に思い浮べることも憚《はばか》られるいくつかの物。

練習中の聖歌隊の甘美な歌声が、騒音を逃れて天井に翔《か》けあがっていく。ベルが鳴って、昼の閉館の時が訪れた。守衛たちが、コイン・ボックスの鍵《かぎ》をジャラジャラ言わせながら現われた。

フェル博士も作業を中断し、アンドレオッティ作のピエタ像の陰から姿を現わした。と思うと、あの木綿の手袋を脱いで上着をはおった。礼拝堂の前に群がっていた大勢の日本人観光客は、すでにコインを使い切っているのに、一時閉館になったことが理解できないのか、当惑顔で仄暗闇の中に立っている。

パッツィはロミュラの体を小突いた。が、それはまったく要らざる注意だった。決行の時がきたことを、彼女は承知していたのだから。自分の義手に抱かれて憩《いこ》っている赤子の頭に、彼女はキスした。

博士が接近してくる。観光客の群れに押されて、彼はさらにこちらに近づくだろう。いまだ。大股《おおまた》に三歩あるいて、ロミュラは博士を迎え撃ちにゆき、その前に立ちはだかった。相手の目を引きつけるために片手をかざし、指先にキスする。いつでも相手の懐《ふところ》を狙えるように、隠した手をかまえ、キスした指先を伸ばして博士の頬に触れようとした。

そのとき、観光客の中に二百リラ硬貨を見つけた者がいたらしい。パッと背後が明るくなった。ロミュラはフェル博士の顔に触れて、その顔を覗《のぞ》き込んだ。と同時に彼女は、博士の目の赤い中心に吸い込まれそうになるのを感じた。巨大な冷たい真空に心臓を吸いだされそうになって反射的に博士の顔から手を引き、自分の赤子の顔を覆《おお》った。

「失礼《ペルドーナミ》、ごめんなさい《ペルドーナミ》、シニョーレ」無意識のうちに呟《つぶや》くなり、彼女は身を翻《ひるがえ》して逃げだした。その後ろ姿を博士はしばし黙然と見送っていた。やがてライトが消え、博士の姿は再び黒い影と化して教会のロウソクに浮かびあがった。素早い、軽やかな足どりで、博士は出口の方角に歩きだした。

一方、パッツィは憤怒《ふんぬ》のあまり顔面蒼白《そうはく》になって、外に出た。ロミュラがいた。聖水盤に手をついて身を支え、赤子の頭に何度も聖水をかけている。赤子もフェル博士の顔を見たかもしれないと思ったのか、その目も聖水で洗ってやっている。恐怖でひきつった彼女の顔を前にして、罵倒《ばとう》の言葉はパッツィの喉元《のどもと》に止《とど》まった。

薄暗い影の中で、ロミュラの目は異様に大きく見ひらかれていた。「あれは悪魔《シャイタン》だわ」彼女は言った。「〈朝〉の息子、シャイタンだ。この目で、はっきり見たんだから」

「よし、刑務所まで車で送ってやる」パッツィは言った。

ロミュラは赤子の顔を覗き込んで、嘆息した。それは断頭台に引かれてゆく者の吐息、深い絶望に貫かれた、聞くのも憚られる吐息だった。幅の広い銀の腕輪を手首からはずすと、彼女はそれを聖水で洗った。

「まだよ、早まらないで」と、その口が言った。

27

仮にリナルド・パッツィが法の番人として義務を果たす気でいたら、彼はフェル博士を即勾引《こういん》して、博士がハンニバル・レクターであることを立証していただろう。ものの三十分もたたぬうちに彼は博士をカッポーニ宮から連行する令状をとっていただろうから、カッポーニ宮の警報装置に行動を阻《はば》まれることもなかったにちがいない。場合によっては、博士の正体を立証する手間など踏まずに、彼自身の権限でフェル博士を拘束することもできただろう。

その上で警察本部で指紋をとれば、十分も要さずにフェルすなわちレクター博士であることが判明したはずだ。RFLP・DNA鑑定が、それを裏付けてくれたに相違ない。

が、いまのパッツィには、それらのどの手段を使う道も閉ざされていた。レクター博士を売ろうと決意した瞬間に、彼は法の埒外《らちがい》に身を置く孤独な賞金稼ぎになっていたのだから。もちろん、飼い馴《な》らしているタレコミ屋たちも使えない。こちらの胸の内を明かしたが最後、やつらはこ
ちらのことをタレ込もうとするにきまっている。

計画の遅れにパッツィは苛立《いらだ》っていたが、肚《はら》は固まっていた。とにかく、あのジプシーどもをうまく利用してやる……。

「どうだ、ロミュラ、あのニョッコをおまえの代わりに使えないか？　なんとか、あいつを見つけられんかな？」

サンタ・クローチェ教会での失敗から十二時間後。二人はカッポーニ宮の向かいのアパートメントの食堂で話し合っていた。低いテーブル・ランプが、腰の高さくらいまで室内を照らしている。その光から抜けでたパッツィの黒い目が、薄闇の中で光っていた。

「ううん、あたしが自分でやるわよ。でも、この子と一緒じゃいや。その場合は、いただく物も——」

「いや、おまえをやつの目に二度さらすわけにはいかん。どうだ、ニョッコにやらせることはできないか？」

鮮やかな色彩のロング・ドレスを着たロミュラは、上体を深く折ってすわっていた。豊かな乳房が太ももに触れ、頭も膝頭《ひざがしら》にさわりそうに垂れている。椅子《いす》の上には、虚《むな》しく義手がのっていた。部屋の隅では年上の、ロミュラのいとこらしい女が赤子を抱いている。カーテンは完全に引かれていた。ごく細いその隙間《すきま》から外を覗いたパッツィの目には、カッポーニ宮の最上階の窓の微《かす》かな灯影《ほかげ》が映った。

「だから、あたしがやるわよ。あいつに気づかれないくらいに顔の感じを変えて。そうすれば――」

「いや、だめだ」

「じゃあ、エズメラルダにやらせればいい」

「お断りだよ」部屋の隅から声があがった。年上の女が初めて口をひらいたのだ。「あたしは死ぬまでこの子のお守りをしてるよ、ロミュラ。シャイタンの体にさわったりするのはまっぴらだ」彼女のイタリア語は、かろうじてパッツィにも理解できた。

「体を起こせよ、ロミュラ」パッツィは言った。「おれを見るんだ。どうだ、ニョッコに代わりをやらせてみないか？　さもないと、今夜にもおまえはソッリッチャーノ刑務所に逆もどりだぞ。刑期はまだ三か月残っている。次におまえが赤ん坊の服から金とタバコをとりだすときには、タダではすまんだろうな……前回の分だけをとりあげても、さらに六か月、刑期を延ばしてやれるんだ。おまえは母親として不適格、という烙印《らくいん》を押すのだって造作もない。そうなったら、もちろん、赤ん坊は国の施設にとりあげられてしまう。ただし、いいか、もしあの男の指紋を確保できれば、おまえは即座に釈放だ。おまけに二百万リラの礼金を払ってやるし、前科の記録も消してやる。オーストラリアへの渡航ヴィザも手に入れてやる。どうだ、ニョッコに代わりをやらせてみないか？」

　ロミュラは答えない。

「なあ、どうだ、ニョッコを見つけられないか？」そこで我慢の限度に達したかのように、パッツィは激しく鼻を鳴らした。「そうか、よし、よく聞け《センティ》、荷物をすぐまとめろ。あの義手は三か月後に私物預かり室で受けとればいい。いや、受けとれるのは来年になるかな。子供は孤児院行きだ。そこにいる歳《とし》をくった女なら、そいつに会いにいけるだろうよ」

「そいつ？　そいつに会いにいくですって、コンメンダトーレ？　あの子にはちゃんと名前が――」言いかけたところで、ロミュラは首をふった。目の前の男には愛児の名前など教えないほうがいい、と気づいたのだ。彼女は両手で顔を覆った。こめかみと手、双方の鼓動が互いにぶつかり合っている。顔を両手で覆ったまま彼女は言った。「わかったわよ、あの人を見つけてくる」

「どこで？」

「サント・スピリト広場。あそこの噴水の近く。あそこでは、みんな焚《た》き火をたいて、ワインを飲んだりするんだから」

「おれも一緒にいこう」

「それはお断り。あんたの姿を見られたら、あの人の評判がガタ落ちだもの。あんたはここでエズメラルダとあたしの子を守ってて――必ずもどってくるから」

　サント・スピリト広場。アルノ川の左岸にあるこの魅力的な広場は、日暮れと共に一種猥雑《わいざつ》な雰囲気を帯びてくる。入口の扉を閉ざしたサント・スピリト教会は黒々とした影を刻み、人気の高い居酒屋カサリンガからは賑《にぎ》やかな人声と、できたての料理の匂《にお》いが漂いでている。

広場中央の噴水の近くでは小さな焚き火がたかれ、ジプシーがギターをつまびいていた。技巧よりはむしろ情熱で聞かせている感じだった。それをとりまく男女のなかに、ファドを歌わせると玄人《くろうと》はだしの男がまじっていた。歌好きの連中に見つけられてしまったその男は、前のほうに押しだされ、何本かのワインを差しだされて、まずは喉をうるおした。やがてうたいはじめたのは、せんない宿命に関する歌。たちまち、もっと陽気な歌をやれ、という野次が飛んだ。

ロジェ・ルデュック、通称ニョッコは噴水の端に腰かけていた。何かを吸っていたらしく、目がトロンとしている。が、群衆の背後に立ったロミュラの姿は焚き火の明りを透かして目ざとく見つけた。近くの屋台からオレンジを二個買うと、彼はファドの歌声を背にロミュラのあとを追った。焚き火からかなり離れた街灯の下で二人は立ち止まった。街灯の光は焚き火のそれより冷たく、寒気に逆らう楓《かえで》の枝に残った葉を透過して、まだら模様を地に描いている。ニョッコの顔は薄緑色の光に照らされ、動く傷口のような葉の影がその頬を染める。ロミュラはニョッコの腕に手をかけて、彼の顔を見つめた。

白く光る小さな舌のように、ナイフの刃が彼の拳《こぶし》から飛びだした。彼はそれでオレンジの皮をむきはじめた。皮はどこまでも連なって螺旋《らせん》状に垂れ下がる。最初のオレンジがロミュラに手渡され、彼女はその一部をニョッコの口に入れた。ニョッコは二個目のオレンジの皮をむきはじめた。

二人は言葉すくなにジプシー語で話し合った。ニョッコが一度肩をすくめた。ロミュラが彼に携帯電話を手渡し、ボタンの操作法を教える。すると、ニョッコの耳にパッツィの声が響いた。しばらくしてニョッコは携帯電話をたたんでポケットにしまった。

ロミュラが、鎖につながれた何かを首からはずす。小さな魔除《まよ》けにキスすると、彼女はそれを小柄な、むさ苦しい男の首にかけてやった。男はうつむいてそれを見下ろし、その聖なる像に身を焼かれたかのように踊ってみせる。ロミュラは微かに笑いながら、幅の広い腕輪をはずして彼の腕にはめた。それはやすやすとはまった。ニョッコの手首の太さは、彼女のそれとさして変わらなかった。

「一時間ほど付き合ってくれるかい？」ニョッコが訊《き》く。

「いいわよ」と、ロミュラは答えた。

28

夜が再び訪れた。フェル博士はベルヴェデーレ要塞《ようさい》で催されている〝残忍な拷問《ごうもん》用具〟展の広大な石造りの広間にいる。〝呪《のろ》われし者の吊《つ》り籠《かご》〟の下の壁に、ゆったりともたれている。

博士はいま、押し合いながら拷問用具の周囲をめぐる見物客の貪欲《どんよく》な顔から、観淫者《かんいんしゃ》の邪念の諸相を読みとっていた。彼らは二の腕の毛を逆立たせ、互いの首筋や頬に熱い吐息をかけながら、あたかも目をむいたまま放恣《ほうし》な自慰にふけっているかのように、体を揉《も》み合っている。ふりかけすぎたコロンと、むきだしの発情の匂いに抗すべく、博士はときおり自分の好みの香水をしみこませたハンカチを顔に押しあてていた。

彼を追う男たちは、要塞の外で待ちかまえている。

一時間、二時間と時がすぎていった。展示品にはほとんど目をくれないフェル博士は、見物人の顔をいくら見ても見飽きない様子だった。博士の視線を感じて、そわそわと落ち着かない風情《ふぜい》を示す者も何人かいる。見物人のうち、とりわけ女性たちが博士の姿に目を引かれることが一再ならずあったが、みな寸刻みに動く行列に押されて前に運ばれてしまう。あらかじめ主催者の二人の剝製師《はくせいし》に十分な心付けを渡してあるため、博士はだれにも邪魔されないロープの内側の壁にもたれて、心ゆくまで自分の愉《たの》しみにふけることができた。

要塞の出口の前の胸壁では、リナルド・パッツィが小糠雨《こぬかあめ》に濡《ぬ》れながら張り込みをつづけていた。彼は待つことに慣れていた。

博士は徒歩では自宅に向かうまい、とパッツィは察しをつけていた。要塞の背後の丘を下ったところにある小さな広場に、フェル博士の車が駐《と》まっていたからだ。それは三十年前の黒いジャグァー・マークII・サルーンで、スイスのナンバーがついていた。雨に濡れたボディ・ラインも優美なそのジャグァーは、パッツィの知る最高に美しい車だった。フェル博士が給与生活者でないのは、それだけでも明らかだった。一応ナンバーは控えたものの、それをインターポルに照会する危険は冒すわけにいかない。

他方、ニョッコが待機していたのは、ベルヴェデーレ要塞からその広場まで通じている険しい石畳の坂道、サン・レオナルド通りの途中だった。小暗いその道の両側には高い石塀がそびえて、背後の邸宅を守っている。ニョッコが見つけたのは、道路からちょっと引っ込んだ、門扉《もんぴ》を閉ざしたゲート前の暗い空間で、そこに立つと要塞から下ってくる観光客たちの列に巻き込まれずにすんだ。ほぼ十分おきに、ポケットに忍ばせた携帯電話が振動して太ももを震わせる。そのたびに彼は、自分がちゃんと待機していることを請け合った。

観光客のなかには、霧雨に濡れまいと地図や展覧会のプログラムで頭を覆《おお》いながら下ってくる者もいる。狭い歩道は人でふさがり、車道にまで人があふれて、要塞から降りてくる何台かのタクシーもノロノロ運転を強いられていた。

拷問用具を展示した丸天井の広間では、とうとうフェル博士が、もたれていた壁から身を起こしていた。さながら秘密を共有する者同士のように、頭上の餓死用の檻《おり》の骸骨《がいこつ》を一瞥《いちべつ》すると、彼は見物人の列を突っ切って出口に向かった。

彼が出口に立ち、次いで中庭の投光照明の下に立ったところをパッツィは見ていた。適当な距離を置いて、彼は博士を尾《つ》けていった。間違いない、自分の車に向かっていると確信したとき、パッツィは携帯をひらいてニョッコに知らせた。

ニョッコの頭は亀《かめ》のように襟から伸びあがった。骨相の露《あら》わな瘦《や》せた顔。その落ち窪《くぼ》んだ目が、甲羅から現われる亀の目のように、闇《やみ》に浮かんだ。袖《そで》を肘《ひじ》までまくりあげると、彼は腕輪にぺっと唾《つば》を吐き、それをきれいにボロきれで拭《ぬぐ》いとった。銀の表面は唾と聖水で磨かれた。その手首を雨に濡らさぬよう、上着の下で腰にまわしたまま、彼は坂道を見あげた。一列に並んだ頭が上下に揺れながら降りてくる。ニョッコは人の流れを突っ切って、道路の中央に出た。そこなら見通しもきくし、人込みに逆らって動くこともできる。きょうは仲間の助けを借りずに、〝ぶつかり〟と〝スリとり〟を単独でやってのけなければならない——が、そもそもその〝スリとり〟に失敗するのが肝心な目的なのだから、案じることはない。見えた。あのほっそりした男が降りてくる——いいぞ、縁石の近くを歩いてくる。その三十メートルほど背後からパッツィも降りてきた。

ニョッコは素早く道路の中央から動いた。たまたま坂の上から下ってきたタクシーをうまく利用し、それを避けるように横に飛びのいたのだ。タクシーが傍を通りすぎる。首を背後によじってそれを見送り、運転手に悪態をつきながらフェル博士の腹にどすんとぶつかった。指先が相手の上着の下をまさぐった。瞬間、すさまじい力で手首をつかまれ、何かが振りまわされるのを感じた。すかさず身をよじって、ニョッコは獲物から離れた。フェル博士はほとんど立ち止まりもせずに、人波にまぎれて遠ざかってゆく。ニョッコは完全に自由になった。

そこへ素早くパッツィが近づき、道路から引っ込んだ、鉄のゲート前の狭い空間でニョッコに並んだ。ニョッコは一瞬、身を折った。が、すぐに背筋を起こして、大きく息を吸い込んだ。

「やったぜ、旦那《だんな》。あいつ、ぐいっと腕輪を握ったからな。野郎《コルヌート》め、おれのタマをつぶそうとしやがったが、的をそれたよ」

パッツィが慎重に片膝をついて、ニョッコの手首から腕輪をはずしにかかる。そのときニョッコは、何かしら熱い、ぬんめりしたものが脚に流れるのを感じて、体をひねった。次の瞬間、知らぬまにズボンの前にあいていた裂け目から、さっと一条の熱い動脈血が宙に走った。それは、いましも腕輪の縁を持ってとりはずそうとしていたパッツィの顔と手を直撃した。血は四方八方にほとばしった。両足が急に萎《な》えてゆくのを感じて下を見たニョッコの顔をも直撃した。彼はどすんと腰を落してゲートにぶつかり、それに片手でつかまりながら、もう一方の手でボロきれを脚の付け根に押しつけた。切断された大腿《だいたい》動脈から噴出する血を、なんとか止めようとしたのだ。

ある決定的な行動を起こすとき、決まって覚える、みぞおちの凍りつくような感じ。いまもそれを覚えながらパッツィはニョッコを抱きかかえ、終始通行人の目に触れない角度に体を向けて、ゲートの鉄桟のあいだに血が飛ぶようにしていた。それからゆっくりと、ニョッコの脇腹《わきばら》を下にして、彼を地面に横たえた。

ポケットから携帯電話をとりだし、救急車の派遣を要請するふりをして口を動かす。が、電話のスイッチは入れてなかった。自分の上着のボタンをはずすと、彼は獲物の上に覆いかぶさる鷹《たか》のように前を広げた。観光客の群れはまったく無関心に背後を通りすぎてゆく。ニョッコの手首から完全に腕輪をはずすと、パッツィは、このときのために持ってきた小さな箱にそれをすべりこませた。ニョッコの携帯電話も、自分のポケットにねじ込んだ。

ニョッコの唇が動いた。「なんてこった《マドンナ》、くそ《ケ》、寒くてたまらねえ《フレッド》」傷口を押えているニョッコの手から、力が抜けはじめている。パッツィは思い切ってその手をつかみ、彼を鼓舞するふりをしながらその手を傷口から離して、血が大量に溢れでるに任せた。やがてニョッコがこと切れたのを確認すると、彼があたかも腕枕《うでまくら》をして寝ているような姿勢をとらせて、ゲートの傍に横たえた。それからなに食わぬ顔で、坂を降りてゆく観光客の群れに加わった。

広場に着いてみると、車が消えている。パッツィは何もない空間をじっと見つめた。さっきまでレクター博士のジャグァーの駐まっていた箇所の石畳が、雨に濡れはじめている。

レクター博士――もはやパッツィは、彼をフェル博士とは思わなかった。彼はまちがいなくハンニバル・レクター博士だ。

メイスン・ヴァージャーを納得させるに足る証拠が、いまパッツィのレインコートのポケットに入っている。そのパッツィに決定的な確信を抱かせた証拠が、いま彼のレインコートから靴にポタポタと滴《したた》っていた。

29

リナルド・パッツィの旧式のアルファが低い唸《うな》りをあげてドックに到着したとき、ジェノヴァ上空の明けの明星の輝きは、東方から射《さ》し初めた光にくすみかけていた。寒風が湾を吹きわたっていた。外港に係留された貨物船上で溶接工事が行なわれているらしく、オレンジ色の火花が黒い海面に飛び散っている。

ロミュラは風にあたりたくなかったから、赤子を膝《ひざ》に抱えて車内に残った。エズメラルダは狭いクーペの後部シートで体を丸めて、両足を斜めに投げだしている。

一行は紙コップ入りの濃いブラック・コーヒーで、パスティッチーニ（パイ菓子）を食べたところだった。

車を降りたパッツィは、海運事務所に入っていった。しばらくして出てくると、日はかなり高く昇っていて、荷積みを終えようとしている貨物船、〝アストラ・フィロゲネス号〟の錆《さ》びついた船腹が明るいオレンジ色に照り映えていた。彼は車に残った女たちを手招きした。

ギリシャ船籍の二万七千トンの貨物船〝アストラ・フィロゲネス号〟は、船医がいなくても、十二人の乗客を合法的にリオ・デ・ジャネイロまで運ぶことができる。リオに着いたら――と、パッツィはロミュラに説明した――オーストラリアのシドニー行きの船に乗り替えればいいんだ。その手続きはこの貨物船のパーサーがちゃんとやってくれるから。運賃は全額払い込んである。ただし、払い戻しは絶対にきかんからな。オーストラリアはいくらでも仕事が見つかる魅力的な移住地、とイタリアでは思われている。そこにはジプシーも多数住みついているのだ。

約束の二百万リラ――現行の交換レートで約千二百五十ドル――の入った分厚い封筒を、パッツィはロミュラに手渡した。

ジプシーたちの携えてきた荷物は、寥々《りょうりょう》たるものだった。小型のトランクが一つに、ロミュラの木製の義手をおさめたフレンチホルンのケース。

おそらく、これからの約一か月、このジプシーたちは航海をつづけていて、連絡をとることは不可能だろう。

ニョッコもすぐおまえたちのあとを追うから、とパッツィはロミュラに言った。そう請け合うのは、それで十回目だった。でもな、きょうはどうしてもこれんのだよ。シドニー中央郵便局留でおまえたち宛《あ》てに手紙を送る、と言ってたからな。「おまえとの約束を守ったように、あいつとの約束も守るから安心しろ」タラップの下で、パッツィはロミュラたちに言った。早朝の陽光に照らされて、彼らの長い影が埠頭《ふとう》の荒れた表面に伸びていた。

別れの時がきて、赤子を抱いたロミュラがタラップをのぼりはじめたとき、年上のジプシー女が口をひらいた。パッツィの知る限り、彼女が口をきいたのはそれが二度目で、最後だった。

カラマタ・オリーヴのように黒い目でパッツィの顔を覗《のぞ》き込むと、彼女は静かに言った。「あんたはニョッコをシャイタンの手に渡したのさ。ニョッコはもう死んでるよ」

売り場のチキンを品定めする際のように、エズメラルダはぎごちなく腰を折り、パッツィの影の上にぺっと念入りに唾を吐いた。それから、急ぎロミュラと赤子を追ってタラップをのぼっていった。

30

ＤＨＬエクスプレスの配送ボックスは、巧妙にできていた。メイスンの部屋の応接エリアの、眩《まばゆ》いライトに照らされたテーブルを前に、指紋鑑定技師がすわっていた。彼は電動スクリュードライヴァーを使って、ネジを慎重に抜いていった。

肝心な、幅の広い銀の腕輪。それは配送ボックス内に据えられたビロード張りの宝石スタンドに固定されていたから、表面は何にも触れていない。

「ここに持ってこい」メイスンが言った。

その腕輪の指紋採取は、技師が日中勤務しているボルティモア警察署の鑑識課で行なったほうがずっと容易だっただろう。だが、彼はメイスンから内密に高額の礼金をキャッシュで受けとっている。そのメイスンが、指紋の採取は自分の目の前でやれ、と厳命したのだ。従うしかない。ああ、あんたの片目の前でな、と内心毒づきながら、技師は男の召使いの捧《ささ》げ持つ陶器の皿の上に、腕輪をスタンドごとのせた。

召使いはメイスンのゴーグルの前に皿をかかげた。メイスンの胸でとぐろを巻く頭髪の上には置けなかった。彼の胸は、人工呼吸器によって常時上下に動いているからだ。ずっしりとした腕輪の表面には幾筋かの血がこびりついていて、乾いた血の小片が陶器の皿に落ちた。ゴーグルをかけた目で、メイスンはそれを見た。肉らしい肉のついていない彼の顔面には、いかなる表情も浮かばない。が、目はキラキラと輝いていた。

「パウダーをかけろ」彼は命じた。

技師は、ＦＢＩの作成したレクター博士の指紋カードからコピーした指紋を持っている。それはカードの表面からコピーしたもので、カードの裏面にのっている六本目の指の指紋と確認番号はコピーしていない。

こびりついた血の筋と筋のあいだに、技師はパウダーをかけた。いつも使う〝ドラゴンズ・ブラッド〟指紋採取パウダーは腕輪にこびりついた血の色にそっくりなので、今回は黒いパウダーを選んで、慎重にふりかけた。

「指紋が確認できました」彼は手を休めて、応接スペースの熱いライトに照らされている頭を撫《な》でた。このライトは写真撮影にも適している。腕輪に残された状態のままの指紋をまず写真にとっておいてから、それを採取して顕微鏡による比較に移った。「左手の中指と親指ですね。符合度、十六ポイント——これなら、法廷でも立派に通用しますよ」彼はとうとう太鼓判を押した。「間違いありません、同一人物です」

メイスンは法廷になど興味はない。彼の青白い手は早くもベッドの上掛けを這《は》って、電話に伸びていた。

31

サルデーニャ島中央部、ジェンナルジェントゥ山脈の内懐《うちぶところ》に広がる草原の、陽光うららかな朝。

六人の男たちが、周囲の森林から伐《き》りだした木材で建てられた、風通しのいい上屋《うわや》の下で働いていた。六人のうち四人は地元のサルデーニャ人、残る二人はローマからやってきた男たちだった。周囲の山々が森閑と静まり返っているせいか、彼らのたてる小さな物音もやけに大きく聞こえる。

その上屋の、樹皮が剝《は》がれかけたままの垂木《たるき》から吊《つ》り下がっているのは、ロココ調の金箔《きんぱく》の額も美々しい巨大な鏡だった。その下には、二つのゲートを備えた頑丈な家畜用の囲いがある。ゲートの一つは草原に面しており、もう一つは二段戸の造りで、上下それぞれの戸が独立してひらく仕掛けになっている。その戸の真下はコンクリート舗装されていたが、囲いの残りの部分にはさながら断頭台のように清潔な藁《わら》が敷きつめられていた。

天使の像が彫られた額入りの鏡は自在に傾斜させることができ、ちょうど料理教室の鏡がガスレンジを真上から見た光景を生徒たちに供するように、家畜囲いを真上から見た光景を映しだす。

映画監督のオレステ・ピーニと、サルデーニャ島のメイスンの配下たちの頭《かしら》、カルロ。二人は、初対面のときからそりが合わなかった。

プロの誘拐屋であるカルロ・デオグラシアスは、ずんぐりした体躯《たいく》の赤ら顔の男だった。彼はいつも、猪《いのしし》の剛毛をリボンに差したチロリアン・ハットをかぶっていた。チョッキのポケットには雄鹿《おじか》の歯が忍ばせてあって、それを口に放り込んではクチャクチャと軟骨の部分を嚙《か》む癖があった。

カルロはサルデーニャに昔から伝わる誘拐業の第一人者で、プロの復讐《ふくしゅう》請負い人でもあった。

どうせ身代金《みのしろきん》目あてに誘拐されるなら――と裕福なイタリア人たちは言うだろう――サルデーニャ人の手にかかったほうがいい。すくなくとも彼らはプロだから、手元が狂って殺したり、動転のあまり殺したりはしない。身内の者が身代金を払いさえすれば、誘拐された人間はレイプもされず、手足を切断されもせず、無傷のまま釈放される公算が高い。身代金を払わなかった場合は、人質の体の一部が身内の人間に送りつけられることになる。

メイスンが念入りに練りあげた段取りに、カルロは不満だった。彼はその稼業《かぎょう》に熟練していて、二十年前にはトスカーナで、実際にある男を豚に食わせたことすらあるのだ――そいつは元ナチの偽伯爵《にせはくしゃく》で、トスカーナの村の子供たちに、男の子と女の子の別なく、性的な関係を強いていた。カルロはその復讐に雇われたのである。彼はバディーア・ディ・パッシニャーノから三マイルと離れていないその偽伯爵自身の庭園から当人を連れだし、ポッジョ・アッレ・コルティ丘陵の下の農園で五頭の大型の豚に食らわせたのだった。そのときは前もって三日間、豚どもには餌《えさ》をやらずにおいた。厳重に縛られて柵《さく》囲いの中に放りだされたナチ野郎は、汗だくになってもがき、必死に命乞《いのちご》いをした。豚どもは最初気後れしたのか、眼前でくねる爪先《つまさき》になかなか食らいつこうとしない。で、カルロはやむなく、契約書の条項に背反する後ろめたさを覚えつつ、豚の好物の美味な野菜サラダをナチ野郎に食べさせ、その上でそいつの首を掻《か》っ切って豚どもを誘ったのだった。

カルロは生来、快活で精力的な男だった。が、ローマからきた他所者《よそもの》の存在は目ざわりでならなかった――家畜囲いの上に吊り下げた鏡にしても、メイスン・ヴァージャーの命令で仕方なく――ポルノ映画の監督ピーニの意を容《い》れて――カリアリで自分が経営する娼家《しょうか》から運んできたものなのだ。

オレステ・ピーニは、専門のポルノ映画や、ただ一本モーリタニアで制作した本物のスナッフ・ムーヴィーで、鏡を効果的な小道具として使っている。だから、カルロが運ばせたロココ調の鏡にはご満悦だった。オレステに最初の啓示を与えたのは自分の車のドア・ミラーに付されていた警告だった。それをヒントに斯界《しかい》で初めて、鏡の歪《ゆが》んだ映像を利用して、ある種の対象物を実際以上に大きく見せるテクニックを導入したのである。

メイスンの指示にしたがって、オレステは明瞭《めいりょう》な録音を確保しつつ、カメラ二台態勢で臨まなければならない。失敗は許されない。全体の撮影に加えて、メイスンは、犠牲者の顔のクローズ・アップをも一貫して撮りつづけることを望んでいた。

カルロの目には、オレステが飽くなき介入者に見えた。

「いいか、おめえには二つのやり方がある。そのどっちかを選べ。そこで女みてえにキンキンとおれにくってかかるか、さもなきゃ、予行演習を黙って見ていて、わからねえことがあったときだけ、おれにたずねるか」カルロはオレステに言った。

「その予行演習も、撮っときたいんだがね」

「好きなようにしろ。ヴァ・ベーネ《ヴァ・ベーネ》。さっさと機材をセットしな。そろそろ始めようじゃねえか」

オレステがカメラを据えているあいだに、カルロと寡黙《かもく》な三人のサルデーニャ人たちは準備を進めた。

金を何より愛しているオレステは、金の力に改めて感心した。

上屋の一方の端には縦長の組み立てテーブルが据えられていた。カルロの弟のマッテーオはそこに古着の束を置いてひもをほどき、そこからシャツとズボンを選びだした。一方、残る二人のサルデーニャ人、ピエロとトンマーソのファルチョーネ兄弟は、台車付きの担架を上屋の中に持ち込んで、藁の上をゆっくりと押していった。担架はあちこち傷《いた》んで、黒いしみがついていた。

上屋にはすでにマッテーオの手で、肝心の食材が運び込まれていた。バケツ数個分の挽《ひ》き肉。まだ羽毛がついたままの、何匹もの死んだ鶏。早くも蠅《はえ》がたかっている腐った果物。そしてバケツ一個分の牛の内臓やトリッパ（第一胃と第二胃）。

カーキ色の着古されたズボンを担架にひろげると、マッテーオはその中に鶏や肉や果物を詰め込んだ。木綿の手袋には挽き肉とドングリを詰め込み、五本の指にもみっしり詰めて、ズボンの両方の脚の下に置いた。お次は上半身だ。そのズボンに合ったシャツを選んで担架の上にひろげ、やはり内臓やトリッパを詰め込んでいく。上体の丸みをだすためにパンも詰めてから前のボタンをはめ、裾《すそ》をきちんとズボンの中にたくし込んだ。両方の袖《そで》の先端には、やはり肉を詰めた手袋を置いた。頭の代用にしたのはメロンで、そこにはヘアネットをかぶせ、前半分をすぱっと切って挽き肉を詰めたあと、ゆで卵を二つ、両目の部分に置いて顔とした。できあがった感じは、雑なつくりのマネキンというところ。それでも飛び降り自殺を図った人間が担架で運ばれてゆく様よりは、まだ人間らしく見えた。最後の仕上げに、マッテーオはべらぼうに高価なアフターシェイヴを〝顔〟の部分と両袖の先端の手袋にふりかけた。

そのとき、カルロが柵のほうに顎《あご》をしゃくった。そこでは、オレステのひょろっとした助手が柵にもたれて、囲いの上に集音マイクを突きだしていた。それをどれくらい先まで伸ばせるか測っていたのである。

「あの阿呆《あほう》な若造に言ってやれ、間違って柵囲いの中に落ちても、助けてはやらねえぞ、とな」

やがて準備がすべて完了した。ピエロとトンマーソが担架の脚をたたんでいちばん低い位置に直し、柵囲いのゲートのほうに押してゆく。

カルロが母屋《おもや》からテープレコーダーとアンプを持ってきた。彼はかなりの数のテープを持っている。そのなかには、拐《さら》ってきたやつの身内に郵送するために、彼自身がそいつの耳を切り落しながら悲鳴を録音したものもある。豚が餌を食べるときは、それらのテープを必ず聞かせるようにしていた。もちろん、生きた人間を豚に食わせるときは、生《なま》の悲鳴がほとばしるので、テープは必要としない。

上屋の柱に、かなり傷んだ戸外用のスピーカーが二個、釘《くぎ》で固定された。森の方角になだらかに下降した美しい草原に、明るい陽光が降り注いでいる。草原を囲む頑丈な柵は森の中にまでつづいていた。真昼の静けさの中で、一匹のクマバチがブンブン上屋の屋根の下を飛びまわっている翅音《はおと》がオレステの耳に聞こえた。

「用意はいいか？」カルロが訊《き》く。

オレステ自身が、固定したカメラのほうのスイッチを入れた。「ジリアーモ」彼は助手のカメラマンに呼びかけた。

「プロンティ（準備完了）！」と、助手が答える。

「モトーレ（カメラ）！」カメラがまわりだす。

「パルティート（回りました）！」フィルムに連動して録音がはじまった。

「アツィオーネ（アクション）！」オレステはカルロに言った。

カルロがテープレコーダーの再生ボタンを押すと、すさまじい悲鳴が静寂を破った。声の主は泣きじゃくりながら、助けてくれ、と叫んでいる。一瞬、カメラマンはびくりとしたものの、すぐにしゃきっと身がまえた。スピーカーから流れる悲鳴は聞くに耐えなかったが、森から駆け込んでくる豚の群れにとっては、待ちかねた序曲だった。彼らにとって、その悲鳴は待望の美味な食事を告げる合図だったのだから。

32

われとわが目で金を確かめるための、ジュネーヴへの日帰りの旅。

ミラノ行きのエアタクシー、アエロスパチアーレ・プロップ・ジェット機は、低い軽快なエンジン音と共に早朝のフィレンツェから舞いあがり、一面のブドウ畑の上空で翼を傾けた。畝《うね》と畝の間隔のひらいたブドウ畑は、なにがなし、トスカーナの不動産業者の粗雑な開発地を想起させる。その風景の色彩はどこか調和が乱れていた——裕福な外国人たちの別荘を彩《いろど》る新しいプールの色が、自然な青に程遠いのである。飛行機の窓から見下ろすパッツィの目に、そのプールの色は年老いたイギリス人の目の白濁した青に見えた。墨色《すみいろ》のイトスギと銀色のオリーヴの木に囲まれたその青は、どこかおさまりが悪かった。

リナルド・パッツィの気分は、飛行機が上昇するにつれて高揚した。おれはもうこの地で老いる必要はないのだ。年金確保のためになんとか定年まで勤めあげようと、移り気な上司たちの顔色を窺《うかが》う必要はもうなくなった。そう胸の中で確信していた。

あの日、ニョッコを殺したレクター博士はすぐにでも姿をくらますのではないか、とパッツィは気が気ではなかった。サンタ・クローチェ教会でレクターの作業灯がついているのを確認したときは、ほとんど〝救済〟に似た安堵《あんど》感《かん》を覚えたほどである。レクター博士はやはり、わが身はまだ安全と信じ込んでいるのだろう。

ニョッコの死は平穏な警察本部にいささかの波紋も起こさず、麻薬関連の殺人事件と見なされた——幸い、彼が倒れていた地面の周囲には、使い古しの注射器が散らばっていた。注射器が無料で入手できるフィレンツェにあって、それは珍しくもなんともない光景だったのだ。

金をこの目で確かめにいく。それはパッツィ自身が強硬に主張して、実現にこぎつけたのだった。

視覚に秀《ひい》でたリナルド・パッツィは、さまざまな映像を完璧《かんぺき》に覚えていた。初めて自分のペニスが勃起《ぼっき》するのを見たとき。初めて自分の血を見たとき。初めて目にした裸身の女。自分に殴りかかってきた最初の拳《こぶし》の残像。それから、シエーナの教会の付属礼拝堂に何気なく足を踏み入れて、思いもよらず、聖カテリーナ・ダ・シエーナの顔をまともに覗《のぞ》き込んでしまったとき。あの祈りの記憶もいまだに鮮やかだ。彼女のミイラ化した頭部はしみ一つない白いヴェールに包まれて、教会の形をした聖遺物箱におさまっていたのだが。

われとわが目で見た三百万ドルの現金に、あのときと同じ衝撃を彼は覚えた。

通し番号がバラバラの百ドル紙幣の束、三百個。

ジュネーヴのクレディ・スイス銀行の、礼拝堂に似た厳粛な小部屋だった。メイスン・ヴァージャーの弁護士が、そこで約束の金を見せてくれたのだ。それは真鍮《しんちゅう》の番号プレートのついた、錠前付きの深い箱四つに分けられて、大金庫室から運ばれてきた。クレディ・スイス銀行は紙幣を数えるためのカウンティング・マシーンと重量計、それに、それらの計器を扱う行員の提供を申しでた。パッツィはそれを断わって、一度だけ札束の山に両手をのせてみた。

リナルド・パッツィは凡庸な捜査官ではない。この二十年間、何人もの偽金つくりを追いつめて逮捕したことがある。この札束の山を目前にし、それを運び込んできた男たちの会話を耳にして、いかがわしい気配はまったく感じとれなかった。こちらがハンニバル・レクターを引き渡せば、メイスンはこの金を渡すつもりでいる。それはたしかだと思われた。

熱くたぎるような甘美な興奮と共に、パッツィは確信した――この連中は真剣だ。メイスン・ヴァージャーは間違いなく金を払ってくれるだろう。そしてパッツィは、レクターを待ちかまえる運命についても、一切の幻想を抱いていなかった。自分が売り渡す男は悽惨《せいさん》な拷問《ごうもん》を受けたあげく殺されるに相違ない。いかにもパッツィらしく、彼は自分がなそうとしていることの意味を正確に認識していた。

（あの怪物の命よりは、おれたちの自由のほうが大切だ。あいつの業苦《ごうく》よりは、おれたちの幸福のほうがはるかに重要なのだ）。呪《のろ》われし者の冷酷なエゴイズムと共に、彼はそう思った。この場合の〝おれたち〟が警官としての義務感に発していたのか、それとも単にパッツィ夫妻を意味していたのかは、容易に判断しがたい。ただ一つの正解はあり得ないのかもしれない。

尼僧《にそう》のヴェールのように清潔な、いかにもスイス風に塵《ちり》一つないその部屋で、パッツィは最後の誓いをたてた。札束から向き直って弁護士のコニー氏にうなずいてみせると、弁護士は最初の箱から十万ドル分を数えてパッツィに手渡した。

それからコニー氏は、電話でだれかと短い会話を交わした。その受話器をパッツィに渡しながら、「これは地上通信線による電話です。傍受不可能なように暗号化されていますから」

耳に響いたアメリカ人の声は、特異なリズムを持っていた。一回の叶息の中に、短い間隔を置いた単語がいくつも流れ込んでくるのだが、破裂音は失われている。こちらも相手に合わせた呼吸を強いられているようで、パッツィは軽い眩暈《めまい》を覚えた。

相手はいきなり訊いてきた。「レクター博士はどこだ？」

片手に金を、もう一方の手に受話器を持ったパッツィは、ためらわずに言った。「彼はフィレンツェのカッポーニ宮で、学究生活を送っている。彼はそこの……司書なんだ」

「きみの身分証明書をコニー氏に見せて、受話器を彼に渡してくれ。この電話できみの名を口にするようなことは、彼にはさせんから」

コニー氏はポケットから何かのリストをとりだして、目を通した。事前に決めてあった符牒《ふちょう》をメイスンに告げると、彼は受話器をパッツィに返してよこした。

「残りの金は、レクターが生きたままわれわれの手に落ちたときに渡す」メイスンは言った。「きみ自身が博士を捕らえる必要はないが、どの人物が彼なのか、われわれにしかと示して、やつの生け捕りに手を貸してほしい。きみが握っている情報もほしいな。あいつに関してわかっている情報をすべて教えてくれ。フィレンツェには今夜帰るんだな？　じゃあ、フィレンツェ近郊での打ち合わせに関する指示を今夜中に伝えるから。遅くとも明日の晩には、打ち合わせをしてもらう。そこで、レクター博士を生け捕りにする男から指示を受けてほしい。その男はきみに、花屋を知ってるか、とたずねるはずだ。そうしたらきみは、花屋はみんな泥棒だ、と答えろ。わかったかね？　その男と、ぜひ協力してくれ」

「できればその……わたしの管轄区《かんかつく》では……フィレンツェの近くではやってほしくない

んだ、その、レクター博士を――」

「そちらの懸念《けねん》はわかるよ。心配するな、そういうことにはならんから」

電話は切れた。

数分間を要した事務手続きのあとで、一百万ドルが第三者預託に付された。メイスン・ヴァージャーはそれをとりもどすことはできないが、パッツィの要求に応じてそれを解除することができる。会議室に呼ばれたクレディ・スイス銀行の役員がパッツィに伝えたところでは、仮にパッツィがその金額をスイス・フランに換えてクレディ・スイスに預金することを希望した場合、銀行は彼に逆金利を課し、最初の十万フランについてのみ三パーセントの複利の利息を支払うという。その役員はパッツィに〝銀行の秘密保持に関する銀行預金連邦法〟第四十七条のコピーを手渡して、もしパッツィが望むならば、資金の預託が解除されしだいその金額をノヴァ・スコシア・ロイヤル銀行、もしくはケイマン諸島に電信送金する旨《むね》約束した。

公証人同席のもとで、パッツィは、自分が死んだ場合その口座の代理署名権を妻に譲ることに同意した。やがてすべての手続きが完了し、スイスの銀行の役員だけが握手を求めてきた。パッツィとコニー氏は互いに相手の視線を避けていたが、最後の別れの時が訪れると、コニー氏も握手を求めた。

フィレンツェへの空路の最後の区間。ミラノを飛び立ったエアタクシーは雷雲を避けながら飛び、パッツィの側のプロペラは鈍色《にびいろ》の空に黒い弧を描いて回転した。古都の上空にさしかかると、機は雷鳴を衝《つ》いて旋回態勢に入り、眼下にドゥオーモの鐘楼やドームが見えてきた。夕闇《ゆうやみ》に街の灯が咲きはじめている。パッツィが少年時代に目撃したドイツ軍の砲撃を思わせる閃光《せんこう》と轟音《ごうおん》が、空を裂く。あのときドイツ軍は、ヴェッキオ橋を除いて、アルノ川に架かるすべての橋を爆破したのだが。稲妻が空を裂く一瞬、彼は、子供の頃に見た光景を思いだした。そう、捕虜になったドイツ軍の狙撃手《そげきしゅ》が〝鎖のマドンナ〟に鎖でつながれ、銃殺される前の祈りを強いられていたあの光景を。

稲妻のオゾンの香りを衝いて下降する機の、布張りの座席で雷鳴の轟《とどろ》きを肌に感じつつ、古《いにしえ》のパッツィ家のパッツィは、時間と同じくらい古い野望を胸に秘めて古都に帰着した。

33

本当のところは、カッポーニ宮に棲《す》む獲物の監視をつづけたかったのだが、そうはいかなかった。

あの札束を恍惚《こうこつ》と眺めた余韻にまだ浸りつつ、ディナー用の服に急ぎ着替えて、パッツィは以前から楽しみにしていた〝フィレンツェ室内楽団〟のコンサートの会場で妻と落合った。

ヴェネツィアの誇る壮麗なテアトロ・ラ・フェニーチェ。その半分のスケールのコピーとして十九世紀に建てられたフィレンツェのテアトロ・ピッコロミニは、金箔《きんぱく》とビロードをふんだんにあしらったバロック調の宝石箱というべきか、その華麗な天井には空気力学の法則を無視してエンジェルたちが舞っている。

劇場自体が美しいのは一つの利点でもあるだろう。そこに出演する演奏者たちにとって、自分の実力を引き立ててくれるものならすべて歓迎したくなることが往々にしてあるのだから。

フィレンツェにおける音楽が、同市の美術の如何《いかん》ともしがたいほど高い基準によって評価されるのは、公平さに欠けるとはいえ、避けがたいところ。そもそもフィレンツェ市民はイタリアでは典型的な、深い素養をつんだ音楽愛好家の一大グループと言ってよいのだが、それゆえに真の才能に富む音楽家の出現に飢えていることも事実なのである。

序曲につづく喝采《かっさい》のなかで、パッツィは妻の隣りの席にすべりこんだ。

妻は匂《にお》い立つような頬を寄せてきた。襟ぐりの深いイヴニング・ガウンに包まれた妻の艶姿《えんし》を見ると、心臓がひときわ大きく高鳴るのを覚える。妻はその白い胸の谷間から暖かい芳香を漂わせながら、パッツィの与えたグッチの洒落《しゃれ》たカヴァー・ケースに挟まれた楽譜に目を落している。

「ヴィオラの奏者が別の人に変わって、演奏が様変りに良くなったわ」彼女はパッツィの耳にささやいた。前任のヴィオラの奏者はソリアート教授のいとこで、あまりに演奏の技量がお粗末なため悪評さくさくだったのだが、つい数週間前、どういうわけか、謎《なぞ》の失踪《しっそう》をとげてしまったのだ。後任のヴィオラ・ダ・ガンバの奏者は、素晴らしい技量の主だった。

白いタイ着用の正装で、高いボックス席から独りで下を見下ろしているのは、ハンニバル・レクター博士だった。バロック調の金箔の彫刻に飾られた暗いボックス席の中に、彼の顔と白いシャツがふうわりと浮かんでいるように見える。

　第一楽章が終って束の間《つかま》ライトがついたとき、パッツィは博士の姿に気づいた。目をそらそうとする寸前、博士の頭がフクロウのようにこちらを向き、二人の目が合った。パッツィはつい妻の手をぎゅっと握りしめ、彼女は物問いたげに夫の顔を見あげた。それ以後、パッツィは頑《かたく》なにステージに視線を据えていた。妻に握られた手は、彼女の温かい太ももにずっと押しつけられていた。

　休憩の時間になって、パッツィが妻に渡すドリンクを手にバーからもどってくると、レクター博士が彼女のかたわらに立っていた。

「これは、フェル博士」

「今晩は、コンメンダトーレ」博士は頭をわずかにかしげて待っている。パッツィは仕方なく妻を紹介した。

「ラウラ、こちら、フェル博士だ。博士、家内のシニョーラ・パッツィです」

日頃、その美貌《びぼう》を賞賛されることに慣れているシニョーラ・パッツィは、博士が次に見せた振舞いに奇妙に自尊心をくすぐられたが、夫の反応は別だった。

「こんな美しい奥方にご紹介いただいて光栄だよ、コンメンダトーレ」

　赤いとがった舌の先をチロッと突きだしたと思うと、博士はシニョーラ・パッツィの手の上に身をかがめた。その唇はフィレンツェの風習が認めるよりも数段彼女の肌に近づいていたかもしれない。とにかく、彼女が博士の吐息を感じられるほど近づいたのはたしかだった。

　博士のなめらかな頭がもちあがるのに先んじて、その目が上向いて彼女をとらえた。

「スカルラッティがことのほかお好きなようですな、シニョーラ・パッツィ」

「ええ」

「あなたが楽譜を目で追っているのを見て、嬉《うれ》しく思いましたよ。きょうび、そうして音楽を味わう者は絶えていないのだから。そうそう、これを気に入っていただけるとよろしいのだが」小脇《こわき》に抱えていた紙挟みを差しだした。それは羊皮紙に手書きで模写された古い楽譜だった。「ローマのテアトロ・カプラニカにあったものです。この曲が書かれた一六八八年に模写されたのだが」

「まあ、驚いた《メラヴィリオーソ》！　ねえ、これを見て、リナルド！」

「第一楽章を聞きながら、現在使われている楽譜との相違点をいくつか上紙に記しておきました」レクター博士は言った。「第二楽章をこの楽譜で追ってみると、さぞかしお楽しみいただけるのでは。どうぞ、これをお持ちなさい。いずれ都合のいいときに、シニョール・パッツィから返していただく——それでかまわんかな、コンメンダトーレ？」

　答えようとするパッツィの顔を、博士は深く、射すくめるように覗き込んだ。

「おまえがお借りしたいなら、そうすればいいさ、ラウラ」パッツィは言った。それから、ふと思いついて、「こんど、ストゥディオーロの前でスピーチをなさるんでしたね、博士?」

「ああ、正確には金曜の夜だがね。ソリアートのやつ、わたしが面目を失墜するところを早く見たくてたまらんのさ」

「その日はちょうど旧市街に用がありますので、そのときに楽譜をお返ししましょう。ラウラ、フェル博士はな、ストゥディオーロの禿《は》げ鷹《たか》どもの前で、一席ぶたなけりゃならないのさ」

「それはさぞかしご立派なスピーチになることでしょうね、博士」彼女はあの大きな黒い瞳《ひとみ》で博士を見つめた——淑女の嗜《たしな》みを辛うじて越えない程度に、艶然と。

レクター博士が微笑《わら》うと、白い小さな歯が覗いた。「マダム、もしわたしが、いまおつけになっている香水、フルール・デュ・シエルの作り手だったら、それに似合うケープ・ダイアモンドをお贈りするところです。それでは金曜の夜にお会いしよう、コンメンダトーレ」

博士が元のボックスにもどるのを確かめると、パッツィはそれきり彼のほうは見なかった。再び博士の顔を見たのは数時間後、劇場の前の階段で、遠くからおやすみの挨拶《あいさつ》代わりに手を振ったときだった。

「フルール・デュ・シエルは、おまえの誕生日に贈ったんだったね」

「ええ、とても気に入ってるわ、リナルド」シニョーラ・パッツィは答えた。「あなたみたいにセンスのいい人って、いないわよ」

34

インプルネータは、フィレンツェのドゥオーモの屋根瓦《がわら》が造られた古い町である。そこにある墓地は、夜も丘の上の山荘から、周囲数マイルにわたって見渡すことができる。各墓前のランプが永遠に燃えつづけているからだ。薄ぼんやりとした明りではあるが、詣《もう》でる人間が死者のあいだを歩きまわるのに不足はない。もちろん、碑銘を読みとるには懐中電灯が必要だが。

リナルド・パッツィは九時五分前に、小さな花束を持って到着した。花束はどこか適当な墓の前に捧《ささ》げるつもりだった。墓石のあいだの砂利敷きの小道を、彼はゆっくりと歩いていった。

目には見えなくとも、男がそこにいることは感じでわかった。

人の背丈より高い霊廟《れいびょう》の向う側から、カルロが声をかけた。「この町のいい花屋を知ってるかい？」

（話し方からすると、こやつ、サルデーニャの人間らしい。よし、すくなくとも、与えられた仕事には通じているだろう)。

「花屋はみんな泥棒さ」パッツィは答えた。

こちらを覗《のぞ》こうともせずに、男は足早に、大理石の霊廟の陰から現われた。

カルロというその男は、動物的な野性味を満身から発散していた。いかにも腕力のありそうな、ずんぐりした体格。手足はとても敏捷《びんしょう》そうだ。革のチョッキを着ていて、帽子には猪《いのしし》の剛毛が差してある。リーチはこちらのほうが三インチほど長いだろう、とパッツィは踏んだ。身長もこちらのほうが四インチほど高い。が、体重はおそらく五分五分だ。よく見ると、片方の手の親指が欠けている。おそらく五分もあれば、本署のファイルでこいつの素姓を確認できるだろう。二人の男は墓石のランプで、下から照らされていた。

「あの男の住いは、高性能な警報装置で守られているぞ」パッツィは言った。

「そいつはこの目で確かめたさ。あんたはあの男を、おれにわかるように示してくれりゃそれでいいんだ」

「彼は明日、金曜の晩、ある会合でスピーチを行なうことになっている。そんなに早くても大丈夫か?」

「ああ、問題ねえさ」このポリ公をすこし脅して主導権を握ってやろう、とカルロは思った。「あんた、その男と並んで歩けるか? それとも、そいつが怖《こえ》えかい? とにかく、礼金に見合った働きだけはするこった。こいつがその男だと、おれの前で示してくれ」

「言葉に気をつけろ。もちろん、礼金分の働きだけはする。おまえもそうするんだな。さもないと、ヴォルテッラ刑務所にぶちこんで、余生をそこで送らせてやる。よく考えて行動しろ」

仕事をしている最中のカルロは、苦痛の悲鳴に耳もくれないように、侮辱の言葉も気に留めない。この野郎をすこし安く踏みすぎたな、と気づいて、彼は両手を広げた。

「とにかく、知っといたほうがいいことを教えてくれや」

カルロはパッツィの横に並び、小さな霊廟に二人並んで詣でているように立った。一組の男女が手をとりあって背後を通りすぎてゆく。カルロは帽子を脱ぎ、二人の男は頭《こうべ》を垂れた。パッツィはその墓の扉の前に花束を捧げた。カルロのぬくい帽子から異臭が漂ってくる。拙劣な手段で去勢された豚が原料のソーセージのように、すえた臭《にお》いがした。

パッツィは墓の扉から顔をあげた。「あいつは素早くナイフを扱うぞ。体の低い箇所を狙《ねら》ってくる」

「銃は持ってるのか？」

「さあな。おれの知るかぎり、銃はまだ一度も使ったことがない」

「そいつを車から引きずりだすようなことはしたくねえんだ。人通りのすくない公道で襲いてえんだがな」

「どうやって捕らえる気だ？」

「そいつはあんたの知ったこっちゃない」雄鹿《おじか》の歯を口中に放り込むと、カルロはときどきそれを唇のあいだから覗かせながら、軟骨の部分をクチャクチャと噛《か》みはじめた。

「いや、おれも知っておく必要がある」パッツィは言った。「どうやって捕らえる気だ？」

「最初にビーンバッグ・ガン（実弾の代わりに小散弾をこめた銃）で撃って、気絶させる。そこへ網をかけて、つかまえるのよ。それから注射を一本、ぶちこんでやってもいいや。歯のかぶせものの下に毒を隠してるかもしれねえから、すぐに調べねえとな」

「あの男はある会合でスピーチをすることになっている。場所はヴェッキオ宮殿で、開始時刻は七時だ。あすもサンタ・クローチェ教会のカッポーニ家礼拝堂で修復作業をするとしたら、たぶん、そこからヴェッキオ宮殿まで歩いていくだろう。おまえはフィレンツェには詳しいか？」

「ああ、よく知ってら。あんた、旧市街を車で走る許可証を手に入れてくれるか？」

「いいとも」

「教会から運びだすようなことは、したくねえな」

パッツィはうなずいた。「七時からの会合に、ちゃんと彼を出席させておいたほうがいい。そうしておけば、その後ふっつりと彼の姿が消えても二週間は周囲に怪しまれないはずだ。その会合のあと、おれはカッポーニ宮まで彼を送っていく用件があるんで――」

「いや、そいつの家の中で襲いたくはねえ。そこはやつの縄張りだ。やつは自分の掌《てのひら》のように内部に通じてるだろうが、こっちはそうはいかねえ。たぶん、やつはその屋敷に入るとき、あたりを警戒して、玄関の前で周囲を見まわしたりするんじゃねえか。だからやっぱり、ふつうの歩道で狙いてえな」

「だったら、よく聞け――いいか、おれとあの男はヴェッキオ宮殿の正面入口から出てくる。その時間、裏側のレオーニ通りに面した出口は閉鎖されているはずだ。それから、宮殿とウッフィーツィ美術館に挟まれたネーリ通りを進むことになるだろう。で、ベンチ通りとの交差点を右折して、アルノ川に架かるアッレ・グラツィエ橋を渡る。そのまま南岸を直進すると左側にバルディーニ美術館があるが、その前には樹木が生えていて、街灯の光を遮っている。あそこなら、その時刻、近くの学校の授業も終っているから、人通りもなく、静かなはずだ」

「わかった。じゃあ、そのバルディーニ美術館の前にしようや。でも、チャンスと見たら、もっと早く、ヴェッキオ宮殿の近くで襲うかもしれねえ。ただ、万一やつが怖《おじ》けづいて逃げだそうとしたときは、もっと早い時間にやるかもしれねえ。いずれにしろ、おれたちはたぶん救急車にひそんでるからな。ビーンバッグ・ガンでやつを射《う》つ瞬間まで、あんた、やつのそばにいてくれ。それから急いで離れりゃいい」

「あの男に何らかの仕置きを施すときは、トスカーナ以外の場所でやってくれ」

「ああ、心配するなって。そのときにはもうあやつ、この地球から消えてなくなってら、い、い、い、い、両足のほうから先にな」自分にしかわからないジョークにニヤつきながら、カルロは雄鹿の歯を口から突きだした。

35

金曜の朝。カッポーニ宮の屋根裏の小さな部屋。水漆喰塗りの壁の三方は裸だが、四番目の壁には十三世紀チマブーエ派の聖母マリアの絵が掛かっている。それはその小部屋を圧するように大きな絵だった。聖母マリアは好奇心に駆られた小鳥のように小首をかしげていて、アーモンド型の目がその絵の下で寝ている小柄な人物を眺めている。

刑務所と精神病院の寝台の古強者《ふるつわもの》、ハンニバル・レクター博士は、両手を胸に置いて、狭いベッドに静かに横たわっていた。

そのうち両眼をひらくと、彼は突然、完璧《かんぺき》に目覚めた。はるか昔に食われて死んだ妹ミーシャの夢が、断ち切られることなく、覚醒《かくせい》した意識に流れ込んでいる。あのときの危機、現在の危機。

自分が危機に直面していると知っても、あのスリを殺したときのように、眠りはいささかも妨げられなかった。

博士はきょうの行事のために着替えをはじめ、その痩身《そうしん》をシルクのダーク・スーツに包むと、一分の隙《すき》もない装《よそお》いで部屋を出た。召使い用の階段の上で人感センサーのスイッチを切り、この館《やかた》の広々としたスペースに降りてゆく。

いまや彼は多数の部屋を擁するこの館の広大な静寂の中を気随に歩きまわれるのだが、それは多年地下の独房に押し込められていた身には、めくるめくような自由だったと言えるだろう。

サンタ・クローチェ教会やヴェッキオ宮殿のフレスコ画の壁が〈精神〉に覆《おお》われているように、カッポーニ文庫の空気には〈存在〉がつまっている、と大きな壁の整理棚に仕分けられた古文書にあたりながらレクター博士は思う。彼は羊皮紙の巻き物を選んで、塵《ちり》を吹き払う。陽光の中を塵の微粒子が舞う様は、あたかも塵と化した死者たちが博士に向かって、彼らの運命と博士自身の運命を告げようともがいているかのようだ。博士はてきぱきと仕事を進めていく。が、決して無用に急いだりはしない。彼は淡々といくつかの資料を紙挟みにおさめ、今夜のストゥディオーロの面々への講義に備えて、書物や図版をまとめにかかる。読んでみたかった本はあまりにも多い。

レクター博士はラップトップ・パソコンを起動させ、ミラノ大学犯罪学科を呼びだしてから、だれでもアクセスできるワールド・ワイド・ウェブ上のFBIのアドレス、www.fbi.gov を呼びだして、そのホームページをひらいた。クラリス・スターリングも参加して失敗した、あの麻薬の手入れ。司法小委員会の聴聞《ちょうもん》の日取りは、まだ決まってないようだった。FBIにおける自分自身のケース・ファイルを覗くのに必要なアクセス・コードは、博士もつかんでいない。最重要手配者のページをひらくと、爆破犯と放火犯に挟まれた、自分の以前の顔がこちらを見返した。

羊皮紙の束の上からけばけばしいタブロイド紙をとりあげると、レクター博士は一面のクラリス・スターリングの写真に目を凝らして、その顔を指先でなぞった。あたかも六本目の指の代わりに生やしたかのように、眩《まば》ゆい刃が手中に現われる。通称、〝ハーピー〟。そのナイフの刃は、猛禽類《もうきんるい》の鉤爪《かぎづめ》のように鋭い。あのジプシーの男の大腿《だいたい》動脈を切断したときのようにすんなりと、それは『ナショナル・タトラー』紙の写真を切り裂いてゆく――あのジプシーに切りつけたとき、刃は一瞬のうちに肉に沈んだので、あとで血を拭《ぬぐ》う必要もないくらいだった。

クラリス・スターリングの顔写真は、何も書かれていない一枚の羊皮紙に糊《のり》で貼《は》りつける。

それからペンを持つと、彼は流麗なタッチでその羊皮紙に翼を持つ雌ライオンの胴体を描いた。するとクラリスの顔を持つグリフォンの絵ができあがった。その下に、細くしなやかな字体で彼は明瞭《めいりよう》に書き添えた――俗物どもがきみを理解できないのはなぜか、考えたことがあるか、クラリス？　それはきみ自身が、〈サムソンの謎《なぞ》〉の解答だからだ。きみはライオンの中の蜜《みつ》のごとき存在なのさ。

そこから十五キロ離れたインプルネータでは、カルロ・デオグラシアスが高い石塀の陰に車をひそかに駐《と》めて、装備の点検を行なっていた。弟のマッテーオは、柔かい草の上で、他の二人のサルデーニャ人、ピエロとトンマーソのファルチョーネ兄弟と一連の柔道の技の練習に余念がない。ファルチョーネ兄弟はどちらも敏捷で、腕力も強かった――ピエロのほうは短期間ながらプロのサッカー・チームの〝カリアリ〟に在籍していたことがある。トンマーソは一時期司祭になるための勉強に励んだことがあり、英語も一応しゃべることができた。彼は自分たちの誘拐した犠牲者と共に祈ることもときどきあった。

ローマ・ナンバーのついたカルロの白いフィアットのヴァンは、正規のレンタカーだった。必要の際、そのボディにとりつける〝ミゼリコルディア会病院〟のプレートも用意してある。内部に閉じ込めた人間が暴れた場合に備えて、荷室のフロアと周囲の側面は引越し業者の使うスポンジで覆われていた。

カルロはメイスンの指示通りに事を運ぶつもりだった。が、万一手順が狂ってレクター博士をイタリア本土で殺すハメになり、サルデーニャ島での撮影がご破算になったとしても、すべてが失われるわけではない。一分もかけずにレクター博士を殺し、その首と両手を切断する自信がカルロにはあった。

その一分間の猶予《ゆうよ》すらない場合でも、博士のペニスと指一本くらいは切断できる。DNA鑑定が実施されれば、それでも十分有効な証拠になるに相違ない。それを氷づめのビニール袋に密封して送れば、二十四時間以内にメイスンの手元に届くはず。礼金に加えて賞金だって間違いなくもらえるだろう。

シートの背後には、必要な道具類がきちんと保管されていた。小型の電動鋸《のこぎり》。長い柄のついた金属切断鋏《ばさみ》。外科手術用の鋸。鋭いナイフ。ジップ・ロック式のビニール袋。博士の両腕を拘束するためのブラック・アンド・デッカー社製ロープ。それにDHL・エア・エクスプレスの梱包《こんぽう》用の箱。これは、レクター博士の頭部の重量を六キロ、片腕の重量を一キロと見て、すでに運送料を払い込んである。

とっさにレクター博士を殺す必要に迫られた場合でも、その一部始終をビデオで録画できれば、さらに大儲《おおもう》けができる、とカルロは信じていた。博士の首と両手に対して百万ドル吐きだしたあとでも、メイスンは必ずや、レクター博士が生きながらなぶり殺しにされる様を見る悦楽のために追加の報奨金を払ってくれるだろう。そのためにカルロは高性能ビデオ・カメラと、適切な照明装置や三脚を用意してあるばかりか、撮影の要領もマッテーオに教え込んである。

殺害用具のみならず、捕獲用具のほうも準備に抜かりはなかった。ピエロとトンマーソは捕獲網を扱う名手だが、その捕獲網はいまパラシュートのようにきちんと折りたたまれている。それにレクター博士程度の体格の動物なら数秒間で倒せる動物用鎮静剤アセプロマジンを充塡《じゅうてん》した注射器にダート銃。最初はビーンバッグ・ガンを使う予定だと、カルロはリナルド・パッツィに話したが、そのビーンバッグ・ガンもすでに弾丸を装塡ずみで、いつでも使用可能な状態になっている。だが、レクター博士の尻《しり》とか脚に注射針を撃ち込むチャンスがあれば、ビーンバッグ・ガンは使わなくてすむ。

いったん獲物を捕獲したら、イタリア本土には四十分間しか留まらなくてすむはずだ。それくらいの時間があれば、救急機が待機しているピサの飛行場まで車で急行できるからである。もちろん、フィレンツェ空港のほうが距離は近いのだが、発着便がずっとすくないので自家用機が目立ちやすいのだ。

それから一時間半もたたないうちに、一行はサルデーニャに到着する。そこではレクター博士の〝歓迎委員会〟がよだれを垂らして待ちかまえていることだろう。

その抜け目のない、悪臭ふんぷんたる頭脳で、カルロはすべての利害得失を計算ずみだった。メイスンも馬鹿《ばか》ではない。礼金にしても、リナルド・パッツィの身に何かがあった場合は減額される仕組みになっていた——カルロが礼金を独り占めにしようとしてパッツィを殺すと、かえって損をしてしまうのだ。有名な警官が死亡してマスコミが騒ぎだすような事態を、メイスンは望んでいないのである。結局、メイスンの望むとおりにやったほうが万事得、ということになる。とはいえ、自分が一人でレクター博士を発見した場合、電動鋸を二、三度引いただけでケリをつけられるのだと思うと、カルロはやはりムシャクシャしてくるのだった。

彼は試しに電動鋸のスイッチを入れてみた。一回ひもを引いただけで、ぶうんと唸《うな》りだした。

手下どもと手短かに打ち合わせをすませると、彼はナイフと銃と注射器だけを身に帯びて小型バイクにまたがった。行く先は、フィレンツェの中心街だった。

まだ早い時刻に、ハンニバル・レクター博士は騒々しい街路からこの世で最も香ぐわしい場所の一つ、ファルマチーア・ディ・サンタ・マリーア・ノヴェッラに入った。ここは七百年余の昔、ドメニコ会の修道僧たちによって創《つく》られた薬舗である。奥の内扉まで伸びている廊下で博士は立ち止まり、両目を閉じて顔を仰向《あおむ》けると、名高い石鹸《せっけん》やローションやクリームの芳香、作業室に並ぶ各種の原料の香りを心ゆくまで吸い込んだ。用務員は博士とは顔馴染《かおなじみ》であり、ともすれば日頃尊大な態度を隠さない店員たちも彼には大いなる敬意を抱いている。このフィレンツェで暮らしはじめて以来、身嗜《みだし》なみに気を配るフェル博士がこの店で購《あがな》った商品の総額は、それでも十万リラを超えないだろう。だが、それらの香料や香油はよくよく厳選され、しかも並はずれた感性によって組み合わされていた。その感性は、鼻によって生きている香りの商人たちの胸に驚きと敬意を植えつけずにはおかなかったのだ。

　自分の鼻の形を変えるに際し、レクター博士が外面的なコラーゲン注射のみに留めて、いかなる鼻整形手術も行なわなかったのは、まさしくこの喜びを保ちたいがためだった。彼にとって、周囲の空気は各種の色彩と同等の、明瞭で鮮やかな香りで彩《いろど》られている。彼はあたかも絵の具の上に絵の具を重ね塗りするように、それらの香りを重ねてかぐことができる。ここには牢獄《ろうごく》を思わせるものは何ひとつない。ここでは空気は音楽なのだ。まずは本物の龍涎香《りゅうぜんこう》、麝香《じゃこう》、海狸香《かいりこう》、それに麝香鹿《じか》のエッセンスから成る基音がゆきわたっており、その上に抽出を待つ乳香の青白い涙がたゆたい、黄色いベルガモット油、白檀《びゃくだん》、肉桂《にっけい》、ミモザ等の香りが渾然《こんぜん》となった調べがのびやかに響きわたっている。

　自分は両手や両腕、両の頰で、周囲に満ちている香りをかぐことができるという幻想に、レクター博士はときに浸ることがある。そう、自分は顔と心で香りをかげるのだという幻想に。

　他のどの感覚にも増してやすやすと嗅覚《きゅうかく》が過去の記憶をよみがえらせ得るのは、もっぱら鼻にまつわる解剖学的な理由による。

　このファルマチーアの、奥の売り場に通じる典雅な廊下。その天井を飾る大きなアール・デコ調のランプが放つ仄《ほの》かな光の下に立って香りをかいでいると、レクター博士の頭にはさまざまな記憶の断片が、閃光《せんこう》のようによみがえってくる。その記憶の中に、牢獄につながるものは何ひとつつない。ただ——あれは何だ？　クラリス・スターリング。どうしてだろう？　あの独房の檻《おり》の近くで彼女がハンドバッグをあけたときにとらえたあの香水、あのレール・デュ・タンの香りではない。そう、あれとはちがう。あの種の香水は、このファルマチーアでは売られていない。それに、彼女のスキン・ローションの香りでもない。とすると、ああ、サポーネ・ディ・マンドルレだ。このファルマチーアの名物でもあるアーモンド石鹸の香り。しかし、この香りをどこでかいだのだろう？　メンフィスだ。あそこから逃亡する直前、クラリスが自分の独房の前に立ったとき、つかのま彼女の指に触れたことがあった。とすると、やっぱり、クラリス・スターリングの香りだ。清潔で濃密な風合い。陽光で乾かした上にアイロンをかけたコットン。クラリス・スターリング。どこか人好きがして、官能的。退屈なほど仕事熱心で、不条理なほど信念を曲げない。そして、回転の速い、あの生来の才知。ふうむ。

その一方、レクター博士にとって、いやな記憶は不快な臭気と結びついている。そして、おそらくはこのファルマチーアくらい、彼の〝記憶の宮殿〟の下層にある悪臭ふんぷんたる暗い地下牢から遠く隔たったところはない。

日頃の習慣に反して、この灰色の金曜日、レクター博士は石鹸やローションやバス・オイルを大量に買い求めた。そのうちの数点は自分で持っていくことにし、残りは郵送してもらうことにして、相手の宛先《あてさき》も彼独特の優美な字体で明瞭に伝票に書き込んだ。

「何かメッセージを同封されますか、ドットーレ？」店員が訊《き》く。

「ああ、そうしてもらおう」レクター博士は答えて、すでに折りたたんである、あのグリフォンの図を郵送用の箱にすべり込ませた。


ファルマチーア・ディ・サンタ・マリーア・ノヴェッラはフィレンツェ駅に近いスカーラ通りにあって、修道院に隣接している。信心深いカルロは、そのファルマチーアの斜め向かいの建物の前にさしかかると、扉の上部の壁に嵌《は》め込まれた聖母マリアの絵の下で思わず帽子を脱いだ。ファルマチーアの入口を見張るうちに、彼はあることに気づいた。だれかが出てくる数秒前に、必ずと言っていいくらい通りに面した扉がわずかにひらくのだ。おそらく、ファルマチーアの奥の売り場の扉をあけると、揺らぐ空気の圧力で通りに面した扉が動くのだろう。それに気づいてから、カルロは客がファルマチーアから出てくる寸前に身を隠して、その人物の行動を見張る余裕が持てるようになった。

薄い紙挟みを抱えたレクター博士が出てきたとき、カルロは絵葉書を売っている土産物屋の陰に完全に隠れおおせていた。博士は入口を背にして左側の方角に歩きはじめた。例の聖母マリアの絵の前にさしかかると、彼はその絵を見あげて、くんくんと空気をかいだ。

カルロの目に、それは敬神的な振舞いのように見えた。頭のタガのはずれた男にはえてして信心深いやつが多いものだが、レクター博士もその口なのだろうか。しかし、最後の最後にはあやつに神を呪《のろ》わせてやる、とカルロは思った——それを見れば、メイスンもさだめし喜ぶことだろう。もちろん、そのとき、敬虔《けいけん》なトンマーソのやつは、どこか博士の悲鳴が聞こえないところに追い払っておく必要があるが。

その日の夕方近く、リナルド・パッツィは妻宛ての書簡をしたためて、彼女と付き合いはじめた頃に書いたまま気恥ずかしくて渡せなかった愛の十四行詩を同封した。そこにはスイスで第三者預託に付されている懸賞金を請求するのに必要な暗号と、万が一メイスンが約束に背反した場合彼宛てに送るべき手紙も同封した。その書簡は、妻が彼の遺品を整理するようなことになった場合にのみ見つかるはずの場所にしまった。

午後六時。パッツィは小型のモトリーノにまたがってバルディーニ美術館までゆき、最後に残った学生たちが自転車をはずしている鉄のレールに、自分のモトリーノを鎖で結びつけた。救急車のプレートをつけた白いヴァンが、美術館の近くに止まっていた。カルロのヴァンに相違ない。中には二人の男がすわっていた。そこから歩み去ろうとして、パッツィは彼らの視線を背中に感じた。

時間はまだたっぷりある。街灯がすでについていた。美術館前の樹木の好都合な黒い影伝いに、彼はゆっくりとアルノ川に向かって歩いていった。アッレ・グラツィエ橋を渡る途中、緩慢に流れる川面《かわも》を見下ろして、じっくりと思いを凝らせる最後の機会を逃さず考えに沈んだ。今夜はたぶん星も姿を現わすまい。そのほうが助かる。低い雲がヴェッキオ宮殿の酷薄な尖塔《せんとう》を舐《な》めながら、東に流れてゆく。サンタ・クローチェ教会の前の広場では、粉末状になった鳩《はと》の糞《ふん》や塵《ちり》を、風が巻きあげていた。パッツィはそちらの方角に歩きはじめた。ポケットには三十八口径のずっしりとしたベレッタ、ひらたい革の警棒、それにレクター博士を瞬時に殺す必要に迫られた場合に使うナイフがおさまっている。

サンタ・クローチェ教会は午後六時に閉まるのだが、正面の小さな扉から守衛が中に入れてくれた。〝フェル博士〟がまだ修復作業をつづけているかどうか、この守衛に問いただしたくはない。パッツィは足音を忍ばせて自ら確かめにいった。両側の壁沿いの祭壇に捧《ささ》げられたロウソクの明りで、目は十分にきく。広大な身廊の内陣に向かって歩いていくと、十字架型の教会の左袖廊の奥が見えてきた。が、小さなロウソクの明りでは、カッポーニ家礼拝堂にレクター博士がまだ残っているかどうか、見定めがつかない。そのまま右の袖廊を音もなく進んで、左のほうに目を走らせる。突然、礼拝堂の壁に大きな影が躍りあがり、パッツィは一瞬、息を呑《の》んだ。レクター博士だった。いつもの、碑銘をこする作業をしている床に置かれたランプの上に、身をかがめている。それからまっすぐ背筋を伸ばすと、博士は頭のみをゆっくりとめぐらして、フクロウのように闇《やみ》を覗《のぞ》き込んだ。作業用のランプに下から照らされて、大きな影が背後の壁を覆《おお》った。次の瞬間、彼はまた身をかがめて作業に移り、壁を黒々と染めあげた影は再び縮んだ。

シャツの下の背中に汗が滴《したた》り落ちるのを、パッツィは感じた。が、顔はひんやりと冷たかった。

ヴェッキオ宮殿での会合がはじまるまで、まだ一時間ある。そこには博士のスピーチの終る頃に着けばいいだろう。

パッツィはいったん教会を出て、自分の一族の礼拝堂に足を向けた。ブルネッレスキがパッツィ家のために築いた礼拝堂は、その峻厳《しゅんげん》な美しさにおいて、ルネッサンス期の建築の精華の一つと言っていい。そこでは円と方形が見事に調和しているのだ。サンタ・クローチェ教会に隣接しているこの礼拝堂に入るには、外のゲートをくぐってアーチ型の天井の回廊伝いにいくしかない。

パッツィはパッツィ家の礼拝堂の石の床にひざまずいて、祈った。壁の上部の、デッラ・ロッビア作の丸枠彩色陶板に描かれた、彼にそっくりの祖先がその姿を見守っていた。自分の祈りは壁の上部をとりまく十二使徒によって阻《はば》まれているような気が、彼はした。が、祈りは背後の小暗い回廊に逃れでて、そこからはるか空の高みの神のみもとにまで舞いあがっていったかもしれない。

パッツィは努力して、レクター博士と引き替えに入手する大金で成し得る善行の数々を脳裡《のうり》に思い描いた。自分と妻が孤児の悪童たちにコインを恵んでいる図が頭に浮かんだ。それと、病院に寄付できるかもしれない医療機器。ガリラヤ湖の波が頭に浮かんだ。それはチェサピークの浜辺に似ていた。妻のしなやかなバラ色の手が自分のペニスを握りしめ、亀頭《きとう》が最大限に膨張している様も頭に浮かぶ。

周囲を見まわしてだれもいないのを確かめると、パッツィは声に出して神に感謝した。

「このわたしをして、あの怪物、怪物の中の怪物をあなたの地球から放逐せしめたもうことに対し、神よ、あなたに感謝いたします。われわれが苦痛を免れせしめ得る人々に代わって、あなたに感謝いたします」

この場合の〝われわれ〟が警官としての義務感に発しているのか、それともパッツィと神の連携を指しているのかは、定かではない。唯一《ゆいいつ》無二の正解はあり得ないのかもしれない。

パッツィのなかの、彼に批判的な分身は、彼に告げた——おまえとレクター博士は殺しの共犯ではないか。あのニョッコはおまえたち二人に殺されたも同然だ。おまえはニョッコの命を助けようとはせず、死が彼の口をふさいでくれたことに深い安堵《あんど》を覚えたのだから。

祈りはやはり慰めをもたらしてくれるな、と礼拝堂をあとにしながらパッツィは思った——暗い回廊を通り抜ける彼の胸には、自分はいまや独りではない、という確たる実感が宿っていた。

ピッコロミニ宮殿のひさしの下にはカルロが待っていて、パッツィと並んで歩きだした。二人はあまり言葉を交わさなかった。

そこから彼らはヴェッキオ宮殿の裏手にまわり、レオーネ通り沿いの裏口には鍵《かぎ》がかかっていることと、その上の窓にも鎧戸《よろいど》が降りていることを確認した。

扉があいているのはただ一か所、宮殿の正面入口だけということになる。

「わたしと博士は正面入口から出て階段を降りる。そして、側面のネーリ通りのほうにまわるから」

「おれと弟はシニョリーア広場のロッジャ（開廊）の側で待機してら。で、十分な距離を置いて、あんたらのあとを尾《つ》ける。他の連中は川向こうのバルディーニ美術館の前で待ってるはずだ」

「その連中なら、さっき見たよ」

「連中もあんたを見たそうだ」

「ビーンバッグ・ガンは、かなり大きい音をだすのか？」

「いや、たいした音はたてねえさ。並みの銃のような音はな。ま、銃声はあんたの耳にも聞こえるだろうけども。やつはあっと言うまに失神するだろうぜ」自分の手下どもと決めてある手筈《てはず》を、カルロはパッツィに明かさなかった。実は、パッツィとレクター博士がまだ明るい路上にいる間に、ウッフィーツィ美術館前の暗がりから、ピエロがビーンバッグ・ガンで狙撃《そげき》することになっているのだ。直前になってパッツィが博士から飛びすさり、結果として博士に警告するような事態になることを、彼らは避けたかったのだ。

「博士を捕えたことは、すぐメイスンに通報してもらわんとな。今夜中に通報しといてくれ」パッツィは言った。

「心配しなさんなって。あん畜生は今夜中、電話でメイスンに命乞《いのちご》いすることになるから」カルロは答えて、横目でパッツィの顔を見た。彼が浮かない顔をしていればいい、と思ったのだ。「最初のうち、やつは命だけは助けてくれとメイスンに哀願するだろうよ。それからしばらくすると、こんどは、早く死なせてくれと泣きつくだろうぜ」

36

夜の訪れと共に、最後まで残っていた観光客たちがヴェッキオ宮殿から追いだされる。シニョリーア広場の各方面に散りながらも、多くの人間は、背後にうっそりと立つ中世の城の威容を振り返らずにはいられない。頭上高くそそり立つ宮殿を仰ぎ見て、彼らはギザギザの歯のような胸壁に最後の一瞥《いちべつ》を投げる。

投光照明が点灯され、琥珀色《こはくいろ》の光が城壁の粗い表面を洗って、高い胸壁の下にくっきりと黒い影が刻まれる。ねぐらに帰るツバメと入れちがいに、最初のコウモリの群れが現われる。彼らの捕虫を妨げるのは、明るい電光よりはむしろ補修工事用の電動ツールがたてる甲高い高周波の悲鳴だ。

宮殿の中では果てしない補修工事がさらに一時間つづけられる。だが、百合《ゆり》の間だけは別で、そこではいまレクター博士が補修チームの作業長と話し合っていた。

〝ベッレ・アルティ委員会〟の吝嗇《りんしょく》ぶりと過酷な注文に慣れている作業長の目から見ると、レクター博士は実に礼儀正しいばかりか、途方もなく寛大だった。

作業チームの面々はすぐに各種の道具を片づけはじめ、大型の床磨き機とコンプレッサーを壁際《かべぎわ》に移して、ロープや電気コードを巻きはじめた。ストゥディオーロの会合に備えて、彼らは手早く折りたたみ式の椅子《いす》を配置し――今夜は十二脚しか要らなかった――窓を大きくあけ放って、塗料やワックスや金箔《きんぱく》用の素材の匂《にお》いを外に追いだした。

博士は適当な講壇を置いてくれるよう依頼した。幸い、すぐ隣りの、ニッコロ・マキャヴェッリのかつての執務室に説教壇並みの大きさの講壇が見つかり、大型の手押し車に乗せられて百合の間に運び込まれた。

この宮殿に常備されているスライド映写機も同時に運び込まれたのだが、それとセットになっている小型スクリーンは博士の好みに合わなかった。彼はそれを送り返して、改修された壁を保護しているキャンヴァス地の垂れ布をスクリーン代わりに使えないか試してみた。継ぎ目の部分を調整して、皺《しわ》をきれいに伸ばしたところ、十分スクリーンの役を果たせることがわかった。

講壇に積まれた何冊かの大部な書物を整えて自分の立つ位置を決めると、レクター博士は室内に背中を向けて窓際に立った。埃《ほこり》っぽいダーク・スーツに身を包んだストゥディオーロの面々が続々と入室してくる。その面上に無言の疑念を歴然と浮かべながら、学者たちは半円形に配置されていた椅子を動かして、陪審席のような形に並べ変えた。

高い窓の外を眺めやるレクター博士の視野には、西方の空に黒々とシルエットを刻むドゥオーモとジョットの鐘楼が映っている。が、その下にある、ダンテの愛した洗礼堂までは見えない。レクター博士が見ている窓は下から投光照明を浴びているので、暗殺者たちがひそんでいる暗い広場は覗き込めなかった。

中世とルネッサンスに関する世界有数の権威たちが着席すると、レクター博士はこれから行なう講演の内容を頭の中でまとめた。全体の構成を決めるには三分と少々しか要しなかった。テーマは、ダンテの『地獄篇』とイスカリオテのユダ、だった。

ストゥディオーロの面々のルネッサンス前期への愛着ぶりに配慮して、レクター博士は十三世紀におけるシチリア王国の会計官であったピエル・デッラ・ヴィーニャの故事から説きはじめた。デッラ・ヴィーニャはその強欲の故《ゆえ》をもって、ダンテの描いた地獄にも登場している人物である。最初の三十分間、博士はヴィーニャの失墜の背後にあった中世の陰謀について述べて、学者たちを魅了した。

「デッラ・ヴィーニャはその強欲故に神聖ローマ皇帝の信頼を裏切り、それがために失脚したばかりか、投獄されたあげく失明の憂《う》き目を見たのです」スピーチはメイン・テーマに近づいた。「『地獄篇』の巡礼者二人は、地獄の第七層、自殺者の森で彼を見出《みいだ》します。イスカリオテのユダ同様、彼は自らくびれ死んだのでした。

ユダとピエル・デッラ・ヴィーニャ、それにアブサロムの野心的な顧問であったアヒトペルの三人は、ダンテにおいて、その共通する強欲と、そのあげくに自ら縊死《いし》した事実とによって、ひと括《くく》りにされております。

まこと強欲と絞首《こうしゅ》とは、古代と中世の人々の頭の中で、不即不離のものでした。聖ヒエロニムスは、ユダの姓、イスカリオテそのものが〝金〟、もしくは〝賞金〟を意味すると書いておりります。他方オリゲネス神父は、イスカリオテの原義はヘブライ語の〝窒息により〟であること、それ故に彼の名前は〝窒息死したユダ〟を意味するということを詳《つまび》らかにしたのでした」

そこで講壇から顔をあげると、レクター博士は眼鏡の縁の上から戸口のほうを眺めた。

「ああ、これはようこそいらっしゃった、コンメンダトーレ・パッツィ。お使いだてしてすまんが、あなたがいちばん戸口に近いので、明りを消してくださらんか？　この演題にはきっとあなたも興味を誘われると思うがね、コンメンダトーレ、なにしろダンテの『地獄篇』にはパッツィが二人も登場するのだから……」ストゥディオーロの学者たちはクックッと乾いた笑い声を洩《も》らした。「まず登場するのはカミチョン・デ・パッツィだが、この男は親族を殺した故に地獄にいて、二人目のパッツィが地獄に到来するのを待っている——といっても、それはあなたではありませんぞ——そのパッツィとはカルリーノ・デ・パッツィのこと。このカルリーノ・デ・パッツィは一三〇二年、フィレンツェを牛耳るゲルフ党内で黒派と白派が抗争した際、ダンテ自身も属していた白派を騙《だま》して裏切った故に、地獄ではさらに下層に突き落とされるものと予想されたんだがね」

小さなコウモリが一匹、ひらいた窓から飛び込んできて、学者たちの頭上を何度か旋回した。が、これはトスカーナでは珍しくもないこと。気にする者は一人もいなかった。

レクター博士は講演の口調にもどって、つづけた。「以上でおわかりのように、強欲と絞首とは古来より一つに結びついていたのであり、そのイメージはくり返し芸術の諸作品に現われたのでした」掌中のスイッチを押すと映写機が動きはじめ、壁を覆う垂れ布に映像が映しだされる。彼の説明と共に、映像は次々に変わっていった。

「これは現在知られている最も初期の磔《はりつけ》の図。紀元四百年頃のガリアで、象牙《ぞうげ》の箱に彫られたものです。そこには縊死しているユダの姿も含まれているのですが、彼の顔は縄のかけられた枝のほうを向いております。それから、これは四世紀頃、ミラノの聖骨箱に描かれた図。そしてもう一つは九世紀頃、象牙の二つ折り書板に描かれた図。いずれも縊死したユダを描いております。これらの図でも彼が上方を振り仰いでいるのがおわかりいただけるでしょう」

小さなコウモリが、虫を追ってヒラヒラとスクリーンを横切った。

「ベネヴェント大寺院の扉に嵌《は》め込まれていたこのプレートにも、ユダが縊死している様が描かれていますが、この絵の場合は、あの医師の聖ルカが『使徒行伝』で描いたように、ユダの腹からは大腸が垂れ下がっております。彼の周囲をかこんでいるのは、ギリシャ神話に登場する餓《う》えた不浄の怪物ハルピュイアで、彼の上方の空にはカインの顔が浮かんでいる月が描かれております。それからこの絵、これはあなた方の愛するジョットの手になるものですが、やはり臓物が垂れ下がっているのがおわかりでしょう。

そして最後にお見せするのはこれ、『地獄篇』の十五世紀の版に掲載された挿画です。ここには血を流している木から吊り下がるピエル・デッラ・ヴィーニャの死体が描かれていますが、イスカリオテのユダとのあまりにも明瞭な相似性については、もはや贅言《ぜいげん》を要しますまい。

しかしながら、ダンテは実のところ、いかなる挿絵も必要とはしませんでした。ダンテ・アリギエーリはその天才をもって、いまや地獄に在るピエル・デッラ・ヴィーニャに、あたかも彼がまだくびれているがごとく、しわがれた、舌の根も動かぬような口調で、語らせます。お聞きください、彼が他の呪《のろ》われし者どもと共に、自らの死体を茨《いばら》の木に吊り下げるべく引きずっていく様を述べる、その語り口を。

それはじきに若木となり、やがて荒々しい大木となる
するとついに怪物ハルピュイア、その葉をついばみ
業苦をもたらし、業苦に出口を与える

ストゥディオーロの面々の前で、苦悶《くもん》するピエル・デッラ・ヴィーニャの、喉《のど》もかすれた、息苦しげな口調を再現するにつれて、日頃青白いレクター博士の顔も紅潮してゆく。掌中のリモコンのボタンを彼が押すと、大きな垂れ布のスクリーンに、デッラ・ヴィーニャと臓物を垂らしたユダの映像が代わる代わる現われた。

博士はさらに朗唱をつづけた。

他の亡者《もうじゃ》と同じく、われらも脱ぎ捨てた肉体をとりもどしに帰るが
二度と再び、それをまとうつもりはない
ひとたび脱ぎ捨てたものを、再びまとうは邪《よこし》まなこと
抜け殻はこの地まで引きずり来たり、かくて悲嘆の森のそちこちに
われらの肉体はいついつまでも吊り下げられる
異界の影に覆われた茨の木に一体ずつ

かくしてダンテはピエル・デッラ・ヴィーニャの死に、同じ強欲と裏切りの罪を犯したユダの死を、その響きにおいて重ねているわけであります。

アヒトペル、ユダ、そしてあなた方と同国人のピエル・デッラ・ヴィーニャ。強欲と、

絞首と、自滅。強欲は、自滅や絞首と同等の罪悪に数えられていることにご注目を。そしてこの第十三歌の最後で、自殺した名も知れぬフィレンツェの民は、悲痛な声で何と言っているか？

そしてわたしは――わが家を自分の絞首台にしてしまった。

次の機会には、ダンテの息子ピエトロについて論じようではありませんか。信じがたいことに、この『地獄篇』第十三歌を論じた初期の作家たちの中で、ピエル・デッラ・ヴィーニャをユダと結びつけているのは彼のみなのであります。そしてまた、ダンテの作品における、〝嚙《か》みつく〟行為をとりあげてみるのもさぞ一興でありましょう。そう、大司教の後頭部に嚙みついたウゴリーノ伯爵《はくしゃく》。あるいは、その三つの顔でユダとブルータスとカシアスに嚙みついた悪魔について。悪魔に嚙まれたこの三人の者は、すべてピエル・デッラ・ヴィーニャと同じ裏切り者だったのです。

ご清聴、ありがとうございました」

学者たちは控え目で抑制された物腰ながら、熱心な拍手を送った。レクター博士は照明を暗くしたまま、握手する必要のないよう両手に大部な書物を抱えて、彼ら一人一人の名前を呼びつつ別れの挨拶《あいさつ》をした。仄暗《ほのぐら》い百合の間をあとにする学者たちは、まだ博士の講演の余韻に浸っているかのようだった。

大きな広間に残ったレクター博士とリナルド・パッツィの耳に、階段を降りながらいまの講演を論評し合う学者たちの声が聞こえた。


「どうだろう、わたしはいまの地位を守れたと思うかね、コンメンダトーレ？」

「わたしは学者じゃありませんのでね、フェル博士。でも、彼らが感銘を受けたのは明らかじゃないでしょうか。それはそうと、もしご都合がよければ、お宅まで同道させていただいて、あなたの前任者の私物をお預かりしたいんですが」

「あれはスーツケース二個分なんだがね、コンメンダトーレ。あんたはブリーフケースをお持ちだが、そのうえ荷物を運べるかね？」

「カッポーニ宮までパトカーを呼べば大丈夫ですよ」その点は、パッツィも譲らないつもりだった。

「けっこう」レクター博士は言った。「あと一分もあれば、荷物をまとめられるから」

パッツィはうなずいて、携帯電話を手に高い窓の前に歩み寄った。その間、レクターからは寸時も目を離さなかった。

博士はいささかの動揺も示していない。それは明らかだった。下の階から補修工事の電動ツールの音が伝わってくる。

パッツィはある番号に電話をかけた。カルロ・デオグラシアスの声が応じると、彼は言った。「やあ、ラウラ、アモーレ。すぐ帰るからね」

レクター博士は講壇の本をとりあげて、バッグにつめた。それから、依然ファンが回っているプロジェクターのほうを向いた。壁の垂れ布を照射している光線の中に、塵《ちり》の微粒子が舞っている。

「そうだ、これも彼らに見せるんだったな。どうして忘れてしまったんだろう」レクター博士はさらに一枚の絵を映しだした。宮殿の胸壁から裸の男が吊《つる》されている絵だった。「あんたにとっても興味深い絵だと思うがね、コンメンダトーレ・パッツィ。もうすこしピントを合わせてみよう」

映写機をいじくってから、レクター博士はスクリーンの映像に近寄った。壁に映った彼の黒い影の大きさは、吊されている男とさほど変わらない。

「この絵がわかるかね？　これ以上には大きくならんのだよ。ここが大司教に嚙みつかれた箇所だ。彼の下には名前も書いてある」

あまりレクター博士に近づかないよう注意しつつ、パッツィは壁に歩み寄った。何かの化学薬品の臭《にお》いが鼻をついた。たぶん、補修作業に使用された薬品なのだろう、と彼は一瞬思った。

「この字が読めるかね？　不謹慎な詩と並んで、〝パッツィ〟と書かれている。あんたの祖先、フランチェスコだ。このヴェッキオ宮殿の、その窓の下に吊されているんだが」投射されている光線を挟んで、彼はパッツィの目をとらえた。

「この絵とまんざら無関係なことでもないんだがね、シニョーレ・パッツィ、一つ告白しておこう。わたしはいま、きみの細君を食べてみたいと真剣に考えているんだ」

言うが早いか、レクター博士は大きな垂れ布をつかんでパッツィの頭にかぶせた。一瞬、パッツィの胸の中で心臓が跳ねた。彼は垂れ布をつかんで払いのけようとした。が、そのときはすでにレクター博士が背後にまわっていた。彼はすさまじい力でパッツィの首を絞めつけると同時に、エーテルのしみこんだスポンジを垂れ布の上からパッツィの顔に押しつけた。

リナルド・パッツィは力の限りもがいた。が、もがけばもがくほど両手と両足が垂れ布にからみついてしまう。それでもなんとか拳銃《けんじゅう》をつかんだとき、彼はレクター博士ともつれ合って床に倒れた。からみつく垂れ布の下で、彼は必死にベレッタの銃口を背後に向けて引き金を引いた。弾丸は彼自身の太ももを貫いた。リナルド・パッツィはぐるぐると旋回する闇《やみ》の中に沈んでいった……。

帆布の下で三十八口径の小型拳銃が発射されても、下の階でつづいている補修工事の騒音をしのぐ音にはならなかった。階段を駆けあがってくる者はだれもいない。レクター博士は百合《ゆり》の間の大扉をしっかり閉めて、閂《かんぬき》をかけた……。

意識をとりもどしたとき、パッツィは胸がむかつき、ひどい吐き気を覚えた。喉の奥にはエーテルの味が残っていて、胸苦しかった。

そこがまだ百合の間であること、しかも自分が身動きできないことに、彼は気づいた。リナルド・パッツィは帆布でぐるぐる巻きにされた上に、ロープでがんじがらめに縛られていた。ちょうどグランドファーザー時計のように直立したまま、彼は講壇を移すのに使用された高い手押し運搬車に乗せられて、ロープでつながれていた。口にはテープが貼《は》りつけられ、太ももの銃創には止血帯が巻かれて出血が抑えられている。

講壇にもたれてその姿を眺めながら、レクター博士はかつての自分自身の姿を、これと同様に縛られて手押し運搬車に乗せられ、あの精神異常犯罪者用病院の中を移動させられた自分自身の姿を、思いだしていた。

「聞こえるかね、シニョール・パッツィ？　いまのうちに深呼吸を何度かして、頭をすっきりさせてくれ」

しゃべりながらもレクター博士の手はせわしげに動いていた。あの大型床磨き機がすでに部屋の中央に移動させてあって、彼はいま、その太いオレンジ色の電気コードで縛り首用の首縄をつくっていたのだ。コンセントにつなぐほうの先端で輪をつくり、絞首《こうしゅ》刑《けい》の伝統的な作法に則《のっと》って、あました部分をぐるぐると十三回、輪から伸びた部分に巻きつけると、ゴムで被覆されたコードはキュッキュッと鳴いた。結んだ部分をぎゅっと締めつけて、首縄は完成した。彼はそれを講壇の上に置いた。十三回巻きつけたコードの先端からプラグが垂れていた。

講壇には、パッツィの拳銃、ビニールの手首拘束帯、ポケットの中身、それにブリーフケース等がのっている。

レクター博士はブリーフケースに入っていた書類の束をかきまわした。自分の居留許可証を含む憲兵隊のファイル、自分の労働許可証、自分の新しい顔の写真やネガを、ボタンをはずしたシャツの内側にすべりこませる。

あのコンサートでパッツィ夫人に貸した楽譜も、そこにはまじっていた。レクター博士はその楽譜をとりあげ、くんくんとかいでから、それで自分の歯を軽く叩《たた》いた。鼻孔をふくらませてパッツィの顔に自分の顔を近寄せると、彼は深く息を吸い込みながら言った。「ラウラは――もしそう呼ばせていただければ――素晴らしいハンドクリームを夜間に使っているね、シニョーレ。さすがだ。最初は冷たいが、じきに暖まってくる。オレンジの花の香りだな。オレンジのラウラか。ふうむ。わたしはきょう、まだ何も食べていないのだよ。実際、肝臓と腎臓《じんぞう》などはこれからの――今夜の――ディナーには最適だろう。いまのように涼しい天気がつづけば、残りの肉は一週間は吊しておけるはず。きょうの天気予報は見ていないが、あんたはどうだ？　その顔だと、〝ノー〟だな。

もしこちらの知りたいことを教えてくれれば、わたしは食事をとらずに出発してもいいんだぞ、コンメンダトーレ。そうすればパッツィ夫人も五体無事ですむ。これからあんたにいくつかの質問をする。その結果で、奥方の運命も決まるだろう。約束は守る。もっとも、あんたのような人間は、人を信頼することなどできんだろうがね。あんたがわたしの正体に気づいていることは、あの劇場でわかったよ、コンメンダトーレ。わたしが奥さんの手の上にかがみこんだときには、失禁したかね？　それでも警察の連中がやってこないので、あんたがわたしを売ったことがはっきりした。売った相手はメイスン・ヴァージャーか？　イエスなら瞬《まばた》きを二回したまえ。

ありがとう。やっぱりな。あらゆるところにゆき渡っているやつのポスターの電話番号に、わたしも一度電話してみたことがある。ここから遠く離れたところから、ほんのお遊びにね。いま、やつの配下がこの宮殿の外で待ちかまえているのか？　ふむ、なるほど。そのうちの一人は、腐った豚肉のソーセージのような臭いを発していないか？　やっぱりな。あんたは、フィレンツェ警察部内のだれかにわたしのことを話したか？　いまの瞬きは一回だったな？　ふむ、思ったとおりだ。さてと、ここでちょっと考えて、クワンティコのVICAPコンピューターへの、あんたのアクセス・コードを教えてもらおうか」

レクター博士はハーピー・ナイフをひらいた。「そのテープを切ってやるから、ちゃんと教えるんだ」ナイフをかざしながら、「ただし、大声で叫んだりするなよ。叫ばないでいられるか？」

エーテルの効果がまだ残っていて、パッツィの声はしわがれていた。「誓ってもいい、そんなコードは知らない。いまは頭が働かないんだ。おれの車までいこう。車の中には、いろいろ書類があるから――」

いきなりパッツィをスクリーンのほうに向かせると、レクター博士は吊されているピエル・デッラ・ヴィーニャの映像と、臓物を垂らして吊り下がっているユダの映像を交互に映してみせた。

「どっちが好みだね、コンメンダトーレ？　臓物を垂らしたほうか、垂らさないほうか？」

「コードは手帳に書いてある」

レクター博士はパッツィの顔の前に手帳をかざし、パッツィがナンバーを見つけるまで電話番号のページをめくっていった。

「あんたはゲストとして、遠くからでもアクセスできるんだな？」

「そうだ」パッツィの声はかすれていた。

「ありがとう、コンメンダトーレ」レクター博士は手押し運搬車を手前に傾けて、パッツィを高い窓の前に運んでいった。

「なあ、聞いてくれ！　おれには金があるんだ！　あんた、逃げおおせるには金が必要だぞ。メイスン・ヴァージャーは絶対諦《あきら》めないからな。ああ、絶対に諦めっこない。あんた、金をとりに家にもどることもできないはずだ。あんたの家は見張られてるから」

　修復用の足場から、レクター博士は板を二枚とりあげた。それを低い窓台にもたせかけてスロープ代わりにすると、パッツィをのせた手押し運搬車を押してそこをのぼり、窓の外のバルコニーに出た。

　パッツィの濡《ぬ》れた顔を、冷たい風が撫《な》でた。無我夢中で彼は言った。「あんた一人じゃ、この宮殿からは逃げだせんぞ。おれには金がある。キャッシュで一億六千万リラ、ドルにして十万ドルだ！　妻に電話させてくれ。その金を車に積んで、この宮殿の真ん前に止めておくように言うから」

　レクター博士は講壇にもどって首縄をとりあげた。オレンジ色のコードを引きずりながらバルコニーまで持ってくる。コードのもう一方の端は重たい床磨き機に何重にも巻きつけて、しっかと結びつけてある。

　パッツィはまだ訴えていた。「この前に着いたら、妻は携帯電話でおれに知らせるから。車はあんたが使えるように、そこに置いておかせる。おれの車には警察の通行許可証が貼ってあるんだ。妻は広場を突っ切って、この宮殿の入口まで車を寄せられる。なんでも、おれの言うとおりにするはずだ。マフラーから排気ガスが出ているはずだから、下を見れば、エンジンがかかっているのがわかるさ。キーもちゃんと差してあるはずだ」

レクター博士はパッツィを前向きにしたままバルコニーの手すりによりかからせた。太ももに、手すりが押しつけられる。

パッツィの目に、下の広場が映った。投光照明のライトを通してサヴォナローラが火あぶりにされた場所、レクター博士をメイスン・ヴァージャーに売ってやると誓った場所が見えた。顔をあげると、ライトにほんのり染まった雲が低く流れてゆく。この場の光景をすべて、神が見そなわしているといいのだが。

真下を見るのは恐ろしかったが、死の待ちかまえる広場を見下ろさずにはいられなかった。不可能なことは承知で、あの光線が空気に質量を与えてくれれば、と思う。そうすれば自分はあの上に乗って、光線につかまれるのだが。

オレンジ色のゴムにくるまれた首縄が、冷たく首にからみついている。レクター博士がすぐそばに立った。

「さようなら《アリヴェデルチ》、コンメンダトーレ」

ハーピー・ナイフが一閃《いっせん》した。それはパッツィの腹を裂き、再度ひらめいた刃が彼を運搬車につなぎとめていたロープを断ち切った。パッツィはぐらっと傾いて、オレンジ色のコードを引きずりつつ手すりから転落した。地面が瞬時にせりあがる。悲鳴が口からほとばしった。百合の間の中ではオレンジ色のコードに引かれて床磨き機が床を走り、手すりに激突して止まった。パッツィはのけぞって宙に揺れていた。首の骨が折れ、臓物が腹から垂れさがった。

琥珀色《こはくいろ》の照明に包まれた宮殿のざらついた壁の前で、パッツィとその臓物は回転しつつ揺れていた。首を絞められた反動ではなく、死後の痙攣《けいれん》で彼の体は突っ張り、その影が大きく城壁を覆《おお》った。パッツィは揺れ、垂れさがった臓物はくるくると素早く回転しながら揺れ、切り裂かれたズボンから突き出た男根が、死後勃起《ぼっき》を起こして天を仰いでいた。

カルロが近くの建物の入口から飛びだした。マッテーオと並んで広場を走る。宮殿の入口に向かって突っ走りながら、何人かの観光客を跳ね飛ばした。その観光客たちの中の二人はヴェッキオ宮殿にビデオ・カメラを向けていた。

「どうせ何かのお芝居だよ」だれかが英語で言った。

そのかたわらをかすめながら、カルロは携帯電話をとりだしていた。「マッテーオ、おまえは裏口にまわれ。やつが出てきたら、殺して、切りきざめ」

宮殿に飛び込んで、階段を駆けあがる。二階。三階。

〝百合の間〟の大扉はひらいたままだった。拳銃を引き抜きながら、カルロは中に飛び込んだ。壁に投射されている人物像にさっと銃口を向け、バルコニーに飛びだし、マキヤヴェッリの執務室をぐるっと見まわす。

ウッフィーツィ美術館前に止めたヴァンに待機しているピエロとトンマーソを、携帯電話でつかまえた。「やつの家に急げ。正面と裏手を見張るんだ。やつを見かけたら、殺して切りきざめ」

カルロは別の番号をプッシュした。「マッテーオ？」

ヴェッキオ宮殿の裏の出口。鍵《かぎ》のかかった大扉の前で息を弾ませているマッテーオの胸ポケットの中で、電話が鳴った。彼はちょうど屋上と暗い窓に目を走らせ、扉を揺って鍵がかかっているのを確認したところだった。片手は上着の裏、ズボンのベルトに突っ込まれた拳銃の銃把に終始置かれていた。

携帯電話をさっとひらいて、彼は言った。「もしもし《プロント》！」

「そっちの様子は？」

「扉は鍵がかかってるよ」

「屋上は？」

マッテーオは上を見た。が、そのときはすでに、真上の窓の鎧戸《よろいど》がひらいていた。

カルロの携帯電話に、ドスンという音と悲鳴が流れた。カルロは駆けだした。階段を降り、踊り場で転び、起きあがってまた駆け降りた。宮殿から飛びだして、入口の前に出ていた守衛のわきをかすめ、両側に立つ巨大な大理石像のあいだを駆け抜けて角を曲がる。数組のカップルを突き飛ばして宮殿の裏手にまわった。そこまでくると、あたりは闇に包まれていた。懸命に駆けるカルロの手中で、携帯電話が小動物のようにキーキー鳴っていた。と、突然、前方の路上を白衣の人影が横切った。そこへ一台のスクーターが走ってきた。白衣の人物は目がきかないらしく、よろめきながらそっちに向かっていく。次の瞬間、スクーターにはねられて道路に転がった。が、すぐに起きあがって、こんどは狭い道路の向い側の店舗に突進していく。ショウ・ウィンドウに頭からぶつかり、向きを変えて、よたよたと走りだした。白衣の亡霊のようなその男は、よろめきながら叫んでいた。「カルロ！　カルロ！」体をくるんでいるのは切り裂かれた白い帆布で、そこに黒い大きなしみが広がっている。カルロは弟を両手に抱き留めた。頭からかぶせられた帆布が、首のところできつく縛られている。そのビニールの手錠ひもを、カルロは急いで切断した。マッテーオの頭を包んでいる白い帆布は、血の仮面も同然だった。その帆布をはぎとってみると、マッテーオは無残に切りきざまれていた。顔、胸、そして腹。胸を横一文字に裂いた傷は、血が内部に吸い込まれるほど深かった。カルロは弟をその場に残して角まで走り、両側を見わたしてから、また弟のところに取って返した。

四方八方からサイレンの音が接近し、非常灯をひらめかしたパトカーがシニョリーア広場を埋めている頃、ハンニバル・レクター博士はシャツの袖《そで》を伸ばして近くのジュデイチ広場のアイスクリーム屋のほうにぶらぶら歩いていた。店の前の道路の縁石沿いには何台ものバイクやスクーターが並んでいる。

いましも大型のドゥカティのエンジンをかけようとしている革のレーシング・スーツ姿の若者が一人。博士は彼に近づいていった。

「なあ、きみ、実は困ってるんだがね」憐《あわ》れみを乞《こ》うような笑みを浮かべながら、彼は言った。「十分後にベッロズグアルド広場に着いてないと、家内に殺されちまうんだ」五万リラ紙幣を若者に見せながら、「これでわたしの命を助けてくれんだろうか」

「望みはそれだけ？　あんたを広場まで送ってやるだけでいいのかい？」若者は訊《き》いた。

レクター博士は両手を広げてみせた。「そう、ただひとっ走りしてくれればいいのさ」

快速を誇るバイクは、ルンガルノ河岸《がし》の車の列を引き裂いて疾走した。レクター博士はヘアスプレーと香水の匂《にお》いのする予備のヘルメットをかぶらせてもらって、若いライダーの背中にしがみついた。ライダーは地理に通じていた。瞬くうちにセッラッリ通りを右折してタッソ広場に向かい、そこからヴィッラーニ通りに入った。その突き当たりのサン・フランチェスコ・ディ・パオラ教会のわきの小さなギャップを乗り越えると、ベッロズグアルドに至るワインディング・ロードが伸びている。ベッロズグアルドは、フィレンツェを南から見下ろす丘陵に広がる高級住宅地である。道の両側の石塀に、大型のドゥカティのエンジン音が反響する。帆布を引き裂くようなその音に快感を覚えつつ、レクター博士はヘルメットにこもるヘアスプレーと安物の香水の匂いに耐えていた。コーナーに突入するたびに、彼も軽快に身を傾けているうちに目的地に着き、かつてナサニエル・ホーソーンが住んでいたモンタウト伯の邸宅にほど近いベッロズグアルド広場の入口で降ろしてもらった。若いライダーは、レーシング・スーツの胸ポケットに謝礼の金を突っ込んだ。走りだすと同時にバイクの赤いテイルライトは遠ざかり、みるみるうちにワインディング・ロードの彼方《かなた》に消えていった。

爽快《そうかい》なライディングの余韻にひたりつつ、レクター博士はさらに四十メートルほど歩いて自分の黒いジャグァーの前に立った。バンパーの裏からキーをとりだして、エンジンをかける。手首が軽度の火傷《やけど》を負ったようにただれていた。先刻、マッテーオの頭上に帆布を投げ降ろし、宮殿の二階の窓からその上に飛び降りた際、手袋がずりあがってこすれてしまったのだ。イタリア製の抗菌軟膏《なんこう》チカトリーネをちょっぴりつけると、たちどころに良くなった。

さて、音楽は何を聞こう。エンジンを暖めているあいだ、レクター博士はミュージック・テープを物色した。その晩はスカルラッティを聞くことにした。

37

ターボプロップ救急機は、切れ目なくつづく赤いタイル張りの屋根の上に急上昇してから、南西、サルデーニャ島の方角に翼を傾けた。急旋回する翼の上にそそり立つように、ピサの斜塔が見える。運んでいるのがまだ息のある患者だったら、パイロットはもっとゆるやかに旋回しただろう。

ハンニバル・レクター博士を横たえるはずだった担架には、しだいに冷えつつあるマッテーオ・デオグラシアスの死体が横たわっていた。そのかたわらには、血糊《ちのり》でごわごわした服を着たまま兄のカルロが付き添っている。

カルロ・デオグラシアスは、看護要員にイアフォンをつけさせて音楽のヴォリュームをあげてから、携帯電話でラス・ヴェガスに電話を入れた。それは自動暗号化中継器でメリーランドの海岸に転送された……。

メイスン・ヴァージャーにとって、夜と昼の区別はないに等しい。彼はたまたまそのとき眠っていた。大型水槽の照明も消されていた。枕《まくら》の上でメイスンの頭が向きを変えた。一つしかない彼の目は、大ウナギの目のようにいつもひらいている。その大ウナギもいまは眠っていた。耳に入るのは、間断なく聞こえる人工呼吸装置のスー、スーという音と、水槽中の通気装置の、ブクブクと泡立つような音くらいのもの。

止《や》むことのないそれらの音を押しのけて、別の、低い、せきたてるような音が響いた。メイスンだけが使える電話の呼出し音だった。彼の青白い手が、指先の先導でカニのように移動し、電話のボタンを押した。スピーカーは枕の下、マイクは廃墟《はいきょ》のような顔の近くにある。

最初に背景の飛行機の爆音が、次いでうんざりするような〝リ・インナモラーティ〟のメロディが耳に響く。

「おれだ。何があった?」

「ドジを踏んじまいました」カルロが言った。

「話してみろ」

「弟のマッテーオが死にました。いま、死体を運んでいるところで。パッツィも死にました。二人とも、フェルの野郎《やろう》に殺られたんですが。野郎はそのまま姿を消しちまいまして」

メイスンはすぐには答えなかった。

「マッテーオには二万ドル払ってもらいますぜ」カルロは言った。「あいつの残された家族に」サルデーニャ人との契約には、常に死亡保険金が含まれるのだ。

「わかった」

「パッツィに関しては、面倒な噂《うわさ》が立つかもしれませんや」

「じゃあ、あの男は不正を働いていたという噂を広めればいい」メイスンは言った。「そうすれば世間も納得するだろう。あいつは不正を働いていたか？」

「この件以外のことについちゃ、知りません。パッツィの線からあんたが割りだされたら、どうします？」

「それはどうにでも対処できる」

「こっちはおれ自身の尻《しり》についた火を消さないと。こいつは厄介でさ。フィレンツェ警察の主任捜査官が死んだとあっちゃ、そう簡単に火の粉は振り払えませんからね」

「足がつくようなことはしてないだろうな？」

「もちろん、してませんとも。しかし、おれの名前だけでもフィレンツェ警察の捜査線上に浮かんだら——もういけねえや！　おれはもうこの先一生、やつらに監視されますからね。もう誰ひとりおれの頼みを聞いてくれるやつはいねえだろうし、往来で屁《へ》をひることもできなくなっちまう。それはそうと、オレステはどうします？　あいつ、あそこで撮影することになっていたやつがだれか、気づいてましたかね？」

「いや、知らんだろう」

「あすかあさってには、フィレンツェ警察もフェル博士の正体をつかみますよ。それがマスコミで報道されりゃ、オレステだって感づきますぜ。時間的な一致から、ピンときますよ」

「オレステには大金を払ってある。われわれを陥《おとしい》れるようなことはせんさ」

「そりゃ、あんたに盾つくようなことはしねえでしょう。でも、あいつは来月、ローマでポルノ映画関連の裁判で被告席に立たなきゃならねえんで。フェル博士のことに気づけば、あいつには取引き材料が一つできたことになりますからね。それくらいのことは旦那もとっくに承知してると思ってましたが。オレステの野郎は、どうしても必要なんですかい?」

「よし、オレステと話してみよう」慎重に言葉を選んで、メイスンは言った。破壊されたその顔から発せられる声は、ラジオのアナウンサーの声のように深みがある。「おまえはまだやる気をなくしちゃいまい、カルロ? レクター博士を是が非でも見つけたいだろう? マッテーオのためにも、やつを捕らえなきゃ気がすまんはずだ」

「ええ。ただし、費用はそっち持ちでね」

「じゃあ、農場から手を抜くな。豚どもに、コレラと豚インフルエンザの正規の予防接種を受けさせろ。それから、輸送用の木枠の檻を用意するんだ。上等なパスポートは持ってるか？」

「ええ」

「おれの言ってるのは、本当によくできたパスポートのことだぞ、カルロ。ローマのスラム、トラステヴェーレ街の家の二階でつくられたような粗末な代物《しろもの》ではなく」

「ええ、心配はご無用でさ」

「よし、追ってまた連絡する」

エンジン音が轟々《ごうごう》と響く機内で交信を終えると、カルロはつい指がすべって携帯電話のオート・ダイアルを押してしまった。死後硬直によって、マッテーオの手にきつく握りしめられたままの携帯電話がブーッと鳴った。一瞬、いまにも弟がその電話を耳に押しつけるのではないかとカルロは思った。が、マッテーオの手はぴくりとも動かない。カルロは物憂《ものう》げに自分の携帯電話のスイッチ・オフ・ボタンを押した。怒りに歪《ゆが》んだその顔を、看護要員はまともに見ていられなかった。

38

フィレンツェ南方の村にあるサンタ・レパラータ教会の内壁上方には、一五〇一年以来、十五世紀のイタリアが生んだ素晴らしい甲冑《かっちゅう》が掛かっている。角の生えた兜《かぶと》を備えたその甲冑は、人呼んで〝悪魔の甲冑〟。スイスカモシカのような優雅な角に加えて、その甲冑の脛《すね》当ての下端、本来鉄靴のあるべきところには、先のとがった、鉄の足覆《あしおお》いがついている。それが悪魔の双蹄《そうてい》を連想させるのだろう。

村の伝説によれば、あるときその甲冑をまとった若者が、〝聖母〟の名をかたって教会の前を通りすぎた。すると若者はその甲冑を脱げなくなってしまい、本物の〝聖母〟に許しを乞うて、やっと脱ぐことができた。で、若者は感謝のしるしに甲冑を教会に寄進したのだという。それはいま見ても堂々たる貫禄《かんろく》を備えており、一九四二年、教会の中で砲弾が炸裂《さくれつ》した際に負った名誉の傷を現在に至るも留めている。

いま、教会の小さな祭壇の前ではミサが終りに近づいていて、うっすらとフェルトのような塵《ちり》に覆われた甲冑が、それを見下ろしていた。香の煙がたちのぼって、甲冑のがらんどうの頬当ての中を通り抜けてゆく。

ミサに参じているのはたった三人だった。黒衣をまとった二人の老女と、ハンニバル・レクター博士。三人は次々に聖体を拝領したが、レクター博士だけはためらいがちにぶどう酒の聖杯に唇を触れていた。

司祭が祝禱《しゅくとう》を終えて、引き下がる。二人の老女も帰っていった。レクター博士は自分一人になるまで祭壇の前で祈りつづけた。

やがてオルガンのある上階にあがると、彼は〝悪魔の甲冑〟に向かって、手すりから大きく身をのりだした。二本の角のあいだに割り込むようにして、埃《ほこり》に覆われた兜の頬当てをもちあげた。その内部、喉《のど》当ての上端に釣り針がひっかけてあり、そこからひもが吊《つ》り下がって、胸甲の中の、ちょうど心臓が位置するあたりに包みがぶらさがっている。レクター博士は慎重にその包みを引っ張りだした。

包みにしまわれていたもの――ブラジルで精巧に偽造されたパスポート数通、身分証明書、現金、銀行通帳、そしていくつかのキー。彼はその包みを上着の下に隠して小脇《こわき》にかかえた。

レクター博士はいつまでもほぞを嚙《か》みつづけはしない。とはいえ、イタリアを離れなければならないのは心残りだった。カッポーニ宮には、これから探して読む価値のある文書がまだ多数残っているはずだし、ハープシコードももっと奏《かな》でてみたかった。作曲する楽しみだって、まだまだ味わえただろう。それに、パッツィの未亡人が悲しみを克服した暁には、彼女のために素晴らしい料理をこしらえてやれたかもしれないのだ。

39

ぶらさがったリナルド・パッツィの体からまだ血が滴《したた》り落ち、真下の熱い照明装置に当たってジュッと煙を発している頃、警察はようやく消防隊を呼び寄せて、死体を降ろしてくれるよう要請した。

ポンピエーリ（消防隊）はハシゴ車のハシゴを延長して使った。すこぶる現実的な彼らは、吊り下がっている男はすでに死亡していると見て、あまり作業を急がなかった。それはたしかに細心の注意を要する作業だった。彼らはまず、垂れ下がった臓物を上に押しあげ、すべてを胴体と一体にして網で包み込んでから、ロープで地上に降ろさなければならなかったのだから。

地上から腕を差しあげた隊員に死体が抱きとめられたとき、『ラ・ナツィオーネ』紙は素晴らしいショットを撮るのに成功した。その写真は多くの読者たちに、十字架から降ろされるキリストを描いた名画を想起させた。

警察は首縄の指紋の採取後にそれを死体からはずし、結び目を現状のまま保存すべく、輪をくった根元の部分で太い電気コードを切断した。

多くのフィレンツェ市民は、事件を仰々しい自殺だと見なした。リナルド・パッツィは獄中で自殺する囚人のやり方で両手を縛ったのだろうと思い込み、両足も縛られていたという事実を無視した。地元のラジオ局はラジオ局で、まだ事件発生から一時間もたってない段階で、パッツィがナイフでハラキリを敢行してから首を吊った、と報道した。が、それは間違いであることを、警察はすぐに見抜いた。バルコニーに残っていた手押し運搬車と、切断されたロープ。なくなったパッツィの拳銃《けんじゆう》。カルロが宮殿に駆け込んだという証言や、ヴェッキオ宮殿の裏手で血まみれの白衣をかぶった人物が狂ったように駆けまわっていたという目撃証言——それらを総合して、パッツィは殺害されたという結論に警察は達したのである。

するとこんどは、パッツィは〝イル・モストロ〟に殺されたのだ、とイタリアの大衆は信じ込んだ。

フィレンツェ警察がまず目をつけたのは、以前、〝イル・モストロ〟と疑われて逮捕された、あの哀れなジロラモ・トッカだった。

彼らは自宅にいたトッカを拘束し、泣き叫ぶ妻をまたしても路上に残して、彼を連れ去った。が、トッカのアリバイは完璧《かんぺき》だった。事件当時、彼はさるカフェでラマッゾーティを飲んでいて、それをある司祭が目撃していたのである。トッカはフィレンツェで釈放され、料金自分持ちで、サン・カッシアーノまでバスで帰ったのだった。

事件発生後まもなくヴェッキオ宮殿のスタッフが尋問されたが、その後、尋問対象は〝ストゥディオーロ〟のメンバーたちにまで広がった。

警察はフェル博士の所在を確認できなかった。土曜の正午頃になると、彼が重要人物として浮上してきたのである。生前のパッツィに割りふられていた任務がフェルの前任者の行方不明事件であったことを、警察は思いだした。

その一方、最近のパッツィがペルメッソ・ディ・ソッジョルノ（居留許可証）の調査に血道をあげていた事実が、憲兵隊の記録保管係の報告で明らかになった。フェル博士の写真、それに付随したネガや指紋を含む一切の記録が、パッツィの筆跡らしい偽名でサインした人物に貸しだされていた。イタリアはその種の記録類の保管をまだ中央官庁の統括下でコンピューター化していない。したがって、〝ペルメッソ〟の類《たぐい》はいまも地方レヴェルで保管されているのだ。

フェルのパスポート・ナンバーは入国管理局の調査で明らかになったが、それはブラジルで偽造されたことが判明した。

その段階に至っても、警察はまだフェル博士の正体を割りだせなかった。彼らはあらゆるところから指紋を採取した。パッツィの首にかかっていた首縄の結び目。講壇。手押し運搬車。そして、カッポーニ宮の調理室からも。有能な画家は無数にいるので、フエル博士の似顔絵もごく短時間で仕上がっていた。

イタリア時間の日曜日の朝、フィレンツェ警察の指紋鑑定官は、集められた材料を一つ一つ丹念に吟味した結果、〝百合《ゆり》の間〟の講壇、首縄、それにカッポーニ宮の調理室でフェル博士が使用していた用具から採取された指紋はすべて同一人物のもの、という結論に達した。

ハンニバル・レクターの親指の指紋は、フィレンツェ警察本部に貼《は》られていたポスターにものっていたのに、それとは照合されなかった。犯罪現場から採取された指紋は日曜の夜、インターポルに送られ、それは当然のことながら、他の七千もの犯罪現場の指紋と共にワシントンのFBI本部に到着した。自動指紋鑑定システムにかけられると、フィレンツェから送付された指紋は最高度に重要なサンプルと一致したため、鑑定課を統轄する副長官のオフィスで警報が鳴り響いたほどだった。ハンニバル・レクターの顔と指の写真がプリンターからゆっくりと這《は》いでてくるのを見た夜勤の係官は、即座に副長官の自宅に通報し、副長官はまず長官に、次いで司法省のクレンドラーに通報した。

メイスン・ヴァージャーの電話が鳴ったのは午前一時三十分だった。彼は、いかにも驚愕《きょうがく》して興味をそそられたように振る舞った。

ジャック・クロフォードの電話は午前一時三十五分に鳴った。何度か低く唸《うな》ってから、彼は夫婦のベッドの、いまは虚《むな》しい呪《のろ》われた側、妻のベラが生前横たわっていた側に転がった。そこはひんやりとしていて、頭がよく働くように思えた。

レクター博士がまたしても殺人を犯したことを最後に知ったのは、クラリス・スターリングだった。電話を切ってから、彼女は闇《やみ》の中でしばらくじっと横たわっていた。なぜか目の奥が疼《うず》いたが、泣きはしなかった。枕《まくら》に頭をのせたまま見あげると、密度の濃い闇のキャンヴァスに、彼の顔が見えた。言うまでもなく、それはレクター博士の昔の顔だった。

40

救急機のパイロットは、滑走路の短い、管制塔もないアルバタックス飛行場に暗夜着陸することを拒んだ。で、彼らはいったんカリアリに着陸し、燃料を補給してから夜明けを待って離陸した。サルデーニャ島の沿岸に沿って飛ぶ機は壮麗な朝日を浴び、マッテーオの死に顔は生者と見まがうピンク色に染まった。

アルバタックス飛行場には、棺《ひつぎ》をのせたトラックが待機していた。パイロットが礼金のことで文句を言い、カルロがその頰をひっぱたく直前にトンマーソが割って入った。

山岳地帯に分け入ること三時間、一行は故郷に帰り着いた。

マッテーオと共に建てた粗削りな丸太小屋のほうに、カルロは一人で歩いていった。すべての準備が完了していた。レクターの死に様を撮影するはずだったカメラも所定の位置に据えられている。マッテーオが建てた粗削りな仕掛けの下に立つと、カルロは畜舎の上に取り付けられたロココ調の大鏡に自分を映した。二人で伐《き》りだした丸太を見まわしながら、鋸《のこぎり》を挽《ひ》いていたマッテーオのいかつい両手を思いだすうちに、獣のような咆吼《ほうこう》が口からほとばしった。苦悶《くもん》する心臓から放たれたその叫びは、宙を裂いて木々の梢《こずえ》を渡っていった。山あいの草原の茂みから、鋭い牙《きば》を生やした豚の顔が覗《のぞ》いた。

彼ら自身も兄弟であるピエロとトンマーソは、カルロを一人にしておいた。

山あいの草原で小鳥たちがさえずっている。

と、母屋《おもや》の方角から、片手でズボンの前ボタンをはめ、もう一方の手で携帯電話を振りまわしながら、オレステ・ピーニがやってきた。「レクターをとり逃がしたんだそうじゃないか。運が悪かったんだよ」

カルロはその声が耳に入らない様子だった。

「しかし、これで全部おじゃんになったわけじゃなし、このセット、まだまだ生かせると思うがね」オレステ・ピーニは言った。「いまメイスンと話してるところなんだ。彼はシムラード（予行演習）のテープを見たいと言ってる。いずれ本当にレクターをつかまえたら、それを見せてやれるからな。とにかく、準備は完了してるわけだし。それに、生《なま》の死体が一つあるんだそうじゃないか——死んだのはあんたが雇ったごろつきだって、メイスンは言ってるけどさ。で、メイスンはこう言ってるんだがね、豚どもが出てきたら録音ずみの音響を流してから、柵《さく》の下で、その死体をそのゥ、ちょこっと振りまわしてみたらどうだって。ほら、メイスンが話したいとさ」

カルロはぐるっと振り返り、月からやってきた人間を見るような目つきでオレステを見た。それでも彼は、最後には携帯電話を受けとった。メイスンと話しているうちに、その顔はしだいに晴れやかになり、ついには心の安息をとりもどしたような表情まで浮かんだ。

携帯電話をパチッと閉じて、カルロは言った。「よし、準備しろ」

それから彼はピエロとトンマーソの兄弟とも話をし、カメラマンの助けを借りてマッテーオの棺を小屋に運んだ。

「そんな近くに置かなくてもいいよ」オレステは言った。「最初に豚どもがむらがっているショットを撮って、それをオープニング・シーンにすればいいんだから」

小屋での人の動きを見て、最初の豚の群れが地を蹴《け》った。

「ジリアーモ！」オレステが叫ぶ。

彼らは突進してきた。褐色に銀色の毛がまじった野生の豚の群れ。その丈は人の腰に達するほど高く、胸は厚く、全身長い剛毛に覆《おお》われ、小さな蹄《ひづめ》で狼《おおかみ》にも劣らぬほど敏《びん》捷《しょう》に動く。そのおぞましい顔面の小さな目は、どこか知的な光を宿し、背中に逆立つ剛毛の下で逞《たくま》しい首の筋肉がうねる。彼らは鋭い大きな牙で、人間を宙に抛《ほう》りあげることもできるのだ。

「プロンティ（準備完了）！」カメラマンが叫んだ。

野豚の群れは、この三日間、餌《えさ》を与えられていない。残りの豚の群れも、柵の背後の人間たちにひるむことなく突進してきた。

「モトーレ（カメラ）！」と、オレステ。

「パルティート（まわりました）！」カメラマンがわめいた。

　野豚の群れは小屋の十ヤード手前でいったん静止し、地面を蹄で掻《か》きながらひしめき合っている。土煙をあげる牙と蹄のむらがりの中央に、子供を孕《はら》んだ雌がいた。さながらフットボールのラインマンたちのように、彼らは前に飛びだしてはまた退く。オレステは両手で画面のフレームをつくって、彼らをその中にとりこんだ。

「アツィオーネ（アクション）！」彼はサルデーニャ人たちに向かって叫んだ。その瞬間、背後に忍び寄っていたカルロが、彼の尻《しり》の割れ目を下からナイフでえぐった。オレステは悲鳴をあげた。その腰を抱きかかえるや否《いな》や、カルロは彼を頭から先に柵囲いの中に放り込んだ。野豚の群れが殺到した。オレステは立ちあがろうとして、懸命に片方の膝《ひざ》をついた。そこへ雌豚がつっかかり、彼の肋骨《ろっこつ》を突き飛ばした。たまらず仰向《あおむ》けにひっくり返ったオレステに、豚の群れが襲いかかった。鼻息を荒らげ、甲高い鳴き声を発しながら、二頭の豚が彼の顔に食らいついた。左右から頬を引っ張り、顎《あご》を食いちぎり、鳥の鎖骨を引き裂くようにそれを分け合う。それでもオレステは立ちあがりかけた。が、再びどうと仰向けに倒れて、腹をむきだしにした。揉《も》み合う豚どもの背中の上で、彼の両手と両足が揺れた。顎を食いちぎられたオレステが絶叫しても、もはや言葉にはならなかった。

そのとき一発の銃声が響いて、カルロは振り返った。撮影中のカメラを放りだして、カメラマンが逃げようとしたらしい。が、ピエロのショットガンが火を噴くほうが早かったのだ。

豚どもはいまや腰を落ち着けた食事にとりかかっており、めいめい肉片を食いちぎっては好みの場所に運んでいる。

「何が〝アツィオーネ〟だ」カルロは言って、ぺっと唾《つば》を吐いた。

T・ハリス
高見浩訳

羊たちの沈黙（上・下）

FBI訓練生クラリスは、連続女性誘拐殺人犯を特定すべく稀代の連続殺人犯レクター博士に助言を請う。歴史に輝く〝悪の金字塔〟。

T・ハリス
高見浩訳

ハンニバル・ライジング（上・下）

稀代の怪物はいかにして誕生したのか――。第二次大戦の東部戦線からフランスを舞台に展開する、若きハンニバルの壮絶な愛と復讐。

ヘミングウェイ
高見浩訳

われらの時代・男だけの世界
―ヘミングウェイ全短編1―

パリ時代に書かれた、ヘミングウェイ文学の核心を成す清新な初期作品31編を収録。全短編を画期的な新訳でおくる、全3巻の第1巻。

ヘミングウェイ
高見浩訳

勝者に報酬はない・キリマンジャロの雪
―ヘミングウェイ全短編2―

激動の'30年代、ヘミングウェイは時代と人間を冷徹に捉え、数々の名作を放ってゆく。17編を収めた絶賛の新訳全短編シリーズ第2巻。

ヘミングウェイ
高見浩訳

蝶々と戦車・何を見ても何かを思いだす
―ヘミングウェイ全短編3―

炸裂する砲弾、絶望的な突撃。スペインの戦場で、作家の視線が何かを捉えた――生前未発表の7編など22編。決定版短編全集完結！

ヘミングウェイ
高見浩訳

日はまた昇る

灼熱の祝祭。男たちと女は濃密な情熱と血においに包まれて、新たな享楽を求めつづける。著者が明示した〝自堕落な世代〟の矜持。

S・キング
永井淳訳
キャリー
狂信的な母を持つ風変りな娘――周囲の残酷な悪意に対抗するキャリーの精神は、やがてバランスを崩して……。超心理学の恐怖小説。

S・キング
山田順子訳
スタンド・バイ・ミー
――恐怖の四季 秋冬編――
死体を探しに森に入った四人の少年たちの、苦難と恐怖に満ちた二日間の体験を描いた感動編「スタンド・バイ・ミー」。他1編収録。

S・キング
白石朗他訳
第四解剖室
私は死んでいない。だが解剖用人鋏は迫ってくる……切り刻まれる恐怖を描く表題作ほかO・ヘンリ賞受賞作を収録した多彩な短篇集。

J・グリシャム
白石朗訳
告発者
（上・下）
内部告発者の正体をマフィアに知られる前に、調査官レイシーは真相にたどり着けるか!?全米を夢中にさせた緊迫の司法サスペンス。

グリム
植田敏郎訳
白雪姫
――グリム童話集（I）――
ドイツ民衆の口から口へと伝えられた物語に愛着を感じ、民族の魂の発露を見出したグリム兄弟による美しいメルヘンの世界。全23編。

G・グリーン
上岡伸雄訳
情事の終り
「私」は妬心を秘め、別れた人妻サラを探偵に監視させる。自らを翻弄した女の謎に近づくため――。究極の愛と神の存在を問う傑作。

J・アーチャー
永井　淳　訳

百万ドルを
とり返せ！

株式詐欺にあって無一文になった四人の男たちが、オクスフォード大学の天才的数学教授を中心に、頭脳の限りを尽す絶妙の奪回作戦。

J・アーチャー
永井　淳　訳

ケインとアベル
(上・下)

私生児のホテル王と名門出の大銀行家。典型的なふたりのアメリカ人の、皮肉な出会いと成功とを通して描く〈小説アメリカ現代史〉。

カミュ
高畠正明訳

幸福な死

平凡な青年メルソーは、富裕な身体障害者の〝時間は金で購われる〟という主張に従い、彼を殺し金を奪う。『異邦人』誕生の秘密を解く作品。

J・アーヴィング
筒井正明訳

ガープの世界
全米図書賞受賞(上・下)

巧みなストーリーテリングで、暴力と死に満ちた世界をコミカルに描く、現代アメリカ文学の旗手J・アーヴィングの自伝的長編。

J・アーヴィング
中野圭二訳

ホテル・
ニューハンプシャー
(上・下)

家族で経営するホテルという夢に憑かれた男と五人の家族をめぐる、美しくも悲しい愛のおとぎ話——現代アメリカ文学の金字塔。

K・ウォード
城山三郎訳

ビジネスマンの父より
息子への30通の手紙

父親が自分と同じ道を志そうとしている息子に男の言葉で語りかけるビジネスの世界のルールと人間の機微。人生論のあるビジネス書。

J・M・ケイン
田口俊樹訳
郵便配達は二度ベルを鳴らす
豊満な人妻といい仲になったフランクは、彼女と組んで亭主を殺害する完全犯罪を計画するが……。あの不朽の名作が新訳で登場。

テリー・ケイ
兼武　進訳
白い犬とワルツを
誠実に生きる老人を通して真実の愛の姿を美しく爽やかに描き、痛いほどの感動を与える大人の童話。あなたは白い犬が見えますか？

T・R・スミス
田口俊樹訳
チャイルド44（上・下）
CWA賞最優秀スリラー賞受賞
連続殺人の存在を認めない国家。ゆえに自由に凶行を重ねる犯人。それに独り立ち向かう男――。世界を震撼させた戦慄のデビュー作。

ゾラ
古賀照一訳
居　酒　屋
若く清純な洗濯女ジェルヴェーズは、職人と結婚し、慎ましく幸せに暮していたが……。十九世紀パリの下層階級の悲惨な生態を描く。

ゾラ
川口　篤
古賀照一訳
ナ　　ナ
美貌と肉体美を武器に、名士たちから巨額の金を巻きあげ破滅させる高級娼婦ナナ。第二帝政下の腐敗したフランス社会を描く傑作。

ソルジェニーツィン
木村　浩訳
イワン・デニーソヴィチの一日
スターリン暗黒時代の悲惨な強制収容所の一日を克明に描き、世界中に衝撃を与えた小説。伝統を誇るロシア文学の復活を告げる名作。

I・マキューアン
小山太一訳

アムステルダム

ブッカー賞受賞

ひとりの妖婦の死。遺された醜聞写真が男たちを翻弄する……。辛辣な知性で現代のモラルを痛打して喝采を浴びた洗練の極みの長篇。

M・ミッチェル
鴻巣友季子訳

風と共に去りぬ（1〜5）

永遠のベストセラーが待望の新訳！　明るく、私らしく、わがままに生きると決めたスカーレット・オハラの「フルコース」な物語。

S・モーム
金原瑞人訳

月と六ペンス

ロンドンでの安定した仕事、温かな家庭。すべてを捨て、パリへ旅立った男が挑んだものとは――。歴史的大ベストセラーの新訳！

S・モーム
中野好夫訳

雨・赤毛

―モーム短篇集I―

南洋の小島で降り続く長雨に理性をかき乱されてしまう宣教師の悲劇を描く「雨」など、意表をつく結末に著者の本領が発揮された3編。

S・モーム
金原瑞人訳

人間の絆（上・下）

平凡な青年の人生を追う中で、読者は重たい問いに直面する。人生を生きる意味はあるのか――。世界的ベストセラーの決定的新訳。

R・ブローティガン
藤本和子訳

アメリカの鱒釣り

軽やかな幻想的語り口で夢と失意のアメリカを描いた200万部のベストセラー、ついに文庫化！　柴田元幸氏による敬愛にみちた解説付。

カポーティ
村上春樹訳
ティファニーで朝食を
気まぐれで可憐なヒロイン、ホリーが再び世界を魅了する。カポーティ永遠の名作がみずみずしい新訳を得て新世紀に踏み出す。

R・カーソン
青樹簗一訳
沈黙の春
自然を破壊し人体を蝕む化学薬品の浸透……現代人に自然の尊さを思い起させ、自然保護と化学公害告発の先駆となった世界的名著。

ガルシア＝マルケス
野谷文昭訳
予告された殺人の記録
閉鎖的な田舎町で三十年ほど前に起きた幻想とも見紛う事件。その凝縮された時空に共同体の崩壊過程を重層的に捉えた、熟成の中篇。

フリーマントル
稲葉明雄訳
消されかけた男
KGBの大物カレーニン将軍が、西側に亡命を希望しているという情報が英国情報部に入った！　ニュータイプのエスピオナージュ。

ブコウスキー
青野　聰訳
町でいちばんの美女
救いなき日々、酔っぱらうのが私の仕事だった。バーで、路地で、競馬場で絡まる淫猥な視線。伝説的カルト作家の頂点をなす短編集！

M・ブルガーコフ
増本浩子
V・グレチュコ訳
犬の心臓・運命の卵
人間の脳を移植された犬、巨大化したアナコンダの大群——科学的空想世界にソ連体制への痛烈な批判を込めて発禁となった問題作。

S・シン
青木薫訳
フェルマーの最終定理

数学界最大の超難問はどうやって解かれたのか？　3世紀にわたって苦闘を続けた数学者たちの挫折と栄光、証明に至る感動のドラマ。

S・シン
青木薫訳
暗号解読（上・下）

歴史の背後に秘められた暗号作成者と解読者の攻防とは。『フェルマーの最終定理』の著者が描く暗号の進化史、天才たちのドラマ。

S・シン
青木薫訳
宇宙創成（上・下）

宇宙はどのように始まったのか？　古代から続く最大の謎への挑戦と世紀の発見までを生き生きと描き出す傑作科学ノンフィクション。

S・シン
E・エルンスト
青木薫訳
代替医療解剖

鍼、カイロ、ホメオパシー等に医学的効果はあるのか？　二〇〇〇年代以降、科学的検証が進む代替医療の真実をドラマチックに描く。

M・デュ・ソートイ
冨永星訳
素数の音楽

神秘的で謎めいた存在であり続ける素数。世紀を越えた難問「リーマン予想」に挑んだ天才数学者たちを描く傑作ノンフィクション。

R・ウィルソン
茂木健一郎訳
四色問題

四色あればどんな地図でも塗り分けられるか？　天才達の苦悩のドラマを通じ、世紀の難問の解決までを描く数学ノンフィクション。

新潮文庫の新刊

原田ひ香著
財布は踊る
人知れず毎月二万円を貯金して、小さな夢を叶えた専業主婦のみづほだが、夫の多額の借金が発覚し――。お金と向き合う超実践小説。

沢木耕太郎著
キャラヴァンは進む
―銀河を渡るI―
ニューヨークの地下鉄で、モロッコのマラケシュで、香港の喧騒で……。旅をして、出会い、綴った25年の軌跡を辿るエッセイ集。

信友直子著
ぼけますから、よろしくお願いします。おかえりお母さん
脳梗塞を発症し入院を余儀なくされた認知症の母。「うちへ帰ってお父さんとまた暮らしたい」一念で闘病を続けたが……感動の記録。

角田光代著
晴れの日散歩
丁寧な暮らしじゃなくてもいい！ さぼった日も、やる気が出なかった日も、全部丸ごと受け止めてくれる大人気エッセイ、第四弾！

沢村凜著
紫姫の国（上・下）
船旅に出たソナンは、絶壁の岩棚に投げ出される。そこへひとりの少女が現れ……。絶体絶命の二人の運命が交わる傑作ファンタジー。

太田紫織著
黒雪姫と七人の怪物
―最愛の人を殺されたので黒衣の悪女になって復讐を誓います―
最愛の人を奪われたアナベルは訳アリの従者たちと共に復讐を開始する！ ヴィクトリアン調異世界でのサスペンスミステリー開幕。

ハンニバル(上)

新潮文庫　ハ - 8 - 23

Published 2000 in Japan
by Shinchosha Company

平成十二年四月十日発行
令和六年十二月二十日十二刷

訳者　高《たか》見《み》浩《ひろし》
発行者　佐藤隆信
発行所　株式会社新潮社

郵便番号　一六二―八七一一
東京都新宿区矢来町七一
電話　編集部(〇三)三二六六―五四四〇
読者係(〇三)三二六六―五一一一
https://www.shinchosha.co.jp

価格はカバーに表示してあります。

乱丁・落丁本は、ご面倒ですが小社読者係宛ご送付ください。送料小社負担にてお取替えいたします。

印刷・錦明印刷株式会社　製本・錦明印刷株式会社

ISBN978-4-10-216703-8 C0197